P9-AGI-609

LA FRANCE MODERNE

LA FRANCE MODERNE

SOCIALE POLITIQUE ÉCONOMIQUE

ARMAND BÉGUÉ
Brooklyn College

LOUISE BÉGUÉ
Sarah Lawrence College

D. C. HEATH AND COMPANY, BOSTON

Copyright © 1964 by D. C. Heath and Company
NO PART OF THE MATERIAL COVERED BY THIS COPY-
RIGHT MAY BE REPRODUCED IN ANY FORM WITHOUT
WRITTEN PERMISSION OF THE PUBLISHER. PRINTED
IN THE UNITED STATES OF AMERICA
PRINTED JUNE 1965
Library of Congress Catalog No. 64-11812

Ce livre de lecture, destiné aux étudiants de « college » de deuxième année, ainsi qu'aux élèves de « high school » dans leur troisième ou leur quatrième année de français, expose certains aspects de la France actuelle.

Nous présentons la vie des Français de notre temps, en la reliant à leur position économique, et en faisant parfois des rapprochements avec la vie des Américains. Nous insistons sur certaines caractéristiques importantes: la centralisation gouvernementale, la variété et l'unité du pays. Nous insistons également sur quelques-uns des traits essentiels d'une France en pleine période de transformation: l'essor démographique et ses conséquences, quelques réussites économiques, quelques-unes des profondes réformes en cours.

Ceci n'est donc pas un livre complet de civilisation. Bien que nous sachions à quel point l'évolution de la France moderne s'appuie sur les traditions, nous avons délibérément laissé de côté la partie historique, parce que nous estimons qu'une étude sérieuse de l'histoire exige plus de place que nous n'aurions pu lui accorder ici. Nous avons également renoncé à d'autres domaines: la vie intellectuelle et artistique est étudiée dans les cours d'art et de littérature. Et nous avons évité soigneusement les descriptions purement touristiques et folkloriques, les anecdotes, tout ce qui pouvait constituer un pittoresque facile.

Par sa nature, un livre portant sur la civilisation, les mœurs, la culture, risque, plus que tout autre peut-être, d'être incomplet et imparfait; la plupart des vérités qu'il énonce prêtent à la critique, puisqu'elles résument trop rapidement des faits complexes, et que tant d'autres sont éliminées d'une manière qui peut sembler arbitraire. Nous savons les lacunes et les imperfections de ce texte, mais nous espérons tout au moins que, dans les grandes lignes, ce volume aidera le lecteur à se faire une image exacte de la France d'aujourd'hui.

Nous avons été heureux de pouvoir profiter des opinions de plusieurs collègues, Français de France et Français d'Amérique. Nous ne pouvons pas malheureusement les nommer tous ici. Nous tenons toutefois à remercier particulièrement le professeur Paul Alpert, l'abbé Gaston Lecordier, et M. Michel Blanchon de leurs conseils précis. Un mot tout spécial de gratitude va à Mrs. Ilse Loeser, de la maison D. C. Heath, pour la patience intelligente et les soins méticuleux avec lesquels elle a préparé le manuscrit final. A Dr. Vincenzo Cioffari enfin revient le mérite d'avoir conçu l'idée même du livre et d'avoir dirigé et soutenu inlassablement nos lents efforts.

A. et L. B.

TABLE DES MATIERES

Première Partie

ARRIVEE EN FRANCE ET PREMIERS CONTACTS

Il y a bien des manières d'arriver en France, mais la première grande ville que l'on visite est presque toujours Paris.

Venant par avion, on descend soit à Orly soit au Bourget: les deux aéroports sont situés respectivement au sud-est et au nord-ouest de Paris.[1] Le car spécial[2] qui amène du Bourget traverse 5 actuellement des quartiers populeux, industriels, gris, sales, aux maisons délabrées, qui ne ressemblent en rien au Paris des cartes postales en couleurs que le professeur de français a montrées à ses classes, ou aux belles affiches de tourisme du gouvernement français. 10

Par contre, le car qui vient d'Orly prend l'auto-route du sud, celle qui doit plus tard descendre jusqu'à la Méditerranée, et qui donne à l'arrivant un peu l'impression d'être encore aux Etats-Unis: de larges rubans de ciment, une signalisation routière moderne, et au loin, à gauche et à droite, de grands et beaux 15 immeubles d'une dizaine d'étages, rappellent des paysages familiers au voyageur américain.

Palais de Chaillot

Formalités de la douane, au Havre

L'un et l'autre car conduisent à l'aérogare des Invalides, au coin de la Place (ou Esplanade) des Invalides, exemple parfait de l'architecture du XVIIème siècle qui fait oublier les quartiers tristes parcourus ou le ciment de l'auto-route.

5 Si, au contraire, la traversée de l'Atlantique s'est effectuée en bateau, le train spécial venant du Havre ou de Cherbourg arrive à la gare Saint-Lazare, dans un quartier commercial et très vivant de la rive droite, et l'on plonge immédiatement dans une foule parisienne affairée.

10 Avant Paris déjà, un premier contact a été pris avec les fonctionnaires de la douane et de la police du territoire; le voyageur muni d'un passeport en règle et d'une feuille de déclaration pour la douane qui précise qu'il n'a « rien à déclarer », n'a vraiment aucun ennui à craindre.

15 Dans la rue parisienne, à pied ou en taxi, c'est la circulation automobile qui provoque un premier étonnement. Sa rapidité et l'apparente absence de règlementation sont surprenantes. Il faut certes prendre des précautions pour traverser les rues, n'utilisant que les « passages cloutés », et respectant les feux.[3] Le conduc-
20 teur français est adroit, ses réflexes sont bons, mais il est pressé et montre peu de sympathie ou de respect pour le piéton.

En gagnant l'hôtel en taxi (les taxis sont relativement bon marché), on observera la manière de conduire du chauffeur pendant la traversée d'une grande place, comme celle de la Concorde
25 ou celle de l'Etoile, pour se familiariser avec certains aspects essentiels du « Code de la route ». La « priorité à droite » est la

première règle à connaître et à bien appliquer Ceci veut dire que toute voiture venant de la droite a la priorité et l'utilise: elle passe devant celle qui vient de la gauche.[4] Et, au bout de quelques jours, on est surpris du très petit nombre d'accrochages, et, en dehors de la « zone bleue »,[5] de la rapidité relative avec laquelle on se déplace à travers Paris.

Si l'on veut faire des achats entre midi et 14 h., c'est-à-dire entre midi et deux heures de l'après-midi,[6] il ne faut pas s'étonner de trouver la plupart des boutiques et des petits magasins fermés pendant une heure ou une heure et demie. Cette coutume est toutefois en train de se perdre. Beaucoup de personnes commencent à préférer une journée de travail continue, qui ne s'interrompt pas pour le déjeuner, et qui se termine par conséquent plus tôt que la journée actuelle. D'autre part, nombre d'employés, vendeurs et vendeuses, tiennent à cet arrêt au milieu du travail, soit pour aller déjeuner en famille, soit pour simplement se détendre. Et beaucoup d'employeurs prétendent d'ailleurs, grâce à cette interruption, obtenir un meilleur rendement. Actuellement, la plupart des bureaux et des petits magasins ne ferment qu'à 18 ou 19 h., c'est-à-dire à 6 ou 7 h. du soir.

Quels que soient la température, l'heure, le jour, et le mois de l'année, les cafés et leur terrasse, remplis de monde, donnent l'impression — fausse — que beaucoup de Parisiens n'ont rien à faire. Devant une tasse de café, un verre de bière, un jus de fruit, un apéritif ou un digestif, ils marquent simplement un temps d'arrêt, ils discutent d'une affaire, ou tout bien se reposent, un instant ou une heure, mais ils reprennent ensuite leur travail, leurs rendez-vous, leurs obligations.

Une terrasse de café
sur les Champs-Elysées

En été, Paris se vide, principalement en août. Plus de deux millions de Parisiens prennent de trois à huit semaines de vacances hors de la capitale. Les ouvriers, les employés de bureau, les employés de magasin, bénéficient de plusieurs semaines de congés 5 payés, garantis par la loi depuis 1936. Ils partent pour la mer, la montagne ou la campagne, avec leur famille; les petits patrons ferment leur magasin, et partent également. En août, Paris se trouve à moitié privé de ce qui fait l'activité et la vitalité d'une capitale.[7]

10 Les Parisiens attachent une grande importance à la verdure, aux arbres et aux fleurs. On a plaisir à voir tant de rues, d'avenues et de boulevards bordés de beaux arbres. Au cours de promenades dans le Jardin des Tuileries et dans le Jardin du Luxembourg, par exemple, on peut admirer en toutes saisons une profusion de grands 15 et jolis parterres à la française, aux dessins très soignés, aux couleurs vives et variées, d'un goût parfait.[8] Et, chaque quartier, même le plus pauvre, possède de petits squares, îlots de verdure et d'ombrage, ou les mères font prendre l'air à leurs enfants.

La Parisienne aime les fleurs naturelles. Tout le long de l'année, 20 on trouve dans les marchés en plein air les fleurs de la saison à des prix très bas. Et sur les quatre mille fleuristes de France, plus de douze cents tiennent boutique à Paris, et ne manquent pas de clients. Même dans les plus humbles ménages, des fleurs, qui viennent peut-être de la grande banlieue,[9] du Val de Loir, ou même 25 de Cannes, Nice et Grasse, ornent et égayent l'appartement.

Si l'on rencontre des amoureux qui marchent bras-dessus bras-dessous, ou qui s'embrassent dans la rue, le métro, sur les quais de la Seine, il faut s'en amuser et non s'en choquer. En fait, tout le monde y est habitué et n'y prête aucune attention. Cette franche 30 extériorisation, ce bonheur étalé en plein jour, révèlent combien la jeunesse est insouciante du « qu'en dira-t-on ? »

Dans certains quartiers, du côté de la Place Pigalle, à Montmartre, ou sur les Champs-Elysées, ou dans les boîtes de nuit de Montparnasse et du Quartier Latin, la vie nocturne est brillante 35 et bruyante. Mais les boîtes fréquentées par les « tours » organisés sont artificielles, et leurs programmes sont surtout destinés à la clientèle étrangère riche. Les Parisiens qui s'amusent cherchent plutôt des boîtes moins spectaculaires et plus authentiques. Et l'on constate qu'ils se couchent assez tôt. Dès dix heures du soir, bien 40 des rues prennent un air paisible et provincial. Beaucoup de lignes d'autobus ne fonctionnent plus. Le métro devient moins fréquent, et s'arrête complètement entre 1 h. et 5 h. et demie du matin. Seuls les taxis, avec un tarif plus élevé que le jour, continuent à circuler.

Pour s'orienter dans la ville, personne ne parle ici de « down-45 town », ou de « uptown », car cette distinction n'existe pas. Les Parisiens ne parlent pas non plus de « blocks »; ils parlent parfois de pâtés de maisons, et surtout de quartiers, de rues, et ils expliquent les distances à l'estime, en mètres et en kilomètres: « à deux

Notre-Dame

Boulevard Saint-Michel

cents mètres, à cinquante mètres, vous tournerez à droite, puis vous prendrez la deuxième rue à gauche, etc. . . . .»[10]

Dans beaucoup de quartiers, les immeubles d'habitation, les boutiques, les magasins, les bureaux, alternent parfois avec des
5 ateliers ou de petites usines. Le tout est aéré par des squares ou des parcs. Plusieurs grands cimetières, en pleine ville, augmentent encore les surfaces non bâties.

On dit: « je vais à l'Opéra », c'est-à-dire dans le quartier de l'Opéra; « il habite aux Invalides », ou « aux Gobelins », ou « près
10 de l'Etoile », ou « à Passy », etc. . . . Il faut alors trouver sur un plan ces noms-clés et repérer la ligne d'autobus ou de métro qui permet d'arriver à l'adresse voulue. Par comparaison avec les villes américaines, les distances ici sont petites, et par conséquent, le métro et les autobus desservent bien et vite les divers coins de Paris.

15 En marchant dans les rues, on voit une grande variété de types humains; Paris est extrêmement cosmopolite. Mais, si l'on considère seulement les Français, les hommes et les femmes sont en majorité de petite taille, avec les yeux noirs et le teint plutôt pâle. Il y a aussi une forte proportion de blonds (et surtout de blondes,
20 car les femmes se décolorent les cheveux plus fréquemment qu'aux Etats-Unis). Et les uns et les autres, sans observer la réserve et le flegme anglo-saxon, s'expriment avec une grande variété de gestes et une physionomie particulièrement expressive.

Dans les rapports avec les commerçants et les fonctionnaires, il
25 est bon de prendre leur rythme de vie et de s'adapter à leurs ma-

nières; il ne faut pas se fâcher, il faut sourire, prendre les choses
« à la blague », plaisanter avec eux sur le même ton, leur donner
l'impression que l'on n'est ni pressé ni exigeant. Il est indispen-
sable aussi de ne jamais omettre les petits mots habituels de politesse, comme « bonjour, monsieur (madame, mademoiselle), merci, 5
monsieur (madame, mademoiselle) », toujours souriant gentiment,
avec un ton de voix amical. Les habitudes et les conventions ainsi
respectées, des relations cordiales s'établiront. Ces rapports plus
humains rendent d'ailleurs la vie plus agréable, et ils ne sont pas
à dédaigner lorsqu'on a besoin de petits services ou de quelque 10
faveur, qui seront alors probablement accordés tout simplement,
comme à un ami.

Pour les repas, il vaut mieux s'adapter aux habitudes des Français, c'est-à-dire se contenter d'un petit déjeuner très simple, un
bol ou une tasse de café au lait, de chocolat ou de thé, qu'accom- 15
pagne un croissant ou une tartine de pain beurré, grillé ou non ;
à midi, on prend un déjeuner assez copieux, sans se presser ; et le
dîner, généralement léger, se place entre 19 et 21 h.

Au début du séjour, les obstacles de la langue, et plus tard, une
certaine paresse, ou peut-être des raisons pécuniaires, pousseront 20
l'étranger vers les restaurants « self-service » et les « snack-bars ».
Ils sont acceptables et bon marché ; ils offrent une nourriture
simple, saine, mais ne représentent pas la meilleure cuisine française. Avec le temps et quelques recherches, on peut découvrir de
petits restaurants de bonne qualité et de prix moyens, fréquentés 25
par des habitués français. Quant à l'étudiant, français ou étranger,
régulièrement inscrit à des cours universitaires, il peut prendre
ses repas dans des restaurants réservés aux étudiants, subventionnés par l'Etat, et très bon marché.[11]

Si l'on est gourmand, on a plaisir à constater que les pâtisseries 30
et les boulangeries-pâtisseries ne manquent pas. En fait, il y en a
probablement plus que de « drugstores » dans une grande ville des
Etats-Unis. Et leur devanture est extrêmement alléchante. Mais,
pour les jeunes filles, attention à la ligne !

Par contre, la pharmacie en France ne vend guère que des médi- 35
caments sur ordonnances ou par spécialités ; elle n'offre jamais de
glace, ni de repas léger, ni même de sandwich ; le nombre en est
donc moins élevé que celui des « drugstores » aux Etats-Unis.

Le Français a la réputation de manger beaucoup de pain. Ceci
est toujours exact, quoique la consommation nationale soit en 40
diminution sensible, et qu'à Paris on mange moins de pain qu'en
province et à la campagne. Les Parisiens sont toutefois particulièrement difficiles quant à la qualité et la forme de leur pain
quotidien ou bi-quotidien. Les ménagères font la queue chez le
boulanger avant chaque repas (il n'y a pas de pain dans les épice- 45
ries) afin de se procurer, selon le goût de chacun, un pain bien cuit,
doré, encore chaud, une « baguette », un « saucisson », une « flûte »,
un « bâtard », une « ficelle ».[12]

Pour acheter des cigarettes, françaises ou étrangères, des allumettes, du tabac, il faut s'adresser aux bureaux de tabac, ou aux « Cafés-Tabacs », qui ont seuls le droit de vendre ces articles, monopoles de l'Etat.[13] D'autre part, il est préférable — si l'on peut y
5 arriver — de s'habituer aux cigarettes et aux tabacs français, car les produits importés se vendent relativement beaucoup plus cher.

Au cinéma et au théâtre, il ne faut pas oublier l'ouvreuse qui conduit chaque spectateur à son fauteuil; une coutume étrange veut qu'on lui donne un petit pourboire pour sa peine, un pour-
10 boire de l'ordre de cinquante centimes ou un franc, selon le prix du billet.*

Enfin, le métro parisien, plus économique que les autobus, doit attirer les esprits aventureux.[14] Ses trains sont plus courts que ceux de New York, et ses voitures moins longues; il ne va jamais
15 très vite puisqu'il s'arrête à chaque station, mais il est propre, relativement peu bruyant, et, sauf aux heures d'affluence, il fait plutôt l'effet d'un gros jouet. Les indications destinées aux voyageurs y sont remarquablement claires. Des plans, affichés partout, à l'intérieur et à l'extérieur des stations, indiquent très bien où se
20 trouvent les « correspondances », les stations où l'on peut changer de lignes.[15] Il existe aussi beaucoup de tableaux lumineux, où il suffit d'appuyer sur le bouton placé en face du nom de la station où l'on désire se rendre pour voir s'illuminer devant soi les lignes qu'il faut prendre successivement.

* C'est-à-dire dix ou vingt « cents »; le dollar vaut aujourd'hui 4,85 francs.

Carte de métro avec indicateur lumineux d'itinéraires

Choisir, parmi les catégories suivantes, trois mots ou groupes de mots, et les expliquer à l'aide de deux ou trois phrases complètes. (Voir exemples plus bas.)

1. les vacances; le congé; projeter un voyage; faire un séjour; visiter une ville; rendre visite à un ami
2. prendre l'avion; retenir sa place; embarquer; débarquer; atterrir
3. le pourboire; l'ouvreuse; faire la queue; se détendre; un apéritif
4. un plan; un dépliant; le nom-clé; un étranger; avoir des préjugés
5. le car; un autobus; desservir; le métro; le tarif; quotidien
6. un immeuble; une usine; un encombrement de voitures; un piéton; un passage clouté
7. un fonctionnaire; un douanier; un employé; un ouvrier; une boutique; une vitrine

Exemples:

les vacances: Pendant les vacances, je me couche tard et je me lève tard; je sors tous les soirs; je lis les livres qui me plaisent (que j'aime).

ou: Tout le monde aime les vacances: elles permettent de se reposer ou de faire ce que l'on n'a pas le temps de faire d'habitude.

ou: On peut faire des courses ou rendre visite à ses amis, faire un voyage, ou encore ne rien faire du tout.

ou: Pendant les vacances de Noël et les vacances de Pâques, je vais tous les jours à la bibliothèque . . . j'ai à (il me faut) écrire deux longs devoirs pour mon cours d'anglais.

retenir sa place: Cette pièce de théâtre est très populaire (a beaucoup de succès); il faut retenir sa place (ses places) un mois à l'avance si l'on ne veut pas payer trop cher . . .

ou: J'ai demandé à mon ami de me retenir une place sur l'avion qui part le . . . pour . . . ; on peut retenir ses places par téléphone . . .

le pourboire: C'est une petite somme d'argent qu'il faut donner, dans un restaurant, par exemple, au garçon ou à la serveuse ou à un chauffeur de taxi; c'est une coutume que j'approuve parce que . . . (que je n'approuve pas parce que . . .); on donne d'habitude 10% ou 15% ou 20% . . .

le plan: Pour une ville on parle généralement d'un plan, et non pas d'une carte (on ne parle pas de carte pour une ville, on parle d'un plan); le plan d'une ville montre les rues, les places, et parfois les monuments, les édifices importants . . . Avec un bon plan, je n'ai pas besoin de demander mon chemin à personne; je peux visiter une ville seul et parfaitement.

ou: Je ne sais pas lire un plan; je n'aime pas me promener dans une ville que je ne connais pas avec un plan à la main; je préfère demander mon chemin aux gens que je rencontre . . .

1. Quels sont les avantages et les inconvénients d'un voyage rapide à travers l'Europe? 2. A quoi peut servir un séjour d'un an à l'étranger? 3. Aimez-vous voyager en avion? Pourquoi? 4. Quels sont les avantages d'une traversée en bateau? 5. Est-il préférable de connaître quelque chose du pays que l'on va voir avant de partir? Quels arguments pouvez-vous avancer pour et contre? 6. Dans quel état d'esprit estimez-vous qu'il vaut mieux être pour visiter un pays étranger, et pourquoi? 7. Chaque pays a une douane; quel en est le rôle? 8. Si le passeport que l'on présente à la frontière n'est pas en règle, que se passe-t-il? 9. Pourquoi la circulation automobile française étonne-t-elle l'étranger? 10. Qu'est-ce que c'est que la priorité à droite? 11. Qu'est-ce que c'est qu'une voie à priorité? 12. Pour quelles raisons beaucoup de magasins, boutiques, bureaux français ferment-ils à l'heure du déjeuner? 13. Aimeriez-vous voir adopter chez vous la coutume qui consiste à fermer bureaux et magasins à l'heure du déjeuner? Pourquoi? 14. Essayez d'expliquer la mentalité du petit commerçant parisien qui, en été, ferme son magasin et part en vacances. 15. Quelles sont vos idées à priori sur la vie nocturne à Paris? 16. Quand et comment se sert-on des tableaux lumineux dans le métro parisien? 17. En général, quelle sorte de travail font les urbanistes? 18. Décrivez les trois repas d'un Français moyen. 19. Qu'est-ce que c'est qu'un bureau de tabac? 20. Dans un théâtre ou dans un cinéma, qu'est-ce que c'est qu'une ouvreuse? Que fait-elle? Qu'attend-elle du spectateur? 21. Comment vaut-il mieux se comporter avec un vendeur, une vendeuse, un petit fonctionnaire français? 22. A Paris, aimeriez-vous mieux utiliser les autobus ou le métro? Pour quelles raisons? 23. Pourquoi les cigarettes et le tabac ne sont-ils pas vendus librement dans les magasins? 24. Expliquez ce que c'est que la « zone bleue » et comment elle fonctionne.

NOTES

1. Orly et le Bourget se partagent le trafic international; c'est au Bourget que Charles Lindbergh a atterri en 1927.

2. Le mot « car » est réservé à l'autobus qui va d'une ville à une autre ville; un autobus dessert les quartiers d'une même ville.

3. En général les feux changent plus souvent qu'aux Etats-Unis; et puis surtout, il n'y a pas de feu à chaque coin de rues. Sur certains parcours, les feux sont synchronisés, et ils changent selon un rythme qui varie selon l'heure de la journée et le volume de la circulation.

4. Il y a aussi quelques voies, avenues et boulevards à grande circulation, qui ont la priorité sur toutes les rues qui y débouchent; il en est de même sur les grandes routes, dites « nationales », en dehors de Paris.

5. Dans les quartiers du centre, autour de l'Opéra, de l'Arc de Triomphe, des Champs-Elysées, etc. . . ., il est interdit de stationner plus d'un certain temps, variable selon le moment de la journée; il n'y a pas toutefois de compteur fixe sur le trottoir; chaque automobiliste doit disposer lui-même à l'intérieur de son pare-brise un petit disque en carton dont un panneau mobile indique l'heure d'arrivée et l'heure où il devra partir. Dans beaucoup de villes de province, le centre de la ville, autour de la cathédrale ou de l'hôtel de ville, est également déclaré « zone bleue ».

6. Sur les horaires des chemins de fer, des bureaux, des écoles, des magasins, on emploie de préférence le système des 24 heures: à midi correspond 12 h.; à minuit, 24 h.; à une heure de l'après-midi, 13 h.; à six heures du soir, 18 h., etc. . . .

7. Pour les courtes vacances de Pâques 1962, par exemple, un million et demi de Parisiens ont quitté Paris.

8. « A la française », c'est-à-dire géométrique, symétrique, à la différence du jardin dit « à l'anglaise », irrégulier, plus fantaisiste.

9. On distingue entre la petite banlieue, ou proche banlieue, qui touche à la Ville de Paris, et l'autre, la grande banlieue, à une trentaine de kilomètres (une vingtaine de « miles ») de Notre-Dame.

10. Pour s'orienter, les Plans de Paris, distribués par les bureaux de l'Office du Tourisme, de petits dépliants verts, pour le métro et les autobus, sont admirablement faits.

11. La plupart des universités de province ont aussi leur restaurant universitaire.

12. Ce sont les termes les plus courants, et intraduisibles, qui désignent une certaine forme ou un certain type de pain.

13. C'est tout simplement un impôt indirect portant sur le tabac, les cigarettes, les allumettes, les briquets.

14. Dans le métro, le prix du billet est uniforme, quelle que soit la distance parcourue; dans l'autobus, l'itinéraire de la ligne se divise en « sections », et le voyageur paie sa place selon le nombre de « sections » parcourues.

15. Chaque train de métro (ou « rame » de métro) possède une voiture de 1ère classe; les quatre ou cinq autres voitures sont des voitures de 2de classe, mais la seule vraie différence entre les deux classes réside dans le fait qu'il y a généralement beaucoup moins de monde dans la voiture de 1ère.

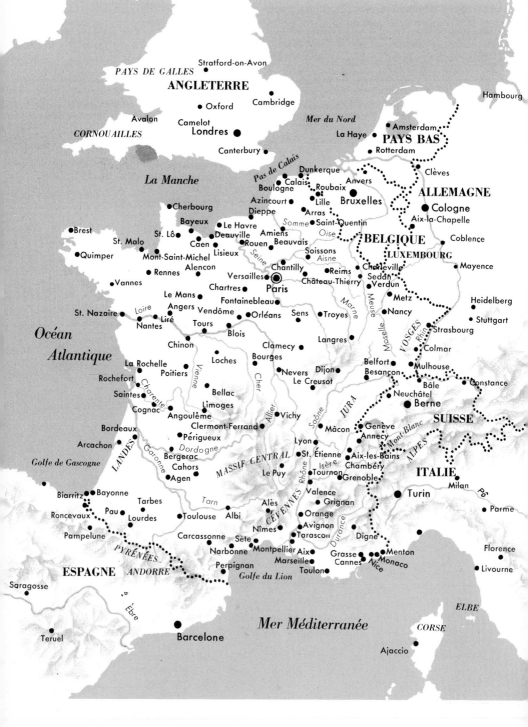

2

GENERALITES PHYSIQUES ET DEMOGRAPHIQUES

La France, comme le montre la carte, forme une des pointes occidentales de l'Europe continentale. Elle s'étend entre les 42ème et 51ème degrés de latitude nord, c'est-à-dire qu'elle est située à peu près à égale distance entre le pôle nord et l'équateur. Elle couvre une superficie de 551,000 kilomètres carrés (212,000 « square miles »), ce qui correspond aux quatre-cinquièmes de l'état du Texas, ou aux états de la Californie et de New York combinés. Elle est un peu plus grande que chacun des pays suivants, ses voisins: la Grande-Bretagne, l'Italie, l'Espagne.[1] Mais les Etats-Unis, avec un peu plus de neuf millions de kilomètres carrés, sont quinze fois plus étendus; l'Union des Républiques socialistes soviétiques fait plus de quarante fois la France; la Chine près de dix-huit fois, et le Brésil, près de seize fois.

Sa forme est celle d'un hexagone. Un peu plus de la moitié de ses frontières sont maritimes; elles sont marquées par la Mer du nord, le détroit du Pas de Calais, la Manche, l'Océan Atlantique, la Mer Méditerranée. Ses frontières terrestres, naturelles ou artificielles, la séparent de la Belgique, du Luxembourg, de l'Allemagne, de la Suisse, de l'Italie, de l'Espagne.

Le relief

Son relief, fort varié, est fait de chaînes et de massifs montagneux, de plaines et de bassins fluviaux.

La chaîne des Alpes françaises constitue l'une des frontières naturelles de la France.[2] Le Mont Blanc est le sommet le plus élevé d'Europe, avec ses 4,810 mètres. L'altitude moyenne de la chaîne se maintient autour de 3,000 mètres, mais les vallées entrent profondément dans le massif, et l'on a pu de tout temps le traverser par plusieurs grands et beaux cols, maintenant pourvus de routes aux lacets bien dessinés, ou de voies ferrées utilisant des tunnels.[3] La muraille des Alpes, assez large en France, puisqu'elle descend jusqu'au Rhône, n'est donc pas très difficile à traverser.[4]

Au contraire, la muraille des Pyrénées, étroite et en pente abrupte du côté français, avec ses deux mille mètres d'altitude moyenne, ne se traverse aisément qu'aux deux extrémités, près de l'Atlantique et près de la Méditerranée. Entre la France et l'Espagne, les Pyrénées dressent un véritable mur, avec deux ou trois sommets importants, dont le Vignemale, par exemple, qui atteint 3,300 mètres.

Le Massif Central occupe une bonne partie du centre du pays.
Ce sont des monts volcaniques, d'anciens volcans désormais
5 éteints, peu élevés, qui forcent toutefois les routes et les voies
ferrées à des détours compliqués. Le dessin de la ligne de partage
des eaux n'y est pas simple, car les nombreux cours d'eau qui y
prennent leur source s'écoulent dans toutes les directions. Cette
topographie explique en partie pourquoi, les voies de grande com-
10 munication traversant moins facilement la région, celle-ci demeure
pittoresque et isolée.

Le Mont-Blanc

A l'est, près de la frontière d'Allemagne, se dresse le petit massif
des Vosges. Dans ces vieilles montagnes, usées par l'érosion, les
sommets, peu élevés, prennent la forme de « ballons ».[5]
15 Un peu au sud des Vosges, près de la Suisse, plusieurs petites
chaînes parallèles, vertes et boisées, forment le Jura.

Les Alpes, les Pyrénées, le Massif Central, les Vosges, le Jura,
sont les vraies montagnes de la France. Elles créent des régions
naturelles aux différences bien marquées. Les monts de Bretagne,
20 les collines des Ardennes, anciens massifs, et peu élevés, offrent
un sol usé et pauvre. Entre Marseille et la frontière franco-italienne
par contre, les monts des Maures et de l'Estérel donnent beaucoup
de couleur à une partie de la Riviera française. Mais, ni les uns
ni les autres ne sont très importants, et ils ne présentent guère
25 d'obstacle à la circulation routière ou ferroviaire.

Le reste du pays est en plaines et en vallées: la grande plaine
du Nord, celle de l'Ile de France, le Sud-Ouest, une partie de
l'ancienne province du Languedoc, et les vallées des cinq fleuves,
la Seine, la Loire, la Garonne, le Rhône, et le Rhin. Il y a peu de
30 plateaux.

Les cours d'eau ont beaucoup compté tout au long de l'histoire en tant que routes de pénétration pour les peuples, pour leur culture, pour tous les échanges; en tant que frontières aussi; ils comptent encore maintenant dans la vie économique et sociale du pays. Par définition il y a cinq fleuves; les autres cours d'eau, 5 qu'ils se jettent directement dans la mer ou qu'ils se jettent dans les fleuves, portent le nom de rivières; ils sont nombreux: la France est relativement bien arrosée.

La Seine, longue de 770 kilomètres, sinueuse et en partie navigable, possède des affluents, la Marne et l'Oise, qui ont joué un 10 grand rôle historique. Ils ont servi en effet de voies naturelles aux invasions germaniques, celles des premiers siècles, celles du Moyen Age, et celles des XIXème et XXème siècles. De nos jours, reliés par de nombreux canaux aux régions du nord et de l'est, grands centres industriels, et rejoignant par d'autres canaux l'Europe du 15 nord, ils forment un réseau excellent de communications.* Trois grandes villes sont installées sur les rives de la Seine: Paris, Rouen, le Havre.

La Loire (1,010 kilomètres), irrégulière et peu navigable, arrose le « Jardin de la France », la Touraine. Dans cette large et longue 20 vallée se dressent les châteaux de la Renaissance: Chenonceaux, Azay-le-Rideau, Chaumont, Chambord, etc... Cette vallée, dont les poètes ont célébré la « douceur », reste toujours belle, et assez riche grâce à ses vignes, à ses jardins, et aux touristes français et étrangers. 25

La Garonne (575 kilomètres) descend rapidement des Pyrénées. Avec ses affluents (le Tarn, la Dordogne, etc...), elle arrose l'ancien duché de Gascogne.[6] Sur ses rives, deux grandes villes rivalisent d'activité: l'une est Toulouse, et, l'autre, située là où la Garonne s'élargit pour former l'estuaire de la Gironde, est 30 Bordeaux et son port.

Le Rhône (522 kilomètres en France et 290 en Suisse) lui aussi est un fleuve rapide, reprenant sa course après s'être momentanément assagi dans le lac Léman, en Suisse. C'est sur son cours et celui de ses affluents que l'on trouve les barrages hydro-électriques 35 les plus puissants. La vallée qu'il s'est taillée, entre le Massif Central et les Alpes, renferme les deux villes de France les plus importantes après Paris, c'est-à-dire Lyon, ancienne capitale de la Gaule, et Marseille, port fondé par une colonie grecque six cents ans avant Jésus-Christ. Cette vallée se prolonge au nord par la 40 vallée de la Saône, affluent du Rhône, et fait ainsi communiquer le nord de l'Europe et Paris avec les pays méditerranéens.

Le Rhin enfin, qui forme environ deux cents kilomètres de la frontière franco-allemande, dessert par ses ports fluviaux, et surtout

* Voir la carte des canaux, p. 128.

par le port de Strasbourg, une région industrielle extrêmement active; les gros chalands venant de la Mer du nord le remontent aisément.

Aucun de ces fleuves n'atteint les dimensions (longueur, largeur, 5 volume) des fleuves américains, comme le Hudson, l'Ohio, le Mississippi, la Columbia, le Colorado,[7] mais leurs vallées possèdent chacune une longue histoire, un paysage, un charme propres; ce qui contribue beaucoup à créer la variété qui constitue, dit-on, la première caractéristique de la France.

Le climat

10 Cette variété se retrouve dans les climats. S'il est vrai que la plus grande partie du pays, située dans la zone tempérée, jouit en effet d'un climat tempéré, toutefois il faut distinguer au moins trois types de climats.

D'abord, dans le nord, l'est, le nord-est, et dans les régions 15 montagneuses, sévit un climat plutôt continental, neigeux et assez froid en hiver. Puis une vaste zone se place sous l'influence de la Manche et de l'Atlantique: le nord-ouest, l'ouest, et le sud-ouest, ainsi que la majeure partie du Bassin parisien. Nous trouvons ici un climat tempéré, humide, ni trop chaud ni trop froid. Enfin, 20 tout le Midi jouit par contre du climat méditerranéen: chaud, ensoleillé, assez sec; c'est le climat d'ailleurs de tous les pays bordant la Méditerranée, avec quelques variantes selon les latitudes, celui des côtes italiennes, espagnoles, grecques, celui du littoral de l'Afrique du nord.

Les frontières maritimes, un peu plus longues que les frontières terrestres, mesurent 3,200 kilomètres (près de 2,000 « miles »). Elles sont très variées; certaines sont en falaises de craie;[8] d'autres sont de granit, en Bretagne; d'autres sont en marais et en lagunes;[9] d'autres enfin sont faites de dunes de sable plus ou moins hautes.[10] 5 Et plusieurs grands ports relient la France à toutes les parties du monde: Dunkerque, le Havre, Cherbourg, Bordeaux, Marseille.

Les toits et les maisons

Chaque région (et même chaque province) a son architecture, son type particulier de maison. On reconnaît facilement une maison normande, une maison alsacienne, un « mas » provençal, un logis 10 tourangeau, etc... Dans l'Ouest et dans les Alpes, on trouve surtout des toits d'ardoise. Ailleurs on a utilisé la petite tuile plate, ancienne; on se sert maintenant de la tuile plate mécanique; dans le Midi, c'est la tuile romaine, qui fait de si beaux toits. Les toits de chaume, authentiques, sont devenus rares (on en voit encore 15 en Normandie et dans les Pyrénées). La pente du toit varie selon les climats. Dans les grandes villes, le zinc est très employé. Les terrasses sont rares dans les campagnes. La couleur de la pierre à bâtir varie avec les régions: c'est tantôt la belle pierre de taille, blanche, tantôt la pierre locale, légèrement colorée, grise, ou même 20 sombre (presque noire en Auvergne où la pierre est volcanique), tantôt le granit. Les murs sont souvent peints à la chaux. La

Toits provençaux à Eze

disposition et les dimensions des fenêtres varient aussi avec les régions; la fenêtre à guillotine est à peu près inconnue; on utilise la fenêtre à deux battants, ouvrant vers l'intérieur; et des volets (ou contrevents) de bois ou des persiennes métalliques, extérieures,
5 complètent la fermeture et s'ajoutent aux rideaux ou aux jalousies, intérieurs. Et plus on descend vers le Midi plus les maisons ont des balcons.

La population

L'un des phénomènes les plus remarqués de la France contemporaine est l'essor démographique qui s'y manifeste depuis une
10 vingtaine d'années.

Il y a en France continentale près de 47,500,000 d'habitants en 1963.[11] La densité moyenne est de 80 habitants au kilomètre carré,[12] mais leur répartition est extrêmement inégale. A ces quarante-sept millions et demi de Français de France il faut ajouter près
15 de deux millions de citoyens français qui vivent provisoirement

Visages

ou définitivement dans les anciens pays de la Communauté française.[13] Il s'en trouve aussi plus de 500,000 qui résident à l'étranger proprement dit.[14]

La guerre de 1914–1918 a pourtant fait un million et demi de morts, et celle de 1939–1944, près de 400,000 (civils et militaires). Mais, depuis une vingtaine d'années, grâce à 600,000 naissances annuelles et à la diminution de la mortalité, il se produit un accroissement annuel de 450,000 habitants.[15]

Sous l'Ancien Régime, la France se composait d'une quinzaine de provinces: la Normandie, la Bretagne, l'Ile de France, la Picardie, l'Alsace, la Lorraine, l'Aquitaine, la Provence, la Bourgogne, l'Auvergne, le Limousin, le Maine, l'Anjou, le Languedoc, la
5 Franche-Comté. Pendant la Révolution, ces provinces ont été découpées en départements,[16] simples divisions administratives artificielles.

Aujourd'hui, on préfère distinguer neuf grandes régions qui correspondent à des divisions naturelles ou à des caractéristiques
10 économiques: la région parisienne, la région de l'ouest, le Sud-Ouest, le Midi, le Centre, la région lyonnaise, l'Est et le Nord-Est, et le Nord.

Ce découpage par régions naturelles ou économiques répond mieux aux besoins modernes. Les Français naturellement con-
15 tinuent à dire avec fierté qu'ils sont bretons ou normands ou bourguignons ou alsaciens ou provençaux. Et ils n'ont point tort. Les caractères spécifiques, physiques et moraux, des habitants de chaque province, se remarquent toujours facilement. Toutefois, les déplacements faciles, la modernisation du pays, l'enseignement
20 centralisé, et le service militaire obligatoire, tendent à les atténuer lentement.

VOCABULAIRE DE REVISION ET EXERCICE

Choisir, parmi les catégories suivantes, trois mots ou groupes de mots, et les expliquer à l'aide de deux ou trois phrases complètes.

1. la Grande-Bretagne; l'Italie; l'Allemagne Fédérale; la Suisse; l'Espagne; la Belgique
2. l'Europe; l'URSS; la Chine; l'Afrique; Madagascar
3. la côte; la falaise; la lagune; le littoral; le volcan; un affluent
4. la chaîne; le massif; le col; la ligne de partage des eaux; la densité de la population; l'essor démographique
5. les Alpes; les Pyrénées; les Vosges; le Massif Central; le Jura
6. la Seine; la Loire; la Garonne; le Rhône; le Rhin
7. une province; un département; la Communauté française; une frontière; une latitude; un climat

QUESTIONS

1. A quelle latitude approximative se trouve Paris? 2. Recherchez à quelle latitude approximative se trouve la ville où vous êtes né. 3. Comparez la superficie de la France avec celle de l'état où vous vivez. 4. Nommez cinq pays de l'Europe occidentale. 5. Indiquez approximativement, pour chacun d'entre eux, la superficie, la population, et la densité de la population. 6. Quelles sont les mers qui bordent la France? 7. De la Mer du nord à la Méditerranée, quels sont les pays étrangers qui touchent à la France? 8. En quoi les chaînes des Alpes et des Pyrénées diffèrent-elles? 9. Expliquez pourquoi la région du Massif Central demeure isolée. 10. Nommez les cinq fleuves français; indiquez quelles directions ils suivent, et où ils se jettent. 11. A quoi servent les canaux en général, et dans quelle partie de la France sont-ils particulièrement nombreux? 12. Quelles sont les trois villes de France les plus importantes; où sont-elles situées? 13. Nommez et situez quatre ports. 14. Nommez et situez le plus haut sommet montagneux; quelle est son altitude, en mètres et en pieds? 15. Combien d'étrangers résident en France? De quels pays viennent-ils principalement? 16. Nommez dix anciennes provinces, et situez-les. 17. Qu'est-ce que c'est qu'un essor démographique? 18. Comment explique-t-on l'essor démographique français?

NOTES

1. L'Espagne a une superficie de 503,000 km²; l'Italie, 301,000 km²; la Grande-Bretagne, 244,000 km²; la Suisse 41,000 km².
2. C'est la frontière entre l'Italie et la France; elle va de la Méditerranée au sud jusqu'à la Suisse au nord.
3. Ce sont, par exemple, les cols du Grand Saint-Bernard, du Petit Saint-Bernard, du Mont Cenis, etc. . .

Fermes bretonnes

4. Déjà au début du IIIème siècle avant Jésus-Christ, Annibal, général carthaginois, traversa les Alpes au col du Mont Genèvre, près de Briançon (1,860 mètres); puis César, au cours de la conquête de la Gaule, entre 59 et 51 avant J.–C.

5. Deux de ces sommets sont: le ballon de Guebwiller (1,426 mètres), et le ballon d'Alsace (1,250 mètres).

6. La Gascogne, ancienne province limitée par l'Atlantique, la Garonne, et les Pyrénées, a été occupée par les Ibères, à l'époque gallo-romaine, puis par les Wisigoths; Clovis la prit, mais les Anglais l'occupèrent jusqu'à la fin de la Guerre de Cent Ans, en 1453.

7. Le Hudson n'a que 500 km, mais l'Ohio en a 1,556; la Columbia, 2,000; le Colorado, 3,200; le Mississippi, 4,200.

8. Des falaises de craie se trouvent sur la Manche, au nord, et sur l'Atlantique, à l'ouest, entre l'embouchure de la Loire et l'estuaire de la Gironde.

9. Entre les Pyrénées et le delta du Rhône, la côte est faite de marais et de lagunes.

10. La côte de la Mer du nord, et surtout celle qui va de l'estuaire de la Gironde à la frontière espagnole, sont faites de dunes de sable.

11. Il y a eu plus de 500,000 naturalisations depuis la Libération (1944), mais il y a encore près de deux millions d'étrangers vivant en France (dont 30% d'Italiens; 20% d'Espagnols; 15% de Polonais; et des Belges, des Suisses, des Allemands, des Anglais); il faut ajouter de nombreux travailleurs nord-africains.

   A titre de rapprochement, notons que la population de la Chine communiste est approximativement de 700 millions; celle de l'URSS, de 221 millions; celle de l'Inde, de 445 millions; celle des Etats Unis, de 190 millions; celle du Japon, de 95 millions; du Pakistan, 81 millions; du Brésil, 64 millions; du Canada, 19 millions.

   En Europe occidentale, la Grande-Bretagne a 53 millions d'habitants; l'Allemagne Fédérale, 52 millions; l'Italie, 49 millions.

12. Par comparaison, la densité de population, au kilomètre carré, dans les pays suivants est de:

340	aux Pays-Bas	160	en Italie
295	en Belgique	124	en Suisse
210	en Grande-Bretagne	58	en Espagne
195	en Allemagne	20	aux Etats-Unis

moins de 10 en URSS

13. En 1958, la Communauté Française comprenait les anciens territoires de l'Afrique Noire, appelée jadis l'Afrique Occidentale Française, et l'Afrique Equatoriale Française, et Madagascar. Mais aujourd'hui, la plupart de ces pays sont des états indépendants, qui ont conservé toutefois des liens économiques et culturels assez étroits avec Paris.

   Aujourd'hui on ne parle plus que des Départements d'Outre-Mer: la Martinique, la Guadeloupe, la Réunion, la Guyane, et des Territoires d'Outre-Mer: Saint-Pierre et Miquelon, la Polynésie, la Nouvelle Calédonie, les Somalies, les Comores.

   Par le référendum du 1er juillet 1962, l'Algérie est devenue indépendante.

Dans le royaume actuel du Maroc (protectorat français de 1912 à 1956), ainsi qu'en Tunisie (protectorat de 1881 à 1956), des milliers de Français ont encore leur travail et leur résidence.

14. Des 500,000 Français, résidant à l'étranger, 200,000 sont en Europe; 150,000 en Amérique du nord; et 110,000 en Amérique du sud.

15. Revenant en arrière, on estime la population française à 22 millions en 1328; ensuite, la population a très peu augmenté, étant toujours soumise aux mêmes épidémies, aux famines, etc..., avec une énorme mortalité infantile; en 1801, on compte 27 millions; en 1891, 38 millions; en 1931, 42 millions.

16. C'est l'Assemblée Constituante (9 juillet 1789 — 30 septembre 1791) qui créa les départements pour unifier le pays en brisant les anciennes provinces.

Barrage sur la Dordogi

Village dans la Beauce

RIVE DROITE

RIVE GAUCHE

Sacre-Coeur

Bois de Boulogne

AV. DE NEUILLY

AV. WAGRAM

Arc de Triomphe

Gare St. Lazare

Gare du Nord

Gare de l'Est

Pl. de l'Etoile

AV. DE FRIEDLAND

AV. VICTOR HUGO

AV. KLEBER

CHAMPS-ELYSEES

Madeleine

BD. HAUSSMANN

Opéra

AV. DE L'OPÉRA

GRANDS. BOULEVARDS

Pl. de la Concorde

Pl. Vendôme

RUE

DE

BD. SEBASTOPOL

RIVOLI

Palais de Chaillot

Tour Eiffel

Cimetière du Père Lachaise

Invalides

BD. SAINT-GERMAIN

Ecole Militaire

BD. RASPAIL

BD. DU MONTPARNASSE

Pl. de la Bastille

Faubg. Saint-Antoine

BD. SAINT-MICHEL

Luxembourg

Gare de Lyon

RUE DE VAUGIRARD

Institut Pasteur

BD. DE PORT-ROYAL

SEINE

AV. D'ORLEANS

BD. ST-JACQUES

Bois de Vincennes

Cité Universitaire

Parc Montsouris

3

PARIS: MONUMENTS, QUARTIERS

La ville de Paris proprement dite est divisée administrativement en vingt arrondissements.[1] Elle s'étend sur environ dix kilomètres dans sa plus grande longueur et sur huit kilomètres dans sa plus grande largeur. Dans cet ovale, ne vivent guère plus de trois millions d'habitants. Mais, si l'on inclut, comme il se doit, la petite 5 et la grande banlieue, le chiffre dépasse huit millions.[2]

Un coup d'œil sur un plan de Paris montre tout de suite de grandes différences avec le plan d'une ville américaine. Comme toutes les vieilles villes d'Europe, Paris a grandi lentement, et la largeur et le dessin des rues se sont formés au cours des siècles, un 10 peu au hasard; aussi le dessin des vieux quartiers est-il compliqué; les quartiers neufs, ainsi que ceux qui ont été modifiés à la fin du XIXème siècle, au contraire, présentent un plan plus logique, avec des avenues larges, que les petites rues coupent à angles droits. Les rues sont partout désignées par des noms, jamais par des 15 numéros.

Paris est une ville ancienne et moderne en même temps, difficile à bien connaître. Il y a plus de 2,000 ans que les Parisii, installés sur l'île de la Cité, au milieu de la Seine, sont connus et entrés dans l'histoire. Et, au cours des siècles, la ville qui s'appelait d'abord 20 Lutèce, s'est étendue concentriquement, en cercles successifs de plus en plus grands, sur les deux rives de la Seine.[3]

Le Paris des vingt arrondissements est encerclé de boulevards, dits boulevards extérieurs, construits sur l'emplacement des dernières fortifications, celles qui protégeaient encore la ville jusqu'en 25 1870. Immédiatement au-delà, et sans interruption, commencent les faubourgs et les villes de la petite banlieue, comme Neuilly, Saint-Denis, Boulogne-sur-Seine, Vincennes, etc...

La majorité des maisons et des monuments sont construits avec la belle pierre de taille calcaire de la province d'Ile de France, qui 30 devient grise lorsqu'elle est patinée par le temps, mais retrouve une belle couleur claire et dorée lorsqu'elle est nettoyée.[4] Certains quartiers possèdent encore des maisons et des hôtels particuliers datant des XVIème, XVIIème, et XVIIIème siècles, à peine modernisés ou rénovés. D'autres édifices au contraire, bâtis au cours 35 des vingt dernières années, sont aussi beaux, avec leurs lignes modernes, que les immeubles de luxe des Etats-Unis.

Les généralisations que l'on fait sur Paris sont peut-être vraies: il est exact que c'est une ville cosmopolite, infiniment variée dans ses aspects et ses ressources; il est exact que l'on peut sentir son 40

en haut, *Les fontaines du Palais de Chaillot et la Tour Eiffel*
à droite, *Le défilé militaire du 14 juillet sur les Champs-Elysées*

charme, la richesse de sa vie artistique et intellectuelle, son élégance et son goût. Paris est aussi une ville humaine et gaie où une extrême vitalité n'est pas entièrement dirigée vers l'action et l'efficacité, mais en grande partie également vers les échanges humains, l'esprit, la joie de vivre.

La Tour Eiffel,[5] qu'on la trouve laide ou non, est devenue, depuis sa construction en 1889, à l'occasion d'une Exposition universelle, un symbole de Paris pour le monde entier. Il est amusant d'amener ses amis dîner au restaurant du premier étage, à une cinquantaine de mètres au-dessus du sol; du troisième étage, à trois cents mètres de hauteur, on discerne les détails de la ville et la topographie du « grand Paris », entouré de collines et de bois à l'horizon.

Notre-Dame de Paris, l'une des dix ou douze grandes cathédrales gothiques de l'Europe occidentale est située sur l'île de la Cité, entre les deux bras de la Seine. Commencée au XIIème siècle, alors que Paris était cinquante fois plus petit qu'il ne l'est maintenant, cette cathédrale est l'une des plus belles de France par son équilibre, les détails de ses sculptures, ses rosaces, ses vitraux anciens.

Tout près de là, et sur la même île, la Sainte-Chapelle dresse ses murs qui semblent faits uniquement d'admirables vitraux. Construite au XIIIème siècle, sous Louis IX (saint Louis),[6] elle se compose en réalité de deux chapelles superposées.

La deuxième île de Paris, la délicieuse île Saint-Louis, ne comporte pas de grand monument mais présente un ensemble de maisons et d'hôtels particuliers bien conservés, d'intérêt artistique et historique, qui datent surtout des XVIIème et XVIIIème siècles.

En plein Quartier Latin, sur la rive gauche, en haut de la Montagne Sainte-Geneviève,[7] le Panthéon abrite les tombeaux de Voltaire, Jean-Jacques Rousseau, Zola, Victor Hugo;[8] et, dans tout le quartier, mais surtout autour de la Sorbonne, vivent et travaillent les étudiants. Au loin, les nouveaux bâtiments de la Faculté des sciences de l'Université de Paris, se dressent, perchés sur pilotis au-dessus de la Halle aux vins. Au coin des boulevards Saint-Germain et Saint-Michel, près des ruines de thermes romains, est situé le musée de Cluny, qui présente des objets d'art du Moyen Age. Le Quartier Latin, quartier par excellence des « grandes écoles » et des étudiants, est vivant, et riche en cafés et en librairies, ainsi qu'en petits hôtels vétustes et peu confortables, où beaucoup d'étudiants de tous les pays trouvent une chambre bon marché et très modeste.

Beaucoup de quartiers de la rive droite, neufs et plus riches, ont une autre allure. L'avenue des Champs-Elysées, unique au monde par son style et son élégance, a une chaussée et des trottoirs très larges, bordés de grands cafés aux immenses terrasses; elle mène à l'Arc de Triomphe, massif mais de proportions parfaites, qui domine la Place de l'Etoile. Ses quatre faces sont ornées de groupes de sculptures, dont le plus puissant est celui de la « Marseillaise », du sculpteur Rude.[9] Presque chaque jour, quelque groupe, français ou étranger, rallume symboliquement la flamme du souvenir à la Tombe du Soldat inconnu, placée exactement sous l'Arc. Cette même cérémonie est accomplie par des personnalités politiques de passage à Paris. C'est aussi à l'Arc de Triomphe qu'ont défilé les armées allemandes, en 1870 et en 1940, pour bien marquer la défaite de la France, et les armées françaises et alliées victorieuses, en 1918 et en 1945. Et, tous les 14 juillet, fête nationale, un défilé

militaire impressionnant descend les Champs-Elysées, passé en revue par le Président de la République. La foule française aime les défilés et les revues; massés sur les trottoirs, petites gens et étrangers de passage applaudissent avec enthousiasme les divers
5 contingents et leurs drapeaux.

Les avenues qui rayonnent de la Place de l'Etoile sont très larges, bordées de vastes trottoirs plantés de marronniers, d'acacias ou de platanes. Paris abonde en esplanades, en perspectives, en longues enfilades de rues et d'avenues. Le baron Haussmann, préfet
10 de Paris sous le Second Empire,[10] en est en grande partie responsable. Haussmann est en quelque sorte un des premiers urbanistes modernes. Il a su compléter et moderniser les plans proposés sous Napoléon Ier,[11] et ouvrir de larges passages à la circulation accrue. Hélas, même ces grandes avenues et ces boulevards sont main-
15 tenant insuffisants, et les automobilistes trouvent à Paris les mêmes difficultés de circulation et de stationnement que dans les autres grandes villes des pays démocratiques.

Parmi les réussites spectaculaires de l'architecture moderne, on voit au Rond-Point de la Défense, à deux ou trois kilomètres de
20 l'Arc de Triomphe, le Palais du Centre national de l'industrie et des techniques. Cet immense hall de béton de construction audacieuse et, malgré ses proportions gigantesques, assez gracieuse, abrite dorénavant les grandes expositions industrielles et agricoles (le Salon annuel de l'auto, en octobre, etc...). D'ici quelques
25 années, tout un nouveau quartier, administratif et résidentiel, s'élèvera le long de l'avenue qui mène de l'Etoile au Rond-Point de la Défense, ce qui, en étendant Paris un peu vers l'ouest, dégagera le centre de la capitale.[12]

Les trois endroits qui forment, dans Paris, le triangle le plus
30 fréquenté par les touristes étrangers sont l'Opéra, l'Etoile, et la Place de la Concorde.

La Concorde est l'une des grandes et belles places de Paris où l'avenue des Champs-Elysées aboutit d'un côté. De l'autre, et dans son prolongement, commence le Jardin des Tuileries, encadré
35 en partie par les bâtiments du Louvre; il se termine par un charmant petit arc de triomphe, l'Arc du Carrousel, aux colonnes de marbre rose, à travers lequel on peut voir, dans le même axe, la fine aiguille de l'Obélisque de la Concorde,[13] et, au loin, l'Arc de Triomphe de la Place de l'Etoile. Appelée au XVIIIème siècle
40 Place Louis XV, puis Place de la Révolution (où Louis XVI, Marie-Antoinette, et bien d'autres furent guillotinés),[14] la Place de la Concorde aujourd'hui, avec l'obélisque de Louqsor en son centre, est de jour comme de nuit (grâce à l'illumination nocturne) une des places les plus majestueuses et les plus harmonieuses du
45 monde.[15]

Le Louvre longe la Seine sur cinq cents mètres; il contient deux cent mille œuvres d'art, et représente la production artistique de tous les siècles historiquement connus.

Place de la Concorde

De la Place de la Concorde part le Pont de la Concorde, l'un des trente-trois ponts de Paris sur la Seine; il mène au pied du Palais Bourbon, où se réunit l'Assemblée Nationale, naguère appelée la Chambre des députés. Sur le côté nord de la Concorde s'ouvre la rue Royale, qui conduit à l'église de la Madeleine, celle qui 5 reçoit probablement les fidèles les plus élégants de Paris; l'entrée de la rue Royale est encadrée, sur la Concorde, par d'anciens hôtels particuliers du XVIIIème siècle, d'une architecture très pure et admirablement équilibrée. Ils abritent aujourd'hui, d'un côté, un grand hôtel, et, de l'autre, le ministère de la Marine. 10

L'Opéra, construit sous le Second Empire, est abondamment décoré de motifs qui font penser à la danse et à la musique.

C'est dans ce triangle « Opéra-Concorde-Etoile » que se trouvent les Grands Magasins les plus importants, les centres de la Haute Couture, les hôtels de luxe, et aussi la Comédie Française, la 15 Bibliothèque Nationale, et la Banque de France.

A quelque distance au nord, se dresse la Butte Montmartre, où il est difficile actuellement de retrouver le Montmartre des peintres de la fin du XIXème siècle et du début du XXème, celui des impressionnistes et des cubistes.[16] Le Montmartre des touristes, des boîtes de nuit, de la Place Pigalle, de la Place Blanche, ou de la Place du Tertre, est évidemment beaucoup plus accessible. Cependant, par une belle journée claire, du haut de la basilique du Sacré-Cœur [17] (que l'on aime ou non sa massive architecture blanche), à plus de cent cinquante mètres au-dessus du niveau de la Seine, la vue d'ensemble de Paris complète les perspectives que l'on peut avoir du haut de la Tour Eiffel ou de l'Arc de Triomphe. Il y a moins de cent ans, cette même colline se trouvait hors de

la ville; c'était alors la pleine campagne, avec des moulins à vent pour transformer le blé en farine. Aujourd'hui, les moulins qui ont survécu sont transformés en salles de cinéma ou en boîtes de nuit. L'ensemble du quartier conserve pourtant un certain air rustique et paisible; des rues commerçantes et populeuses montent en pente très raide; d'autres escaladent la Butte par des escaliers que les peintres et les metteurs en scène de films utilisent pour leur caractère pittoresque.

Dominant la Seine, plus loin en aval, s'étend le Palais de Chaillot, avec ses jardins et ses terrasses. C'est un ensemble d'édifices, d'une belle et simple architecture moderne, qui contient plusieurs musées, et l'immense Théâtre National Populaire. Les terrasses surplombent de très belles fontaines et offrent une jolie perspective vers la Tour Eiffel, le Champ de Mars, et l'Ecole Militaire (ou Ecole de Guerre), dont la sobre architecture représente le meilleur

XVIIIème siècle; tout près de là, le bâtiment de l'UNESCO constitue un ensemble intéressant mais un peu discordant parce qu'il
est de construction récente (1957), et d'un modernisme audacieux.

Le Palais de la Radiodiffusion-Télévision française, à Auteuil,
un peu plus loin, est de lignes très modernes également, dans un 5
quartier bourgeois relativement neuf.

L'Hôtel des Invalides, sur la rive gauche, entre la Tour Eiffel
et le Palais Bourbon, et à quelque distance de la Seine, a été construit au XVIIème siècle; il abrite aujourd'hui le musée de l'Armée
ainsi que le tombeau de Napoléon.[18]   10

à gauche, *Le Sacré-Cœur et la vieille église Saint-Pierre de Montmartre,
vus de la Place du Tertre*   en haut, *Maison de la radiodiffusion-télévision française*

Dans les quartiers à l'est de Paris, de grandes places, comme par
exemple, les Places de la République, de la Bastille, de la Nation,
incitent à voir, près de là, quelques beaux hôtels particuliers des
XVIIème et XVIIIème siècles, dans le quartier du Marais, ainsi
que la Place des Vosges (de pur style Louis XIII, tout comme 15
la Place du Palais Royal, située près de la Comédie Française).
Ces vieux quartiers ont des rues étroites où, dans des maisons et
des immeubles souvent insalubres et misérables, habite le petit

Hôtel de Ville

peuple parisien.[19] Les autorités municipales et départementales
ont heureusement décidé récemment de démolir des pâtés entiers
de ces maisons, à travers tout Paris, afin de reconstruire à leur
place des habitations convenables. Mais les rues qui présentent
5 une valeur historique certaine, surtout dans le Marais et le Quartier
Latin, sont toutefois conservées.

La visite des Halles en pleine activité, au cœur de Paris, exige
un certain effort, car c'est entre 3 et 6 heures du matin qu'ont
lieu les dernières ventes aux enchères; la coutume est de terminer
10 la nuit dans un restaurant du quartier devant la traditionnelle
soupe à l'oignon.[20] Il faut se hâter de découvrir les Halles, car
elles vont bientôt être transportées hors de Paris, les difficultés de
circulation et de stationnement des camions autour de l'immense
marché actuel étant devenues extrêmes.

C'est la Cité Universitaire de l'Université de Paris qui rappelle le mieux un « campus » américain. Commencée en 1925, située à quinze minutes en métro de la Sorbonne, elle contient actuellement une trentaine de Maisons et de Pavillons.[21] Elle peut loger et nourrir plus de 8,000 étudiants; ses jardins, ses restaurants, ses salons, son théâtre, sa piscine, ses terrains de sport, permettent aux étudiants étrangers et aux étudiants français de se rencontrer. Mais il y a plus de 80,000 étudiants inscrits à l'université de Paris. Et un autre centre, la Résidence universitaire d'Antony, à quelques kilomètres plus au sud, construite récemment, ne suffit déjà plus à loger tous les étudiants qui voudraient s'y installer.

Il est bon de se lever tôt le matin pour observer le petit peuple parisien partant au travail. Ce sont surtout des ouvriers et de

Cité Bullier, Université de Paris, boulevard Saint-Michel

petits employés. Les visages et les vêtements sont évidemment différents de ceux qu'on voit sur les Champs-Elysées en fin d'après-midi.[22]

Autour de Notre-Dame, dans le Quartier Latin, et le long des quais, traînent un certain nombre de « clochards », misérablement habillés; beaucoup d'entre eux n'ont pas de logis et couchent sous les ponts en été, ou en hiver au-dessus d'une bouche de chaleur du chauffage municipal. Ils ne représentent pas toutefois la vraie misère, réelle en certains quartiers, mais plus dissimulée.[23]

Les jardins publics les plus connus sont certainement le Jardin des Tuileries et le Jardin du Luxembourg; mais il y en a beaucoup d'autres: le Parc Monceau, à la clientèle aristocratique; le Parc Montsouris, au sud, près de la Cité Universitaire, et le Parc des
5 Buttes Chaumont, au nord-est, tous deux plus populaires et plus vastes. Enfin, à l'ouest et à l'est respectivement des boulevards extérieurs, s'étendent les immenses Bois de Boulogne et Bois de Vincennes, contenant chacun des endroits élégants et des coins assez sauvages, des restaurants, des champs de courses, des lacs
10 artificiels, et des stades; à pied et en voiture, les Parisiens y vont en foule, par beau temps, pour une promenade du dimanche.

Pendant l'été, les sept ou huit grandes piscines publiques, mixtes, et de prix d'entrée raisonnable, sont combles; les courts de tennis et les terrains de sports qui entourent la ville attirent les
15 jeunes et les adultes.[24] Les Français sont beaucoup plus sportifs qu'on ne le croit généralement.

Un dimanche matin, on peut aller dans une petite église de quartier pour suivre un office avec les fidèles. Et, à la même heure, sur les avenues et les boulevards qui mènent aux Portes de Paris,[25]
20 cyclistes, scootéristes, motocyclistes, automobilistes, roulent vers un coin tranquille et vert, qu'ils trouveront à une trentaine de kilomètres du centre; car la vraie campagne commence vite, surtout le long des petites routes.

A Paris, où les distances sont petites, où les rues sont variées
25 et vivantes, les promenades et les flâneries à pied procurent un vrai plaisir, que ce soit le long des quais de la Seine, à travers un quartier populaire ou un quartier élégant, ou même dans l'un des grands cimetières en pleine ville.[26] A l'occasion d'un attroupement quelconque, causé par un accrochage de voitures, ou par un came-
30 lot qui essaie de vendre sa marchandise sur le trottoir, il est amusant de se joindre très naturellement au groupe de « badauds »; cela peut aussi donner l'occasion d'entrer en conversation. Mais, d'autre part, puisque pour les déplacements pressés on utilise les moyens de transports publics, il est bon de profiter des avantages
35 réservés aux touristes, c'est-à-dire se procurer diverses cartes de réductions, très appréciables, sur les autobus, les trains de banlieue du dimanche, le métro, et même sur les chemins de fer, pour de plus longs voyages, grâce à des billets circulaires.

Et c'est après tout la Seine, avec ses sinuosités, ses kilomètres
40 de quais, ses nombreux ponts, ses péniches et ses bateaux, qui donne à Paris son unité et son caractère particulier. Elle n'est pas large, mais ses eaux bleu pâle l'hiver, bleu tendre l'été, reflètent l'archi-tecture, les hommes, l'activité de tout un peuple. Et elle est aisé-ment accessible à tous ceux qui veulent comprendre, en flânant
45 le long des quais, en rencontrant les pêcheurs et les amoureux, en fouillant chez les bouquinistes, la forme de loisir, de plaisir, de culture, de beauté qu'on trouve encore dans certains endroits du monde — à Paris, par exemple.

La Seine, vue des tours de Notre-Dame

Vocabulaire de Revision et Exercice

Choisir, parmi les catégories suivantes, trois mots ou groupes de mots, et les expliquer à l'aide de deux ou trois phrases complètes.

1. l'île de la Cité; l'île Saint-Louis; Lutèce; les Parisii; un « clochard »
2. la rive; la banlieue; les quais; un arrondissement; le district de Paris; le département de la Seine
3. la Tour Eiffel; Notre-Dame de Paris; la Sainte-Chapelle; le Panthéon; le Sacré-Cœur; le Palais de Chaillot
4. l'Hôtel des Invalides; le Louvre; les Tuileries; l'Opéra; l'Arc de Triomphe; le Palais Bourbon
5. Montmartre; Montparnasse; le Quartier Latin; les Buttes Chaumont; le Parc Montsouris; les spectacles « Son et Lumière »
6. le Bois de Boulogne; le Bois de Vincennes; le Parc Monceau; l'Obélisque de la Place de la Concorde; l'UNESCO

Questions

1. Quelles sont les dimensions et la forme approximatives de Paris ?
2. Quelle est la population de Paris selon les limites que l'on reconnaît à la ville ? 3. Qu'est-ce qu'un arrondissement parisien ?
4. Quelle opinion vous faites-vous de la Tour Eiffel ? 5. Expliquez en quoi la topographie de Paris diffère de celle d'une grande ville américaine. 6. Nommez et situez quatre grandes places.
7. Nommez et situez quatre parcs ou jardins publics. 8. Dites tout ce que vous savez de Montmartre. 9. Qu'appelle-t-on spectacle « Son et Lumière » ? 10. Qu'est-ce que la Cité Universitaire ? Où est-elle située ? 11. Analysez la psychologie du « clochard »; donnez votre point de vue. 12. Qu'est-ce que le Centre national de l'industrie et des techniques ? Où se trouve-t-il ? 13. Essayez d'expliquer pourquoi la Seine est un des éléments importants du charme de Paris.

Notes

1. Chaque arrondissement parisien a son conseil municipal et sa mairie.
2. Depuis le 3 novembre 1961 existe le « District de Paris »; il comprend les départements de la Seine, de la Seine et Oise, et de la Seine et Marne, et plus de huit millions d'habitants, répartis dans plus de 1,300 communes; sur 2% du territoire vivent ainsi près de 20% des Français.
3. Les enceintes successives sont celles de Philippe-Auguste (1190), Charles V (1367), Henri IV (1608), Louis XIV (1671), Louis XV (1715), Louis XVI (1785), Napoléon Ier (1803), et Napoléon III (1870). (Voir le Plan de Paris, p. 26.)
4. Depuis deux ou trois ans, le gouvernement fait laver les monuments et édifices publics anciens, qui retrouvent ainsi leur couleur blanche primitive; beaucoup de propriétaires font nettoyer de même leurs

immeubles de rapport, et tout ce que l'on construit des temps-ci est clair ou blanc.

5. Gustave Eiffel (1832–1923), ingénieur, né à Dijon.

6. Louis IX (1226–1270), un des grands rois de France, appartient à la dynastie capétienne (987–1323).

7. Sainte Geneviève (420–512) est la patronne de Paris pour avoir sauvé la ville que les Barbares allaient attaquer (au milieu du Vème siècle).

8. François-Marie Arouet, dit Voltaire (1694–1778) est l'auteur des *Lettres Philosophiques, Zaïre, Candide, Zadig, Poème sur le désastre de Lisbonne, le Siècle de Louis XIV, Essai sur les mœurs,* etc. . .

Jean-Jacques Rousseau (1712–1778) est l'auteur de *la Nouvelle Héloïse, le Contrat Social, Emile,* les *Confessions,* les *Rêveries du promeneur solitaire,* etc. . .

Emile Zola (1840–1902), né à Paris, est l'auteur des *Rougon-Macquart* (vingt volumes).

Victor Hugo (1802–1885) fut à la fois poète, romancier, auteur dramatique, et politicien.

9. François Rude (1784–1855), sculpteur de l'école romantique.

10. Le Second Empire (1852–1870), créé par le coup d'Etat de Louis-Napoléon (qui devint Napoléon III), suivit la Deuxième République (25 février 1848 — 2 décembre 1851); il tomba par suite de la défaite de la guerre franco-allemande, et il fut suivi par la Troisième République (qui elle-même tomba en 1940).

11. Napoléon Ier (1769–1821) naquit en Corse un an après que la Corse fut devenue française; le jeune général Bonaparte fut d'abord victorieux partout, puis il devint homme d'Etat, consul à vie en 1801, et empereur en 1804; battu en Russie en 1812 et à Waterloo en 1815, les Anglais le déportèrent à l'île de Sainte-Hélène, où il mourut. Par ailleurs, grand administrateur, la France lui doit le Code civil, le lycée et l'université, la Banque de France, etc. . .

12. De même, sur l'emplacement actuel de la gare Montparnasse, un gratte-ciel de 183 mètres est prévu; en verre et en béton, il comprendra 55 étages, un hôtel de 1,000 chambres, une piscine, un gymnase, un parking de 1,000 voitures dans le sous-sol, des bureaux et des appartements. Jusqu'à présent, les édifices même les plus modernes ne dépassent pas les six ou sept étages des maisons d'habitation, et respectent la remarquable unité de Paris, la ville gris-clair, où les rues laissent encore largement voir le ciel et l'espace, où les cours intérieures des maisons sont souvent vastes et claires, où l'habitation est encore à une échelle humaine. Jusqu'ici, la loi française n'avait pas cédé, et toutes les hautes constructions neuves s'élèvent seulement autour de Paris, dans la banlieue.

13. C'est l'obélisque de Louqsor, don de l'Egypte à Louis-Philippe (« roi des Français » de 1830 à 1848); il ornait à Thèbes la porte du palais de Rhamsès III; de granit rose, ses quatre faces couvertes d'hyéroglyphes, il mesure près de 24 mètres de haut et pèse 250,000 kilos; il fut dressé sur la Place de la Concorde en 1836.

14. Louis XV (1710–1774), arrière-petit-fils de Louis XIV, régna de 1715 à sa mort. Louis XVI (1754–1793), petit-fils de Louis XV, régna de 1774 à 1791; il fut décapité le 21 janvier 1793; sa femme, Marie-

Antoinette de Lorraine, archiduchesse d'Autriche (1755–1793), fut exécutée le 16 octobre 1793.

15. Il est à remarquer que l'éclairage — comme celui des places de Paris — en est donné par de gros globes blancs; les illuminations nocturnes sont aussi en blanc; il y a relativement peu de panneaux-réclames en néon de couleur.

16. Parmi les premiers grands peintres impressionnistes, dans les années 60 et 70 du siècle dernier, on peut citer Monet, Renoir, Pissarro, Cézanne, Degas, Manet. Au début du XXème siècle, Picasso, Braque, Léger, Matisse, représentent une nouvelle école de peinture, le cubisme. Toulouse-Lautrec a souvent peint le Montmartre des dancings; Utrillo en a peint les rues.

17. La basilique du Sacré-Cœur, construite à la fin du XIXème siècle, est un lieu de pèlerinages nationaux.

18. En été, le soir, a lieu dans la cour des Invalides, un spectacle « Son et Lumière », c'est-à-dire un récit dialogué, donné au moyen de hauts-parleurs, qui raconte l'histoire du monument et de ses hôtes successifs au cours des siècles; le texte, enregistré sur bandes magnétiques, est accompagné et illustré par des jeux de lumière sur les différentes parties de l'édifice. La réalisation, du point de vue artistique, documentaire, technique, est parfaitement réussie. Ce même genre de spectacle se retrouve au château de Versailles, aux châteaux de la Loire, ainsi que dans beaucoup de villes de province présentant un intérêt historique quelconque. Il existe ainsi plus de deux cents spectacles « Son et Lumière » à travers la France. C'est, en somme, un moyen efficace, bien qu'un peu facile, de faire connaître au grand public l'héritage historique et artistique de la France.

19. Plus d'un tiers des maisons et immeubles parisiens ont plus de cent ans d'existence et ne possèdent pas, ou incomplètement, le « confort moderne ».

20. Deux autres marchés, plus facilement accessibles, sont le marché aux fleurs, quotidien, et le marché aux oiseaux et aux animaux domestiques (chiens, chats, cobayes, tortues, lapins, etc. . .), chaque dimanche, situés tous deux sur la même petite place, entre la Sainte-Chapelle et Notre-Dame. Il existe aussi, dans chaque quartier, des marchés en plein air, dressés pour quelques heures, le matin en général, sur des avenues ou sur des places; ils sont propres, meilleur marché que les magasins ordinaires, leurs denrées sont fraîches et appétissantes, et le langage des marchandes qui appellent leurs clients est d'une grande saveur.

21. La Cité Universitaire, près du Parc Montsouris, et entre les Portes d'Italie et d'Orléans, est un véritable parc en soi; on y trouve la Maison des Etats-Unis, une Maison Internationale, le Pavillon des Provinces de France, une Maison Belge, une Maison Néerlandaise, etc. . .

22. Le matin, tous se hâtent, mais, malheureusement, beaucoup d'hommes, d'ouvriers surtout, s'arrêtent un instant dans un café qui vient de s'ouvrir, pour y avaler rapidement un café noir « arrosé », c'est-à-dire accompagné d'un petit verre d'alcool, ou pour prendre « un verre de blanc » ou « un verre de rouge », en guise de petit déjeuner.

23. La plupart de ces « clochards », incapables de rentrer dans l'ordre social, refusent simplement d'être pris en charge par des sociétés de bienfaisance, afin de pouvoir vivre à leur guise; ils se contentent, pour compléter les rares aumônes qu'ils sollicitent parfois, de travailler une heure par jour, aux Halles, par exemple, pour s'offrir une bouteille de vin, du pain, et un peu de charcuterie.

24. Ce sont, parmi les plus importants, les stades de Colombes, du Champ de courses d'Auteuil, du Bois de Boulogne, du Bois de Vincennes.

25. Il y en a une vingtaine: les Portes d'Italie, d'Orléans, de Versailles, de Saint-Cloud, d'Auteuil, de Maillot, de Champerret, de Clichy, de Clignancourt, des Lilas, de Vincennes, etc. . .

26. Les plus grands cimetières sont le Père Lachaise, à l'est, les cimetières Montmartre et Montparnasse, respectivement au nord et au sud. On y peut rechercher la tombe de beaucoup de grands hommes: au Père Lachaise, celles de Beaumarchais, Musset, Balzac, Daudet, Colette, Chopin, Bizet, David, Delacroix, Sarah Bernhardt; à Montmartre, celles de Vigny, Stendhal, Hector Berlioz; à Montparnasse, celles de Baudelaire, Maupassant, Rude, Bartholdi, Saint-Saëns, César Franck.

*Nouvelles habitations
à loyers moyens, dans la banlieue*

Vieilles maisons, Ile de la Cité

Chalands et péniches, au centre de Paris

4

PARIS, CAPITALE

Paris, capitale économique

Capitale politique et administrative,[1] Paris est aussi la capitale économique de la France. Plus de trois millions et demi de travailleurs, soit environ 20% de la population active totale de la France, résident dans « le grand Paris ».

Certaines industries sont davantage développées en province: les charbonnages, dans le Centre et dans le Nord-Est; la métallurgie, dans l'Est et le Nord-Est; les filatures, dans le Nord et dans l'Ouest. Paris, sans se spécialiser, rassemble une telle quantité d'industries que cent vingt-cinq mille entreprises industrielles et ateliers d'artisans occupent plus d'un million et demi d'ouvriers et d'employés. A elle seule, la métallurgie parisienne en prend cinq cent mille. Le plus grand nombre des machines-outils sont fabriquées et utilisées à Paris et dans sa banlieue; la moitié des produits pharmaceutiques et des parfums synthétiques y sont également préparés.[2]

Paris est le premier centre de l'horlogerie française ainsi que celui de la fabrication des articles qui nécessitent des travaux de précision: dans les domaines de l'optique, de l'électronique, la fabrication des compteurs, etc...

5 Deux tiers des voitures automobiles françaises sont fabriquées et montées dans les faubourgs immédiats.[3] On y construit également des moteurs d'avions, de bateaux, des turbines, des machines

Chaîne de montage chez Renault

à vapeur. Et, en plein centre, sur la rive droite, le quartier Saint-Antoine se spécialise dans l'ameublement et le meuble de bureau.[4]

10 Grâce aux cultures maraîchères de la banlieue, grâce aux grandes minoteries et aux moulins situés en amont et en aval, sur les bords de la Seine, qui traitent le blé de la Beauce, Paris fabrique des quantités de produits alimentaires de qualité: biscuits, biscottes, gâteaux, pâtes, etc... ainsi que des conserves de fruits et de

15 légumes.

La population parisienne offre en outre une main-d'œuvre abondante et qualifiée à des entreprises artisanales très diverses qui conservent la tradition de goût et de perfection établie au XVIIème siècle par le ministre Colbert.[5] Ce sont les ouvriers et

20 les techniciens qui travaillent en particulier à la fabrication, la

vente et la distribution de ce que l'on appelle communément les
articles de Paris, c'est-à-dire les objets de luxe et de demi-luxe
dans la maroquinerie, la verrerie, la reliure, la porcelaine, la céramique, les émaux, la bijouterie de fantaisie, les articles de décoration de toutes sortes; ils atteignent parfois à une grande valeur 5
artistique, avec un goût et une imagination remarquables, et un
souci admirable du beau travail et de la perfection dans le détail.
Il faut bien avouer toutefois que l'on appelle aussi articles de
Paris les innombrables objets qui plaisent (par leur caractère pittoresque ou sentimental) à un public peu difficile: les chiens en 10
porcelaine, les danseuses en plâtre, les Tours Eiffel en laiton doré,
se vendent partout aux touristes, et s'exportent en énormes
quantités; ils profitent probablement à l'économie française, mais
non pas à sa réputation artistique.

Présentation de haute couture

La Haute Couture occupe une foule d'ouvriers et d'ouvrières 15
à tous les degrés de spécialisation, depuis les petites mains, les
coupeuses, jusqu'aux mannequins. Mais le gros chiffre d'affaires
réalisé par les grandes maisons, comme Dior, Lanvin, Balenciaga,
Balmain, Chanel, etc..., provient moins de la vente directe, dans
les salons, que de la vente des modèles, lancés chaque saison, à 20
des acheteurs venus du monde entier, qui achètent ainsi le droit
de les reproduire à un grand nombre d'exemplaires dans leur
propre pays.[6]

L'industrie du livre d'art est également florissante. Qu'il s'agisse
de publications nouvelles ou de rééditions, un tirage ordinaire est
presque toujours accompagné de tirages sur papiers spéciaux,
numérotés; il y a tout un art de la mise en page, des caractères
5 d'imprimerie; tout un art de l'illustration, faite parfois par de
grands peintres et de grands dessinateurs; et la reliure est également un art à part, grâce à des artistes qui adaptent leur reliure
unique à l'esprit du texte. Les éditions ordinaires, moins belles
évidemment, sont, par contre, d'un prix très abordable, et si le
10 papier et le brochage sont quelquefois de qualité inférieure, la
typographie et la correction sont cependant toujours soignées.
Tous les grands éditeurs sont installés à Paris. Ensemble, ces
maisons d'édition, Hachette, Larousse, Flammarion, Gallimard,
Nathan, Delagrave, les Presses Universitaires de France, Plon,
15 Juilliard, Seghers, le Seuil, etc... contribuent au rayonnement
du livre français à travers le monde.[7] Et, depuis quelques années,
les livres de poche se développent à un rythme rapide, et révèlent
les possibilités intellectuelles latentes des masses, jusque-là in-
soupçonnées: les grands auteurs, les grands philosophes, les
20 essayistes, se vendent autant et mieux que les romans populaires.
Les Grands Magasins font naturellement de Paris la plus grande
ville commerçante de France.[8] Ces magasins sont vivants, bien
organisés; avec beaucoup d'idées originales dans la présentation
et le choix des objets; toutefois, ils sont plus petits que les maga-
25 sins correspondants des Etats-Unis dans les grandes villes; ils ne
donnent pas la même impression de force et de quantités énormes.
Malgré les efforts de Lyon, Marseille, Bordeaux, Strasbourg,
c'est à Paris que se tiennent les plus importantes Foires-Exposi-
tions annuelles, nationales ou internationales.[9] La seule Foire de
30 Paris, en mai, attire plus de quatre millions de visiteurs payants.
Paris est relativement bien équipé pour recevoir les visiteurs et
les touristes qui viennent de la province et de l'étranger. L'hôtellerie y est assez bonne; on arrive toujours, en cherchant un peu, à
trouver une chambre selon ses goûts et selon sa bourse, ce qui
35 n'est pas toujours le cas dans d'autres capitales européennes. Les
hôtels moyens sont moins confortables que ceux des Etats-Unis,
mais aussi les prix y sont-ils moins élevés; les propriétaires ou les
gérants sont souvent remplis de bonne volonté, et ils aident gentiment les voyageurs dans leurs difficultés. Quant aux restaurants,
40 ils sont extrêmement nombreux, le prix des repas variant naturellement selon leur qualité et leur réputation. Et c'est une joie pour
le touriste de découvrir de merveilleux petits restaurants de
quartier.
Cette concentration de population et d'activité a amené la
45 centralisation des grandes lignes de chemins de fer. La S.N.C.F.
(Société Nationale des Chemins de Fer Français) y dispose de six
gares, construites à l'époque où chacune appartenait à une compagnie privée, toutes situées en pleine ville.[10] Les grandes lignes

Les Galeries Lafayette

partent presque toutes de Paris. Les trains sont fréquents, l'organisation et l'efficacité des services parfaites, en particulier lorsqu'il s'agit de venir de n'importe quel point de la province à Paris, ou vice-versa; il est parfois beaucoup plus difficile d'aller d'une ville de province à l'autre. 5

L'auto-route du sud, au départ de Paris

Beaucoup de grandes routes, celles que l'on appelle « nationales », partent aussi de Paris. Sur le parvis de Notre-Dame, une plaque de bronze marque le kilomètre zéro, le point de départ du kilométrage. La plupart des auto-routes en projet, en construction, 5 ou déjà ouvertes à la circulation,[11] partent également des Portes de Paris.[12] Mais les inconvénients de la centralisation sont moins manifestes ici que pour les voies ferrées, car de nombreuses « routes nationales » sillonnent la France sans passer par Paris, et il existe un réseau dense d'excellentes routes secondaires, plus 10 lentes, mais fort bien entretenues.

Avec ses cent cinquante kilomètres de quais sur les rives de la Seine, de la Marne (et des canaux Saint-Martin, Saint-Denis, etc... qui relient Paris avec le Nord et l'Est), le Port de Paris est l'un des trois plus grands ports fluviaux ou maritimes de 15 France, par le tonnage de marchandises débarquées et embarquées.[13] Jusqu'au milieu du XIXème siècle, les quais de la Seine étaient encombrés de piles de bois de chauffage, destiné à alimenter les cheminées et les poêles des Parisiens; de nos jours, des tas de charbon et les réservoirs des raffineries de pétrole (dans 20 la banlieue nord, à Gennevilliers, par exemple) remplacent, avec moins de pittoresque, le bois de jadis.

Un autre phénomène de centralisation, assez curieux, est celui des Halles, le marché central, où arrivent au début de la nuit, des centaines de camions chargés de produits agricoles. Les Halles couvrent actuellement, en plein centre de Paris, près du Louvre et de l'Opéra, cinquante hectares.* Grossistes et détaillants vien- 5 nent s'y approvisionner. Un million de tonnes de fruits et de légumes, soit un sixième de la production totale française, y passent chaque jour. En effet, les Halles ne constituent pas seule- ment le marché parisien principal, mais elles servent de centre national de redistribution, puisque chaque jour beaucoup de 10 denrées venues d'une province (viandes, légumes, fruits, et produits laitiers) repartent quelques heures plus tard, leur prix une fois fixé, pour une autre région (et parfois pour la région d'origine!).

Vente au détail dans un coin des Halles

Les grandes affaires se créent, se décident à Paris plus qu'ailleurs 15 en France. Les grandes firmes, les grandes compagnies d'assurance, y ont leur siège social, de même que toutes les grandes banques. Outre l'administration des chèques postaux,[14] et une demi-dou- zaine de banques nationalisées,[15] on y compte près de cent cin- quante sociétés bancaires, dont la plupart occupent de grands 20 immeubles entre la Madeleine, la Place Vendôme, et le Palais Royal. Et la Bourse, située non loin de là, complète le tableau de la puissance financière de Paris.

* environ « 125 acres »

Depuis le Moyen Age et le temps où l'on venait de toutes les parties du monde civilisé d'alors au Quartier Latin, Paris attire les artistes et les intellectuels français et étrangers. Sa longue histoire, ses traditions, ses valeurs spécifiques, son atmosphère,
5 ses milieux où règnent l'émulation, la rivalité, en même temps que la camaraderie et une plus grande liberté, en font l'un des lieux les plus favorables du monde à la discussion des idées, aux études avancées, à la création artistique.

L'Université de Paris et ses nombreuses annexes, les musées et
10 les bibliothèques, les théâtres, les salles de concert, les maisons d'édition, la Presse, les galeries d'art, les églises, sont quelques-unes des manifestations concrètes de la vie intellectuelle et artistique.

Chapelle Richelieu, côté cour de la Sorbonne

Des seize universités actuelles de la France continentale, celle
15 de Paris, dont la branche la plus connue est la Sorbonne, est la plus ancienne et la plus fréquentée de nos jours.[16] Et les « grandes écoles », où l'on entre par concours et à un certain âge, ont toutes

été jusqu'ici situées à Paris. Il en est de même pour les Ecoles Normales Supérieures, destinées à former les cadres de l'enseignement supérieur.

C'est à Paris aussi que se trouvent plusieurs établissements ou organismes nationaux d'enseignement et de recherches, comme, [5] par exemple, l'Institut Pasteur, le Collège de France,[17] l'Ecole de Guerre (pour les officiers supérieurs), le Musée d'Histoire naturelle, les Centres de recherches nucléaires de Saclay et d'Orsay, l'Institut et ses cinq Académies, dont l'Académie Française.[18]

Les plus grandes bibliothèques sont à Paris: la Bibliothèque [10] Nationale, la Bibliothèque Mazarine (à l'Institut), les Archives, l'Arsenal, la Bibliothèque Sainte-Geneviève (Place du Panthéon). De même les plus grands musées: le Louvre,[19] le Musée d'Art moderne, celui de l'Armée (aux Invalides), ceux des Arts décoratifs, de la Marine, de l'Homme, le Musée Carnavalet (pour [15] l'histoire de Paris), le Musée Rodin, etc. . .

La presse parisienne,[20] à côté d'une presse provinciale aux tirages de plus en plus grands,[21] demeure une presse d'opinion autant que d'information, particulièrement bien rédigée par des personnalités connues du monde politique et des milieux éco- [20] nomiques et industriels. De plus, presque tous les grands hebdomadaires et revues mensuelles ont leur quartier général à Paris.[22] Cette presse est remarquablement libre; la censure gouvernementale s'exerce extrêmement rarement; les critiques les plus violentes contre les mesures officielles, l'orientation de la politique, [25] et les personnalités mêmes des membres du gouvernement y sont tolérées. Et comme en France il n'existe pas de loi aussi vigoureuse qu'aux Etats-Unis contre ceux qui pourraient porter atteinte au régime existant, les publications royalistes et communistes paraissent librement, et on leur laisse toute facilité de diffusion. Cette [30] grande tolérance présente des risques et des inconvénients évidents, mais le Français tient si vivement à sa liberté de pensée qu'il a appris à respecter celle des autres.

Tous les journaux quotidiens parisiens, outre plusieurs publications hebdomadaires spécialisées, annoncent pour chaque soir [35] une quarantaine de pièces de théâtre différentes. Paris en effet possède une soixantaine de salles de théâtre, dont quelques-unes offrent de temps en temps des pièces en langue étrangère. En juillet et en août, malheureusement pour les touristes, la majorité des salles ferment pour les vacances. Cinq théâtres sont subven- [40] tionnés par le gouvernement: ce sont l'Opéra, l'Opéra-Comique, la Comédie Française (Place du Palais Royal), le Théâtre de France (Place de l'Odéon), et le Théâtre National Populaire (au Palais de Chaillot).[23] Bien que depuis une vingtaine d'années, de très bonnes compagnies théâtrales se soient formées en province,[24] [45] le prestige du théâtre parisien demeure très grand. Paris a aussi, bien entendu, une cinquantaine de music-halls, de cabarets, et de boîtes de nuit de tout genre, sans compter une quantité de petits établissements similaires, souvent amusants et originaux, et éphémères.

Les galeries d'art sont littéralement innombrables: sur la rive droite, on en trouve surtout dans les rues du Faubourg Saint-
5 Honoré et de la Boétie, et sur le boulevard Haussmann; sur la rive gauche, dans les rues étroites du Quartier Latin, les rues Jacob, Bonaparte, de Seine, etc...; elles voisinent partout avec des quantités de boutiques d'antiquaires qui contiennent parfois des trésors artistiques.

10 Pour la musique, les Salles Gaveau et Pleyel, les Concerts Colonne et Pasdeloup, sont les plus importants et les plus établis. Ils sont complétés par les programmes de la Radiodiffusion-Télévision Française, qui actuellement émanent presque tous de Paris.

15 Enfin, la grande richesse des architectures du passé reste vivante de nos jours dans les églises et les hôtels anciens de Paris. Les maisons particulières ont mal résisté au temps; les hôtels particuliers, solidement construits, davantage; et les églises, mieux encore, généralement respectées, même des révolutions, et moins
20 détruites par les guerres et les invasions que dans les villes et villages de la province. Tout le monde visite Notre-Dame, la Sainte-Chapelle, ou même Saint-Séverin et Saint-Germain-l'Auxerrois. Mais il faut aussi explorer l'abondance extrême de leurs détails; il faut également découvrir, à l'aide d'ouvrages spécialisés,
25 une quantité d'églises et de monuments moins connus, dont certaines parties sont encore remarquables.

Histoire de Paris

Le petit village de Lutèce existait déjà (nous ne savons pas exactement depuis combien de temps) sur l'île de la Cité en 53 avant Jésus-Christ. Le nom de Paris vient de celui des peuplades
30 celtes qui l'habitaient, les « Parisii ». Jules César y a séjourné.

Nous connaissons peu de détails sur les cinq premiers siècles de son existence; nous savons seulement que les Parisii vivaient du fleuve; marins, marchands, ils choisirent un bateau comme emblème; ainsi, plus tard, la devise de Paris devint: « Fluctuat nec
35 mergitur », le bateau flotte sur les ondes, mais il ne sombre point.

De ces premiers siècles il reste aujourd'hui les Arènes de Lutèce, dans le Quartier Latin, derrière la Halle aux vins et la nouvelle Faculté des Sciences de l'Université de Paris. L'actuel Musée de Cluny s'élève à côté des ruines de Thermes gallo-romains.[25]
40 Pendant le Ier siècle, plusieurs évêques gaulois furent martyrisés, sur une colline qui devint le Mont des Martyrs, d'où Montmartre aujourd'hui; au IVème siècle seulement, les évêques gaulois devinrent des personnages importants, après la légalisation du christianisme dans l'Empire romain, en 313.

Une partie du Louvre

Au Vème siècle, sous Clovis,[26] la ville échappa à une nouvelle
invasion des Barbares, peut-être celle des Huns, dirigée par
Attila,[27] grâce à l'intervention d'une jeune fille (devenue plus
tard sainte Geneviève), maintenant enterrée au sommet de la
colline du Quartier Latin, aujourd'hui la colline Sainte-Geneviève, 5
sous le Panthéon actuel. En 886, une invasion de pirates, venus
de Scandinavie en bateaux, fut arrêtée sur la Seine,[28] par le comte
Eudes, un ancêtre des Capétiens.

Sous les Carolingiens, puis au Moyen Age, la vie religieuse fut
intense. Plusieurs abbayes et prieurés s'élevèrent à quelque dis- 10
tance de l'île de la Cité, sur les deux rives de la Seine: Saint-
Germain-l'Auxerrois, Saint-Cloud, et Saint-Séverin, entre autres.
Le clocher actuel de Saint-Germain-des-Prés date du tout début
du XIème siècle. Au XIIème, on commença à bâtir Notre-Dame,
et au XIIIème siècle, saint Louis dirigea la construction de la 15
Sainte-Chapelle. En l'an 1200, l'Université de Paris fut fondée;
de nombreux étudiants vinrent suivre des cours sur la Montagne
Sainte-Geneviève. Et en 1257 Robert de Sorbon, chapelain de
Louis IX, créa la Sorbonne. Bien plus tard, au XVIIème siècle,
Richelieu [29] la réorganisa, et les bâtiments actuels, sauf la chapelle, 20
datent du XIXème siècle.

Vers la fin du XIIème et le début du XIIIème siècles, Philippe
Auguste fit élever des fortifications qui constituèrent la première

enceinte de Paris. Au Moyen Age, le palais du roi et l'évêché se partageaient l'île de la Cité; l'université resta sur la rive gauche, au sud, tandis que sur la rive droite, s'installèrent les marchands, le commerce, les Halles, les corporations. En 1470, la Sorbonne eut son imprimerie.

Aux XVIIème et XVIIIème siècles, se construisirent la majorité des monuments et édifices qui nous restent, et Paris devient alors le centre intellectuel et artistique de l'Europe. Au XIXème siècle, Napoléon Ier ouvrit la rue de Rivoli; plus tard, Napoléon III et le baron Haussmann firent raser certains quartiers et percer de larges avenues, de grandes places, et de belles perspectives.[30]

Aujourd'hui, au XXème siècle, Paris s'efforce en même temps de conserver ses monuments illustres et historiques tout en s'organisant pour satisfaire aux besoins d'une ville moderne et agréable à vivre.

La Sainte-Chapelle

Vocabulaire de Revision et Exercice

Choisir, parmi les catégories suivantes, trois mots ou groupes de mots, et les expliquer à l'aide de deux ou trois phrases complètes.

1. la Sorbonne; le Collège de France; l'Institut; l'Académie Française; la Bibliothèque Nationale
2. le tirage; la reliure; un éditeur; un quotidien; un hebdomadaire; un théâtre subventionné
3. les produits chimiques; les produits pharmaceutiques; les produits alimentaires; les parfums; les articles de Paris
4. la Haute Couture; le meuble; l'horlogerie; un Grand Magasin; les Halles
5. le Centre national de l'industrie et des techniques; le Parc des expositions; le Théâtre National Populaire; le Musée d'Art moderne; le Musée Rodin; le parvis de Notre-Dame
6. Clovis; Richelieu; le Musée de Cluny; le Musée Carnavalet; les Mérovingiens; les Capétiens

Questions

1. Essayez d'expliquer pour quelles raisons sont installées à Paris beaucoup d'industries exigeant un travail de précision; quelles sont ces industries? 2. Nommez trois ou quatre autres industries. 3. Qu'appelle-t-on « articles de Paris »? 4. Combien de personnes travaillent à Paris et dans sa proche banlieue? 5. Quelle est la spécialité du quartier Saint-Antoine? 6. Expliquez pourquoi Paris est considéré comme un grand port. 7. Qui était Richelieu? Recherchez dans un livre d'histoire quelles étaient les grandes lignes de sa politique. 8. Qui était Colbert? Recherchez dans un livre d'histoire quelle était sa politique économique. 9. Expliquez en quoi consiste la Haute Couture. 10. Que pensez-vous, en général, de la mode féminine et de ses renouvellements annuels ou même bi-annuels? 11. Nommez six éditeurs parisiens, et cinq musées parisiens. 12. Nommez cinq Grands Magasins parisiens. 13. Nommez et situez sur la carte cinq gares parisiennes. 14. Essayez d'expliquer le phénomène de la centralisation parisienne, ses causes et ses conséquences. 15. Qu'est-ce que les Halles? Où sont-elles situées? Quels problèmes posent-elles? 16. Nommez, et situez approximativement sur le plan de Paris, cinq églises parisiennes. 17. Qu'est-ce qu'un théâtre subventionné? Nommez-en quatre. 18. Nommez cinq des sept Centres dramatiques de province. 19. Qu'est-ce que le Collège de France? 20. Nommez, dans l'ordre chronologique, les dynasties royales de l'Ancien Régime, et cinq ou six des principaux rois de France.

Notes

1. L'administration centrale et le gouvernement sont présentés dans le chapitre 14.

2. Des villes de la banlieue immédiate, comme Creil et Nogent-sur-Oise, par exemple, possèdent des industries chimiques importantes; près de 80,000 personnes, dont 30,000 femmes, y travaillent.

3. Ce sont les villes de Levallois, Colombes, Courbevoie, Boulogne-Billancourt (ou Boulogne-sur-Seine), les quartiers de Javel et de Grenelle (dans le XVème arrondissement).

4. Il s'agit ici des Xème et XIème arrondissements; la densité record de la population y atteint 50,000 habitants au kilomètre carré.

5. Jean-Baptiste Colbert (1619–1683), grand homme d'Etat et ministre de Louis XIV.

6. Ce chiffre dépasse soixante millions de francs, soit environ douze millions de dollars.

7. Leur chiffre global d'affaires atteint environ sept cent millions de francs, soit à peu près cent quarante millions de dollars.

8. Ces Grands Magasins sont: le Bon Marché, le Louvre, les Galeries Lafayette, le Printemps, la Samaritaine, le Bazar de l'Hôtel de Ville, les Trois Quartiers, et plusieurs Uniprix et Monoprix. Mais, beaucoup plus qu'aux Etats-Unis, on trouve une quantité de magasins spécialisés, très bien fournis.

9. Les grandes expositions se tiennent soit au Parc des Expositions, à la Porte de Versailles, soit aux Grand et Petit Palais, ou au Centre national de l'industrie et des techniques, près du Rond-Point de la Défense.

10. Ce sont les gares du Nord, de l'Est, de Lyon, d'Austerlitz, Montparnasse, Saint-Lazare.

11. Le réseau de ces grandes voies rapides se trouve très en retard sur les autres réseaux européens.

12. Actuellement, l'auto-route du sud commence à la Porte d'Italie, et celle de l'ouest à la Porte de Saint-Cloud.

13. Des péniches et des chalands français, belges, hollandais, allemands, embarquent et débarquent plus de seize millions de tonnes de marchandises chaque année; ce sont des marchandises lourdes ou encombrantes: du sable, des pierres, du bois, des briques, etc. . .

14. Cette administration des chèques postaux, un des nombreux services des Postes et Télécommunications, joue le rôle à la fois d'une véritable banque, et d'une caisse d'épargne.

15. Les principales banques nationalisées sont la Banque de France, la Société Générale, le Crédit Lyonnais, le Comptoir National d'Escompte de Paris.

16. Sur 300,000 étudiants poursuivant des études supérieures en France, plus de 80,000 suivent à Paris les cours des diverses Facultés.

17. Le Collège de France, fondé par François 1er, au XVIème s., pour rivaliser avec la Sorbonne, est probablement unique au monde par la qualité de ses cours, sa totale indépendance de toute ingérence poli-

tique ou gouvernementale, et son organisation interne: les cours sont ouverts à tous, aucun diplôme n'est requis pour y assister, et le Collège ne donne ni examen ni diplôme; ce sont les professeurs en exercice qui élisent leurs nouveaux collègues. Toutefois, les sujets des cours sont extrêmement spécialisés, ce qui décourage les amateurs.

18. Les cinq académies de l'Institut sont: l'Académie Française (fondée par Richelieu en 1637) l'Académie des Sciences, l'Académie des Inscriptions et Belles-Lettres, l'Académie des Sciences Morales et Politiques, et l'Académie des Beaux-Arts.

19. Au début du XIIIème s., le roi Philippe-Auguste fit construire un fort pour défendre Paris à l'ouest et y mettre son trésor en lieu sûr; ce fut le premier élément du Louvre. Au XIVème s., Charles V fit agrandir les bâtiments et il s'y installa avec les manuscrits et les enluminures qu'il avait collectionnés. Au milieu du XVIème s., l'architecte Pierre Lescot commença pour François Ier des travaux qui devaient faire du Louvre un ensemble, et qui se poursuivirent jusqu'à Louis XIV. Le musée que nous connaissons, nous le devons donc à plusieurs rois et à leurs ministres. Mais c'est surtout pendant l'époque révolutionnaire (1791–1793) que le Louvre devint véritablement un musée national: la Convention l'ouvre au public le 27 juillet 1793, et le général Bonaparte ramène des centaines de tableaux et d'œuvres d'art d'Italie et d'Egypte.

20. Des quinze quotidiens parisiens de toute espèce (quatre millions et demi d'exemplaires, contre cinq millions et demi pour les huit grands quotidiens new-yorkais); les plus connus sont actuellement: *le Monde, le Figaro, l'Aurore, Combat, le Parisien Libéré, France-Soir, Paris-Presse l'Intransigeant, la Croix* (catholique), *l'Humanité* (communiste). *France-Soir* tire à près d'un million et demi d'exemplaires, *le Parisien Libéré* à 850,000, *le Figaro* à 500,000, *l'Aurore* à 450,000.

21. Les plus grands tirages de la province sont: *Ouest-France* (à Rennes), 600,000; *le Progrès de Lyon*, 450,000; *la Voix du Nord* (Lille), 370,000; *le Dauphiné Libéré* (Grenoble), 350,000. D'autre part, Bordeaux a deux quotidiens (et un tirage total de 500,000 exemplaires), Marseille a quatre quotidiens (550,000); Lyon, trois (520,000); Strasbourg, trois (250,000).

22. Un catalogue, semi-officiel, publié par la Librairie Hachette, en compte près de quatre mille.

23. Le T.N.P. est de caractère plus particulièrement expérimental. Les autres scènes ou salles parisiennes comprennent celles du Sarah Bernardt, du Châtelet, de l'Ambigu, de la Renaissance, des Champs-Elysées, le Studio des Champs-Elysées, et une quantité de théâtres d'avant-garde.

24. Il existe actuellement sept Centres dramatiques subventionnés en province, tous de grande qualité, et cherchant, chacun à sa façon, de nouvelles formules pour offrir un meilleur théâtre à un public de plus en plus large: à Rennes en Bretagne, la Comédie de l'Ouest; la Comédie de Saint-Etienne, dans le Massif Central; la Comédie de l'Est à Strasbourg; le Grenier de Toulouse; la Comédie de Provence ou du Sud-Est, à Aix-Marseille; le Centre dramatique du Nord, à Lille; et le Centre dramatique de Bourges, dans le Centre. De plus, le Théâtre

de la Cité, à Lyon-Villeurbanne, est considéré comme le T.N.P. de la province. A Caen, on vient d'achever la construction d'un petit théâtre moderne expérimental; et à Rouen se construit aussi un autre théâtre moderne.

25. Et sur l'emplacement de Notre-Dame se dressait un temple dédié à Jupiter, tandis qu'un autre temple, dédié à Mercure, s'élevait sur la colline de Montmartre.

26. Clovis, chef des Francs, rusé et cruel, est à seize ans le premier *roi mérovingien;* en acceptant le baptême, il acquiert l'appui précieux du clergé et il affermit son autorité sur les territoires qu'il vient de conquérir. Les Mérovingiens régnèrent de 448 à 752.

La seconde dynastie des rois de France, *les Carolingiens*, régna ensuite jusqu'en 987; Charlemagne, le plus important des Carolingiens, fut roi, puis empereur, de 768 à 814.

De la troisième dynastie, *la dynastie capétienne*, les principaux rois furent: Hugues Capet, de 987 à 996, Philippe-Auguste, de 1180 à 1223, Louis IX (ou saint Louis), de 1226 à 1270.

Après les Capétiens, la dynastie des *Valois* a régné de 1323 à 1589: Charles V, de 1323 à 1380, Charles VII, de 1422 à 1461, Louis XI, de 1461 à 1483, Louis XII, de 1498 à 1515, François Ier, de 1515 à 1547.

La dynastie des *Bourbons*, de 1589 à 1792: Henri IV, de 1589 à 1610; Louis XIII, de 1610 à 1643; Louis XIV, de 1643 à 1715; Louis XV, de 1715 à 1774; Louis XVI, de 1774 à 1792. Au XIXème s., deux autres Bourbons régnèrent: Charles X, de 1824 à 1830, et Louis-Philippe, « roi des Français », de 1830 à 1848.

27. Attila et les Huns furent définitivement battus, en 451, aux « champs catalauniques » (entre Troyes et Sens). Sainte Geneviève, selon la légende, persuada les Parisiens de rester et de défendre la ville; Attila s'en détourna sans en faire le siège.

28. En 911, le roi Charles le Simple (Charles III) leur donna en fief le pays qui devint ainsi la Normandie; ils s'installèrent et défendirent dorénavant Paris et le roi de France contre d'autres raids.

29. Le cardinal de Richelieu (1585–1642), ministre de Louis XIII, est un des grands hommes d'Etat de l'Ancien Régime.

30. En partie pour embellir Paris, en partie pour réprimer plus facilement les émeutes populaires.

Château de Versailles et bassin

LA REGION PARISIENNE

La région parisienne, dans un rayon de deux cents kilomètres, et avec Paris pour centre, contient près de dix-huit millions d'habitants, soit les deux cinquièmes de la population française; neuf millions et demi de personnes y travaillent, sur une population active totale d'un peu plus de dix-neuf millions pour toute 5 la France. Elle englobe aujourd'hui vingt-cinq des quatre-vingt-dix départements français métropolitains; et elle recouvre plusieurs provinces et pays de l'Ancien Régime,[1] au total le quart de la France. L'attraction de Paris, le phénomène de la centralisation française, et l'histoire de la formation du royaume de France, ex- 10 pliquent cette grande concentration de population, avec les activités économiques et culturelles qu'elle implique.

Le climat, dans l'ensemble, y est un climat intermédiaire entre celui de la Bretagne et celui de l'Alsace, c'est-a-dire intermédiaire entre le climat d'influence atlantique et un climat semi-continen- 15 tal. C'est une région très bien arrosée.[2] Les vallées de l'Oise et de la Marne, affluents de la Seine, navigables ou canalisés, constituent de véritables rues industrielles, des voies de circulation naturelles; dans le passé, elles ont souvent servi de routes d'invasions.[3]   20

Le bassin parisien possède à la fois de riches souvenirs historiques et artistiques ainsi que les entreprises industrielles et commerciales les plus modernes. Il a été de tout temps au cœur de l'histoire de France. La province de l'Ile de France,[4] domaine des
5 premiers Capétiens, fut le berceau du royaume. L'art gothique y est né.[5] Et, pendant des siècles, les rois de France ont été sacrés à Reims, en Champagne.[6]

Dans la grande banlieue parisienne, au-delà de la banlieue immédiate et industrielle qui fait corps avec Paris, nous distinguons
10 un grand nombre de lieux historiques importants. A une quinzaine de kilomètres de son palais du Louvre, Louis XIV fit construire, en 1661, les premiers bâtiments du palais de Versailles.[7] Il n'y avait là à l'origine qu'un simple pavillon de chasse; Louis XIV en fit peu à peu une résidence royale, pour sortir du Louvre étroit
15 et du Paris médiéval et encombré de l'époque. L'architecte Lenôtre [8] dessina d'immenses jardins à la française, géométriques, symétriques, comme ceux que l'on voit autour des châteaux de la Renaissance [9] et du XVIIe siècle. Louis XV et Louis XVI y ajoutèrent des ailes, et Marie-Antoinette tout un petit village en
20 miniature, afin d'y jouer à la bergère. Une cour brillante y entoura le roi. Sous Louis XIV, Molière [10] y joua quelques-unes de ses pièces, certaines accompagnées de la musique de Lulli.[11] De nos jours, le palais de Versailles, vaste musée national, est visité par des foules de touristes étrangers et français; et plusieurs
25 fois chaque été, un grand spectacle « Son et Lumière » est complété par celui, plus rare, des « grandes eaux ».[12]

Les autres châteaux célèbres de l'Ile de France sont, par exemple, celui de Fontainebleau,[13] au milieu d'une des plus belles forêts de France, où se trouve aussi le petit village de Barbizon, fréquenté
30 à la fin du siècle dernier par plusieurs peintres paysagistes, comme Corot et Millet; [14] le château de Saint-Germain en Laye; [15] le château de Rambouillet,[16] aujourd'hui résidence d'été du président de la République; le château de Chantilly; [17] le château de la Malmaison; [18] et le château de Compiègne.[19]
35 Une demi-douzaine de villes importantes partagent avec Paris les activités économiques et culturelles du bassin parisien.[20]

La plus peuplée, Rouen, quatrième port français, sur la Seine, à mi-chemin entre Paris et la Manche, est un centre commercial important, car les cargos remontent la Seine jusqu'à Rouen, et
40 les péniches et les chalands circulent facilement sur la Seine, bien canalisée. Rouen dessert une bonne partie de la Normandie agricole et quelques-unes de ses filatures; des usines de papier-journal travaillent sur les rives du fleuve. Malgré les destructions de la dernière guerre, il reste une quantité d'églises et de clochers qui
45 font de Rouen une des villes artistiques les plus belles de France. C'est là qu'en 1431 Jeanne d'Arc a été brûlée.[21] Flaubert a vécu et écrit son œuvre tout près de Rouen,[22] et, deux siècles auparavant, Corneille,[23] malgré ses séjours à Paris, est resté tout proche

de sa ville natale. Rouen demeure aujourd'hui une grande ville régionale.

Le Havre, à l'estuaire de la Seine, est le second port maritime après Marseille. Sur l'autre rive de l'estuaire se trouve le petit port de Honfleur, d'où sont parties plusieurs expéditions vers le 5
Canada, aux XVIème et XVIIème siècles,[24] et où des peintres impressionnistes se sont groupés à la fin du siècle dernier.[25] Le Havre est une ville entièrement tournée vers la mer et vers le commerce; c'est le port d'attache des bateaux de la Compagnie Générale Transatlantique, la « French Line »; on y débarque du 10
coton et du café. Les industries y sont nombreuses et variées; il y a des chantiers de constructions navales, et des raffineries de

Cathédrale de Rouen

pétrole.[26] Après les terribles bombardements de la dernière guerre, le Havre a été presqu'entièrement reconstruit, et la nouvelle ville offre un bon exemple d'urbanisme moderne.[27]

Bien arrosée, de terre riche, la Normandie, avec ses bocages, 5 ses vergers (de pommiers principalement, magnifiques au printemps), est verte et fraîche. On y fabrique des fromages universellement connus et appréciés, comme le camembert, le livarot, le Pont-l'Evêque. Les maisons normandes sont souvent faites d'une jolie brique rose, avec les poutres apparentes, qui forment sur les 10 murs les dessins spécifiques de cette architecture particulière. Sur la Manche, de petits ports pittoresques et des plages à la mode (plages de galets ou de sable gris) attirent une double clientèle parisienne et britannique.[28] A l'intérieur du pays, Lisieux, grand centre de pèlerinage, reçoit aussi de nombreux fidèles.[29]

15 A l'est de Paris, Reims est la ville royale et sainte: Clovis y a été baptisé en 496; dans sa splendide cathédrale, tous les rois de France ont été sacrés. Pour faire de Charles VII le roi légitime, Jeanne d'Arc avait dû libérer la Champagne pour qu'il puisse y être sacré en 1429.[30] Ville champenoise, Reims possède des in- 20 dustries textiles; grâce à quelques bandes étroites de précieux vignobles sur ses coteaux, elle est aussi la capitale des vins de Champagne, à la fabrication complexe et délicate.[31] Troyes, la capitale de l'ancienne province de Champagne, avait au Moyen Age une foire connue; il s'y tient encore un marché agricole important, 25 malgré l'exode rural. La Champagne, où se pratique la grande

*Le Havre: le port, reconstruit,
et départ d'un transatlantique*

culture du blé et de la betterave, est une vaste plaine de passage
où l'on s'est souvent battu.[32] Au XIIème siècle, un auteur de
romans de chevalerie, Chrétien de Troyes, a rendu sa ville célèbre.[33]

Au nord de Paris et de l'Ile de France, la Picardie [34] — dont le
parler picard a beaucoup contribué, avec le parler d'Ile de France, 5
à la formation de la langue française — a des plateaux limoneux
et fertiles, bons pour le blé, la betterave, et l'élevage, et de petites
vallées d'alluvions, excellentes pour les cultures maraîchères. La
Somme, qui la traverse et l'arrose, a longtemps constitué une des
lignes de défense de Paris.[35] Et, autour de sa cathédrale gothique, 10
des industries chimiques et un marché agricole font d'Amiens, sa
capitale, un grand centre commerçant. Entre Amiens et Paris, la
petite ville de Beauvais est connue également par sa cathédrale,
et par ses tapisseries et sa manufacture de porcelaine de Saint-
Gobain.   15

Au sud-ouest de Paris, Chartres possède l'une des plus belles
cathédrales gothiques de l'Europe occidentale.[36] Plus bas, sur la
Loire, Orléans est une ville de passage et un grand marché agricole.[37]

La région parisienne produit plus du tiers du blé français. Elle 20
produit aussi les trois quarts des betteraves, dont on fait du sucre
et de l'alcool, ou du fourrage pour nourrir le bétail; et 30% des
fruits y sont récoltés. C'est dans la plaine de l'Ile de France, et
dans celle de la Beauce (qui rappelle un peu la « wheat belt » du
« Middle-West »), entre Paris et Orléans, que se trouvent les 25

LA REGION PARISIENNE 65

grandes exploitations modernes, avec silos, mécanisation, et grandes minoteries. Les paysages de l'Ile de France sont caractérisés par la douceur des ciels et de la lumière, et l'abondance des bois et des forêts. Un quart des forêts domaniales françaises re-
5 couvrent le bassin parisien; ces forêts sont admirablement entretenues et donnent les sous-bois et les clairs-obscurs aimés des peintres, et qui ont sans doute inspiré le poète La Fontaine, « maître des eaux et forêts et capitaine des chasses »;[38] des essences d'arbres très variées y sont représentées: des hêtres, des
10 chênes, des ormes, des peupliers, des charmes, etc... A tous les égards, la région parisienne est la plus importante des huit régions économiques actuelles.[39]

à gauche, *Cave d'Anjou*
en haut, *Moisson en Ile de France*

Choisir, parmi les catégories suivantes, trois mots ou groupes de mots, et les expliquer à l'aide de deux ou trois phrases complètes.

1. l'Ile de France; la Picardie; la Champagne; la Normandie; la Beauce
2. l'Eure; la Marne; l'Oise; la Somme; les « grandes eaux de Versailles »
3. le blé; la betterave; le fourrage; une culture maraîchère; un bocage; un verger; un pré
4. Corneille; Molière; Lulli; La Fontaine; Flaubert; Maupassant
5. Versailles; Fontainebleau; Chartres; Rambouillet; Compiègne
6. Rouen; Reims; Orléans; Amiens; Troyes; Lisieux
7. l'art gothique; un clair-obscur; Millet; Barbizon; les peintres impressionnistes

QUESTIONS

1. D'après vos connaissances générales, en quoi l'étude de la géologie aide-t-elle à comprendre les ressources agricoles d'un pays? Expliquez. 2. Dites tout ce que vous savez sur l'ancienne province de l'Ile de France. 3. Même question sur l'ancienne province de Picardie. 4. Même question sur l'ancienne province de Champagne. 5. Indiquez, d'après la carte de France, les limites géographiques du bassin parisien. 6. Nommez une dizaine de départements faisant partie de la région. 7. Nommez et situez les affluents de la Seine. 8. Nommez les principaux produits agricoles de la région. 9. Nommez cinq cathédrales gothiques de la région. 10. Donnez les grandes caractéristiques du style architectural gothique. 11. Nommez et situez quatre châteaux de la région. 12. Nommez deux artistes qui ont travaillé au palais de Versailles, et indiquez les dates approximatives de sa construction. 13. Racontez brièvement la vie de Jeanne d'Arc. 14. D'après quelques lectures supplémentaires, pourquoi appelle-t-on Louis XIV le Roi-Soleil? 15. Quelles grandes batailles ont eu lieu en Champagne? A quelles dates? 16. Si vous avez lu, en anglais ou en français, une œuvre de Molière, donnez-en brièvement le sujet. 17. Même question à propos de La Fontaine. 18. Même question à propos de Flaubert. 19. Même question à propos de Maupassant. 20. Expliquez avec quelques détails l'importance de la région parisienne dans l'économie française.

NOTES

1. L'Ile de France, une partie de la Picardie, de la Normandie, de la Champagne, la Beauce, le Berry.
2. La Seine la coupe de part en part, du sud-est au nord-ouest, creusant une large vallée; l'Yonne et l'Eure sont les affluents de gauche; les affluents de droite sont l'Aube, la Marne, l'Oise.

3. Au cours des premiers siècles, ont eu lieu successivement des invasions de peuplades germaniques (parmi lesquelles celles des Francs), les invasions des Huns et des Scandinaves; à l'époque révolutionnaire, les armées prussienne et autrichienne ont envahi la France; les dernières invasions se sont produites en 1870, 1914, et 1940, à l'occasion, respectivement, de la guerre franco-allemande, de la Première et de la Seconde Guerres mondiales.

4. L'Ile de France comprend aujourd'hui les départements de la Seine, Seine-et-Oise, Seine-et-Marne, Oise, Aisne (partie méridionale), Eure-et-Loir (partie orientale).

5. Le style architectural gothique, ou ogival, a fleuri en France, en Angleterre, et en Allemagne, entre la seconde moitié du XIIème et le XVIème s.; il succède à l'art architectural roman; l'arc au-dessus des fenêtres et des portails est brisé; le bâtiment s'élève très haut et s'éclaire de nombreux vitraux; les murs s'amincissent et sont soutenus par des arcs-boutants.

6. La Champagne fut réunie à la couronne royale à la fin du XIIIème s.; de nombreuses guerres la dévastèrent; elle s'étend aujourd'hui sur huit départements.

7. Beaucoup d'artistes du temps y collaborèrent; Hardouin-Mansart (1646–1708) en termina les travaux en 1695; l'artiste Lebrun (1619–1690), peintre officiel du roi et directeur de la Manufacture royale des Gobelins, dirigea les décorations intérieures; Mansard construisit le Grand Trianon pour Louis XIV, et Gabriel (1698–1782) fit le Petit Trianon pour Louis XV; au XIXème s., Louis-Philippe fit de Versailles un musée.

8. André Lenôtre (1613–1700) a aussi dessiné les plans du parc de Chantilly.

9. La rénovation artistique et architecturale de la Renaissance en France, au XVIème s., se manifeste plus dans le décor et la décoration que dans la construction: des balustrades, des lucarnes, de nombreuses ouvertures, larges et hautes; le château n'est plus une forteresse mais un vaste logis où il fait bon vivre.

10. Molière, de son vrai nom Jean-Baptiste Poquelin (1622–1673), grand auteur comique, a écrit, parmi ses pièces les plus représentatives, *Les Précieuses ridicules, L'Ecole des Femmes, Don Juan, Le Misanthrope, Le Tartuffe, Le Bourgeois Gentilhomme,* etc...

11. Jean-Baptiste Lulli (1632–1687) naquit à Florence, mais il vécut en France, et créa l'opéra français.

12. On appelle « grandes eaux » le spectacle qui consiste à faire fonctionner toutes les fontaines et les jets d'eau des différents bassins du parc.

13. Le château de Fontainebleau, à une cinquantaine de kilomètres au sud-est de Paris, au-delà de l'aéroport d'Orly, a été commencé par Louis XII, et continué par Henri IV et Louis XIV; c'était le château préféré de Napoléon Ier.

14. Selon les peintres de l'école de Barbizon, appelée aussi l'école de Fontainebleau, ou l'école de 1830, il faut étudier de près et embellir le champ, l'arbre, le paysan, ou les jeux du soleil. Jean-Baptiste Corot (1796–1875) peint l'atmosphère tendre, flottant au-dessus de l'Ile de France. François Millet (1815–1875) peint la terre, le travail, la pauvreté, dans *l'Angélus, le Semeur, les Moissonneurs.*

15. Le château de Saint-Germain-en-Laye se trouve sur la route de Versailles; il a été construit par François Ier, au XVIème s., sur les ruines d'un château du XIIème. Louis XIII y est mort; son fils, Louis XIV, y est né. De la terrasse construite par Lenôtre, qui borde la forêt de Saint-Germain, on a une magnifique vue panoramique de Paris.

16. C'est un ancien château royal remontant au XIVème s.; la vaste forêt qui l'entoure permet au président de la République d'offrir de grandes chasses à ses invités de marque.

17. Cet exquis château de la Renaissance et du XVIIème s. est entouré d'un parc dessiné également par Lenôtre.

18. Au château de la Malmaison, domaine du XVIIIème s., Napoléon Ier et Joséphine, sa première femme, ont tenu une petite cour; Napoléon y a travaillé au Code qui porte son nom, ainsi qu'au Concordat de 1801 avec le pape Pie VII. La Malmaison est aujourd'hui un musée napoléonien.

19. Au nord-est de Paris, le château relativement moderne (du XVIIIème s.) de Compiègne a servi de résidence à Louis XV, à Louis XVI et Marie-Antoinette, à Napoléon Ier et sa seconde femme, Marie-Louise, et enfin à Napoléon III et l'impératrice Eugénie. C'est à Compiègne que Jeanne d'Arc a été abandonnée par ses troupes et faite prisonnière par les Anglais. Plus récemment, les armistices de 1918 et de 1940 y ont été signés, entre la France et l'Allemagne.

20. Rouen a 260,000 habitants; le Havre, 200,000; Reims, 125,000; Amiens de même qu'Orléans, un peu plus de 100,000 chaque.

21. Jeanne d'Arc (1412–1431), née à Domrémy, en Lorraine, eut des visions et entendit des voix de saints qui la poussaient à aider Charles VII à chasser les Anglais de France; elle se rendit à Chinon, dans la vallée de la Loire, convainquit Charles VII de sa mission; elle dégagea Orléans que les Anglais assiégeaient, fit sacrer le roi à Reims, fut faite prisonnière; un tribunal ecclésiastique la déclara hérétique, et les Anglais la brûlèrent à Rouen. Héroïne française, elle a été canonisée en 1920; on célèbre aujourd'hui sa fête, devenue fête nationale, le deuxième dimanche de mai.

22. Gustave Flaubert (1821–1880) est l'auteur de *Madame Bovary*, *l'Education sentimentale*, *Trois Contes*, etc...

23. Pierre Corneille (1606–1684) est l'auteur de nombreuses tragédies classiques: *le Cid, Horace, Cinna, Polyeucte*, etc...

24. Dès 1534, Jacques Cartier avait pris possession du Canada au nom de François Ier. Et Samuel de Champlain fonda Québec en 1608 avec des colons normands et poitevins.

25. Boudin, Courbet, Claude Monet, les premiers peintres impressionnistes français, se sont plu à Honfleur à peindre des paysages et des marines.

26. Près de la moitié du pétrole brut étranger qui vient en France est raffiné au Havre.

27. On en trouve également à Royan (près de l'estuaire de la Gironde), et à Saint-Malo (en Bretagne, sur la Manche).

28. Ce sont, d'est en ouest, Berck, Le Tréport, Dieppe, Etretat, Le Havre, Honfleur, Trouville, Deauville, Houlgate, Cabourg.

Un coin du vieux port de pêche de Honfleur, à marée basse

29. C'est le pèlerinage à Sainte-Thérèse de l'Enfant-Jésus, appelée aussi la petite Sainte Thérèse (1873–1897), et qu'il ne faut pas confondre avec Sainte-Thérèse d'Avila, la sainte espagnole du XVIème s.

30. A l'avènement de Charles VII, roi de 1422 à 1461, les Anglais occupaient presque toute la France. A sa mort, et en grande partie sous l'impulsion de Jeanne d'Arc, les Anglais ne possédaient plus que la ville de Calais.

31. Les vignobles poussent dans un sol crayeux, et les caves comprennent plusieurs dizaines de kilomètres de galeries creusées à même dans la craie.

32. En 451, à Châlons-sur-Marne (aux « champs catalauniques »); en 1792, à Valmy; et en 1914, à la bataille de la Marne.

33. Chrétien de Troyes, au XIIème s., nous a laissé *Lancelot ou le chevalier à la charrette*, *Yvain ou le chevalier au lion*, et *Perceval*.

34. La Picardie appartient aujourd'hui en partie à la région parisienne et en partie à la région du Nord; elle correspond au département de la Somme et à une partie des départements de l'Oise, de l'Aisne, et du Pas-de-Calais. Prise par les Anglais pendant la première moitié du XIVème s., elle ne fut définitivement réunie à la couronne royale qu'à la fin du XVème.

35. La Somme a encore joué ce rôle de ligne de défense jusqu'à la Première Guerre mondiale.

36. Elle date des XIIème et XIIIème s., avec une crypte du XIème.

37. Une partie de sa cathédrale date du XIIIème s. C'est en délivrant la ville assiégée par les Anglais, en 1428–1429, que Jeanne d'Arc a commencé à libérer le territoire français.

38. Jean de La Fontaine (1621–1695) est l'auteur de *Contes*, en vers, et de plusieurs livres de *Fables*.

39. Comme dans chaque province, on remarque en Normandie, en Picardie, en Champagne, un parler légèrement différent du parler de tout Français cultivé. De même le caractère et le tempérament des gens varient un peu d'une province à l'autre. Le Picard est énergique, obstiné, et plutôt froid. Le Normand est réputé pour son énergie au travail, son esprit de la chicane, et son sens de l'économie; Maupassant (1850–1893) l'a décrit d'une manière vivante et amusante, mais très péjorative, dans beaucoup de ses contes.

Mont Saint-Michel

6

LA REGION DE L'OUEST

Cette région est toute entière sous l'influence maritime de la Manche et de l'Atlantique. Dépourvue de centre et de capitale,[1] elle s'étend, en longueur, sur un territoire un peu plus vaste que celui de la région parisienne. Elle va, en effet, des côtes septentrionales de la Normandie et de la Bretagne, sur la Manche, 5 jusqu'à l'estuaire de la Gironde, au sud.

L'agriculture et l'industrie n'y sont pas encore modernisées. Le gouvernement toutefois s'efforce de retenir sur place la nombreuse main-d'œuvre disponible en aidant des industries nouvelles à s'y implanter.[2] 10

Au nord, la Normandie a ses bocages, ses chemins creux, ses haies centenaires, ses collines, ses vergers de pommiers, ses fermes riches, et des maisons de style très particulier. A l'ouest, la Bretagne a ses landes, couvertes de fougère, de bruyère, d'ajoncs et de genêts, et des côtes granitiques, hautes et découpées, où s'abri- 15 tent un grand nombre de petits ports, d'où jadis partaient les corsaires rivaux des corsaires anglais.

Beaucoup d'îles parsèment la côte;[3] elles sont balayées par le vent de mer; les maisons sont basses et blanchies à la chaux; on y cultive des quantités de légumes à cause du climat doux et humide; 20 les touristes y viennent à la belle saison. Dans une toute petite île, l'île d'Aix, Napoléon s'est rendu aux Anglais en 1815, après avoir hésité à partir pour l'Amérique.

La large vallée de la Loire est surtout agricole et viticole; il en va de même pour tout le pays entre la Loire et l'estuaire de la 25 Gironde.[4] Ces pays ont été dévastés jadis pendant les guerres de religion.[5] Plus récemment, en 1870, un insecte importé accidentellement d'Amérique, le phylloxéra a détruit la plus grande partie des vignobles et a ruiné bien des villages. Les jeunes plants de vignes qui ont permis à l'industrie des vins français de re- 30 partir ont été importés des Etats-Unis.

Toute la région est riche en monuments et en œuvres d'art. C'est une joie pour le voyageur de découvrir des églises romanes,[6] des ruines romaines,[7] les beaux « calvaires » bretons en granit,[8] auprès des églises ou dispersés dans la campagne, et enfin des 35 énormes pierres dressées pour des motifs mystérieux, datant de l'âge de la pierre polie, les « menhirs » et les « dolmens ».[9]

C'est près de Poitiers, en 732, que Charles Martel arrêta les Maures,[10] alors que venant d'Espagne ils se dirigeaient vers Paris pour conquérir la France, et en faire un pays musulman. 40

Canons allemands sur une des plages du débarquement de juin 1944 (Omaha beach)

Aux XVIème et XVIIème siècles, des petits ports de la côte, plusieurs expéditions maritimes sont parties vers le Canada, dirigées par Jacques Cartier, puis par Samuel de Champlain.[11] A Saint-Malo, Chateaubriand est enterré sur un rocher que bat-
5 tent les vagues.[12]
C'est aussi sur les plages de la Manche, près de Caen qu'eurent lieu en juin 1944 les débarquements militaires alliés qui ont réussi à libérer la France et à terminer la Seconde Guerre mondiale.
Les villes importantes sont d'abord les ports. Cherbourg, bien
10 équipé, est surtout un port de voyageurs. Brest, port militaire, est le siège de l'Ecole navale. Lorient, au XVIIème siècle, était le port d'attache de la Compagnie des Indes orientales qu'avait fondée Colbert.[13] L'importance de Saint-Nazaire et de Nantes dépend surtout des chantiers de constructions navales établis sur
15 l'estuaire de la Loire. Le vieux port pittoresque de La Rochelle est le troisième de France pour la pêche.
La région dispose actuellement de trois universités, à Caen, à Rennes, à Poitiers. A Caen, à Saint-Malo, à La Rochelle, ces universités organisent des cours d'été pour étudiants étrangers.
20 Parmi les autres villes citons Quimper, près de laquelle le peintre Paul Gauguin fit plusieurs séjours,[14] puis, au sud, Angoulême, grand centre et marché agricoles. L'Ecole militaire, jadis placée à Saint-Cyr, près de Paris, se trouve désormais installée à Coëtquidan, au sud de la Bretagne.
25 La vie économique, sur la côte, est dominée par la pêche, les conserveries de poissons et les entrepôts frigorifiques.[15] A l'intérieur, l'agriculture et l'élevage sont plus importants que les usines et les filatures.[16] Les pommes donnent de grandes quantités de

cidre, et le cidre, par distillation, donne du « calvados »; les fermes normandes, généralement assez modernes, produisent en abondance du lait, du beurre et des fromages.

En Bretagne, tous ceux qui ne sont pas pêcheurs ou marins,[17] font de la culture, surtout de légumes (artichauts, choux, pommes de terre, oignons, etc. . .) dans de petites fermes, de petites exploitations agricoles familiales au niveau de vie médiocre. A cause de leur esprit de famille et de tradition, les Bretons tiennent à conserver leurs petites propriétés au sol peu fertile, ce qui les empêche d'atteindre à la productivité nécessaire pour survivre à notre époque, et qui continuera à créer des problèmes sociaux et économiques sérieux.

Derrière les chantiers de constructions navales de Saint-Nazaire, l'arrière-pays est en voie de développement industriel; et, dans tout le pays nantais, des vignobles produisent un vin blanc sec et apprécié, le « muscadet ».

Entre la Loire et la Gironde, la côte s'étale en marais salants, qui produisaient jadis beaucoup de sel, et en excellents « parcs » à huîtres et à moules; tandis qu'à l'intérieur dominent les moyennes et les petites exploitations, où se pratiquent des cultures variées.

La récolte des pommes

Les riches vignobles des environs de la ville de Cognac font toutefois exception.

Une source importante de revenus pour les gens de l'ouest est le tourisme. Les Français et les étrangers sont attirés par les ports de la Manche et de l'Atlantique, tranquilles et pittoresques, par les châteaux du Moyen Age en Bretagne et dans la vallée de la Dordogne, les musées de tapisseries de Bayeux [18] et d'Angers, et par le merveilleux Mont Saint-Michel.[19] Toutes les côtes, toutes les plages sont peuplées,[20] l'été, de colonies de vacances, ainsi que de familles à la recherche de repos et de distractions simples.

Quelques mètres de la Tapisserie de Bayeux;
grâce à des écouteurs individuels, un touriste
en suit la description enregistrée électroniquement

Sur le plan gastronomique, outre les « fruits de la mer », le « calvados », le « cognac » (et ses variétés, la « fine champagne », ou la « fine », et le « marc »), une spécialité appréciée des touristes est la crêpe bretonne.[21]

Il existe, comme partout, des patois et des dialectes locaux, mais, d'autre part, beaucoup de Bretons continuent de parler entre eux une langue celtique, le breton, proche des langues que l'on parle encore au Pays de Galles, en Cornouailles, en Ecosse, en Irlande.

Jadis les coiffes normandes, bretonnes, poitevines, vendéennes, différaient de village à village; elles se portaient comme ailleurs les chapeaux; aujourd'hui, la fragilité de leurs dentelles, les soins qu'elles exigent (le repassage, le lavage délicat), les rendent de plus en plus rares; les jeunes femmes préfèrent suivre les modes 5 de Paris ou bien aller nu-tête. Les sabots également, sauf peut-être pour les pêcheurs, sont remplacés par des chaussures plus conventionnelles de cuir, ou par des bottes de caoutchouc. De même l'artisanat, sous toutes ses formes folkloriques (les travaux de dentelles et de broderies) tend à disparaître, ou bien, comme 10 les costumes, est arrangé artificiellement pour offrir aux touristes un spectacle pittoresque.

La Bretagne, une des anciennes provinces les plus pittoresques de France, a encore des manifestations mi-religieuses mi-folkloriques, fort intéressantes, comme certains pèlerinages appelés 15 « pardons », des bénédictions de bateaux de pêche avant leur départ pour la mer, des processions et des cérémonies religieuses autour des anciens « calvaires ».

Le nouveau front de mer de Royan

Petite usine de conserve de sardines

Centre national de télécommunications, à Pleumeur-Bodou

Usine marémotrice sur la Rance, près de Dinan

Vocabulaire de Revision et Exercice

Choisir, parmi les catégories suivantes, trois mots ou groupes de mots, et les expliquer à l'aide de deux ou trois phrases complètes.

1. la Manche; l'Atlantique; la bruyère; une île; un marais salant
2. Cherbourg; Saint-Malo; Brest; Quimper; Lorient; Saint-Nazaire
3. Nantes; La Rochelle; Royan; Poitiers; Angoulême; Rennes; Caen
4. le calvados; le cognac; le cidre; la crêpe; une huître; une moule; une crevette
5. l'art roman; un menhir; un dolmen; un calvaire; un pardon; le Mont Saint-Michel

Questions

1. Nommez les principales provinces que comprend la région de l'ouest. 2. Quelle sorte de côte trouve-t-on en Bretagne? 3. Où trouve-t-on encore des marais salants? 4. Pourquoi les marais salants sont-ils moins prospères aujourd'hui? 5. Qu'est-ce que c'est qu'un verger? 6. Quels sont les traits caractéristiques du style roman? 7. Recherchez des reproductions de Gauguin, et donnez vos impressions. 8. A l'aide de quelques lectures supplémentaires, préparez un bref résumé de la colonisation française au Canada. 9. Aimez-vous les « fruits de la mer »? Lesquels? Décrivez ceux que vous n'aimez pas. 10. Qu'est-ce que l'Etat essaie de faire pour relever le niveau de vie des Bretons? 11. Qu'est-ce que représente la tapisserie de Bayeux? 12. Pourquoi les coiffes ont-elles à peu près complètement disparu? 13. Nommez trois îles sur la côte Atlantique, et deux grandes plages; situez-les sur la carte. 14. Dites tout ce que vous savez sur la langue bretonne. 15. Qu'est-ce qu'un menhir? Qu'est-ce qu'un dolmen?

Notes

1. Les villes de plus de 100,000 habitants sont: Nantes, 225,000; Rennes et Angoulême, 140,000 chacune; et Brest, 125,000.

2. C'est ainsi, par exemple, que des usines Citroën se sont installées près de Rennes; qu'une usine marémotrice s'est établie sur la Rance, près de Saint-Malo; et qu'au nord-ouest, entre Saint-Brieuc et Brest, à Pleumeur-Bodou, le premier centre de télécommunications spatiales fonctionne depuis 1962.

3. Ce sont, dans la Manche, les îles anglo-normandes de Jersey et de Guernsey, possessions de l'Angleterre; dans l'Atlantique, Ouessant, Belle-Ile, l'île d'Yeu, Noirmoutier, Ré, Oléron, Aix.

4. Sur la côte, ce sont la Vendée, l'Aunis; à l'intérieur, le Poitou, la Saintonge, l'Angoumois.

5. Principalement aux XVIème et XVIIème s.; à la fin de la Révolution française, en 1793, les paysans du sud de la Bretagne et de la Vendée, catholiques et royalistes, se sont insurgés contre le gouvernement républicain nouveau, qui les a finalement écrasés.

6. Le style roman imite à l'origine le style architectural romain; il s'étend du Vème au XIIème s.; malgré une grande variété de styles romans, selon les régions — on distingue en effet les écoles de Provence, d'Auvergne, de Bourgogne, etc... — les traits généraux sont des arcades en plein cintre (en demi-cercle), des lignes principalement horizontales, des murs épais, des ouvertures étroites et en plein cintre, avec souvent des coupoles; le tout donnant un ensemble massif et lourd, mais de très belles proportions.

7. Ce sont des arcs de triomphe, des arènes, des ponts, etc...

8. Les « calvaires » représentent la scène du Calvaire du Christ (au Golgotha), en beau granit du pays; les plus célèbres se trouvent à Saint Brieuc, Tréguier, Landernau, le Folgoët, Sainte-Anne-la-Palud, Sainte-Anne-d'Auray.

9. Ces monuments mégalithiques, ou gros blocs de pierres, se trouvent ailleurs qu'en Bretagne et même qu'en France, mais on en rencontre un grand nombre en Bretagne. Les menhirs sont d'énormes pierres dressées verticalement; les dolmens sont faits de pierres plates et horizontales que supportent d'autres pierres verticales. Les alignements des menhirs de Carnac, près de Lorient, sont assez impressionnants.

10. Charles Martel, un des derniers rois mérovingiens, passe ainsi pour avoir sauvé la civilisation chrétienne.

11. Jacques Cartier (1491–1567), né à Saint-Malo, prit possession du Canada, en 1534, pour le roi François Ier. Samuel de Champlain (1570–1635), né à Brouage, au sud de La Rochelle, fonda Québec sous Henri IV.

12. René de Chateaubriand (1763–1848), né à Saint-Malo, est un des grands auteurs romantiques; il a écrit le Génie du Christianisme, et les Mémoires d'Outre-Tombe.

13. Jean-Baptiste Colbert (1619–1683), grand homme d'état et ministre de Louis XIV.

14. Paul Gauguin (1848–1903), d'abord impressionniste, est le peintre du Christ jaune, Les jeunes Bretonnes, Femmes sur la plage, Otahi, Cavaliers sur la plage, etc... Il séjourna au petit port de Pont-Aven.

15. A la pêche de la morue, du thon, de la sardine, de la sole, etc..., il faut ajouter celle des crustacés (homards, crabes, crevettes, huîtres, moules, etc...).

16. Il y a, par exemple, des usines de fer près de Caen.

17. Pierre Loti (1850–1923) a écrit de belles pages sur la vie du marin breton dans Pêcheur d'Islande, et Mon Frère Yves.

18. A Bayeux, en Normandie, on peut voir une merveilleuse tapisserie du XIème s., de 70 m de long, qui passe pour avoir été faite par la reine Mathilde pour représenter la conquête de l'Angleterre par son mari Guillaume.

19. Le Mont Saint-Michel, ancienne abbaye bénédictine construite entre le XIIème et le XVIème s. sur une petite île rattachée aujourd'hui à

la côte, est un des plus beaux exemples du Moyen Age architectural; c'était un des lieux principaux de pèlerinage de l'Europe bien avant la construction de l'abbaye.

20. Les plus grandes plages se trouvent sur l'Atlantique: la Baule et Royan.

21. La crêpe bretonne, très fine, se fait avec la farine de sarrasin.

Procession à la basilique de Lourdes

Le sud-ouest, plus petit que l'ouest ou le Bassin parisien, présente une certaine unité: il correspond à peu près au Bassin de la Garonne.[1]

Dans l'angle constitué par les Pyrénées et l'Atlantique s'étend un tiers du Pays basque.[2] La maison basque a son architecture 5 propre; les villages ont leur fronton pour le jeu de la pelote basque;[3] la langue qu'on y parle est sans rapport avec les langues romanes,[4] et son origine est discutée.

Près de la côte, presque rectiligne, de vastes forêts de pins, plantés au XIXème siècle pour fixer les dunes, recouvrent les 10 marais d'autrefois tout en assainissant le pays; cette section s'appelle encore les « Landes ».

Les Pyrénées françaises, que dominent des sommets[5] toujours enneigés, sont très arrosées et vertes; les vallées renferment de nombreuses petites villes d'eau.[6] Lourdes y est actuellement le 15 lieu de pèlerinages français le plus important, et l'un des plus grands du monde catholique.[7] Sur la « Côte d'Argent », de longues et larges plages permettent de jouir des plaisirs de la mer, tandis que la montagne est toute proche. L'hiver, les skieurs viennent profiter des belles pentes de neige, et les villages s'y organisent 20 en stations de ski; l'été, les malades fréquentent leurs sources d'eaux thermales; les alpinistes viennent y passer leurs vacances, ainsi d'ailleurs que des familles paisibles, la montagne ici se prêtant mieux que les Alpes aux excursions faciles.

Les deux grandes villes rivales de la région se trouvent sur la 25 Garonne,[8] dont la vallée, relativement large, est toute en alluvions fertiles. Toulouse, longtemps la capitale du Languedoc,[9] dirige désormais son activité plutôt vers l'ouest que vers la Méditerranée; son université est la seconde en date après Paris.[10] Bordeaux, port important, fait le commerce des bois africains, du charbon anglais, 30 du bois landais, et des vins locaux. Son université organise des cours d'été pour les étudiants étrangers à Pau et à Biarritz.

L'ensemble de la région est encore peu industrialisé, sauf autour de Bordeaux et de Toulouse. Mais, à Parentis, dans les Landes,[11] et à Lacq, près de Pau, on a découvert récemment des réserves 35 importantes de pétrole et de gaz naturel; on y fabrique des quantités de soufre, et il part de Lacq des pipelines qui distribuent déjà le gaz naturel jusque dans le nord de la France. Toulouse fabrique les célèbres « Caravelles »; et, dans les Pyrénées orientales, grâce à quelques-unes des nombreuses usines hydro-électriques pyré- 40

néennes qui produisent plus de 15% de l'énergie électrique consommée en France, on transforme de la bauxite en près de 100,000
tonnes d'aluminium par an. A Montlouis, à l'est également de
la chaîne, un observatoire très moderne a commencé à capter
5 l'énergie solaire pour la transformer en électricité.

Les autres activités économiques y sont d'importance moyenne
mais variées: la pêche maritime, les huîtres et les moules, l'armagnac, le bois des Landes, ses produits résineux, et enfin les vins
de Bordeaux.[12] On cultive aussi une bonne partie du tabac fran-
10 çais,[13] et beaucoup d'arbres fruitiers; et l'élevage est prospère sur
les pâturages de la grande boucle de la Garonne.

Sur le plan historique, il est intéressant de savoir que c'est dans
cette région, au petit village de Cro-Magnon, dans la vallée
moyenne de la Dordogne, que l'on a trouvé les traces de l'un
15 des types d'homme les plus anciens. Tout près de là, aux Eyzies

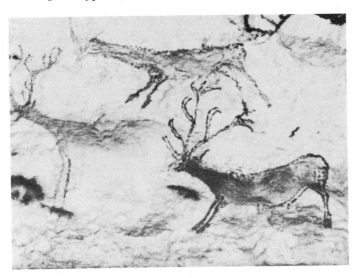

Peinture murale dans les grottes de Lascaux

et à Lascaux, on a découvert, il y a une vingtaine d'années, des
grottes abondamment décorées de magnifiques peintures, vieilles
de vingt à trente mille ans, et dans un état admirable de fraîcheur.

Tout près également, la ville d'Albi rappelle la cruelle répres-
20 sion des Albigeois, au début du XIIIème siècle.[14] La cathédrale,
qui pouvait servir de forteresse, dresse toujours ses hauts murs de
brique rose au centre de la ville.

Le col pyrénéen de Roncevaux fait penser à la *Chanson de
Roland*, qui relate en vers comment l'arrière-garde de l'armée de
25 Charlemagne, revenant d'Espagne, a été écrasée par les Sarra-
sins.[15]

Au Moyen Age, à Toulouse, un célèbre Collège de Jeux Floraux, académie poétique, qui organisait des concours où des fleurs d'or étaient données aux meilleurs poètes et troubadours, eut une grande influence sur le développement de la poésie courtoise. Et le nom de Henri IV reste naturellement associé au Béarn où il est né;[16] de même sont liés à Bordeaux les noms de Montaigne,[17] au XVIème siècle, de Montesquieu,[18] au XVIIIème siècle, et, présentement, celui de Mauriac.[19]

5

Cathédrale d'Albi

Le complexe industriel de Lacq

VOCABULAIRE DE REVISION ET EXERCICE

Choisir parmi les catégories suivantes, trois mots ou groupes de mots, et les expliquer à l'aide de deux ou trois phrases complètes.

1. la Gironde; la Dordogne; la Côte d'Argent; les Landes; le Béarn; le Pays Basque
2. Bordeaux; Toulouse; Albi; Pau; Lacq; Lourdes
3. Roland; Charlemagne; Henri IV; Montesquieu; Toulouse-Lautrec; Mauriac
4. un « Médoc »; un « Saint-Emilion »; un « armagnac »; le pétrole; le soufre; le gaz naturel; un vignoble
5. une croisade; une épopée; un pèlerinage; la pelote basque; les Jeux Floraux
6. Cro-Magnon; Lascaux; Roncevaux; la dune; un pin; un pic

QUESTIONS

1. Nommez quatre cours d'eau de la région; dans quelles directions coulent-ils? 2. Nommez trois cols pyrénéens, et situez-les sur la carte. 3. Quelle est la population approximative de Bordeaux et de Toulouse? 4. Nommez trois sommets des Pyrénées; quelle est leur hauteur approximative? 5. Dites tout ce que vous savez des Basques et du Pays Basque. 6. Quel est l'intérêt pour la France des découvertes récentes de pétrole et de gaz naturel dans cette région? 7. Qu'est-ce que c'est que l'Homme de Cro-Magnon? 8. Quels sont les principaux éléments du commerce du port de Bordeaux? 9. Expliquez ce que c'est qu'une ville d'eau. 10. L'Etat surveille les plantations de tabac en France; pourquoi? 11. Qu'est-ce que c'est qu'une usine hydro-électrique? 12. Nommez trois vins de Bordeaux. 13. Quelle distance approximative sépare Bordeaux de l'Océan? 14. Essayez de décrire ce qu'étaient les Jeux Floraux. 15. Qu'est-ce que c'est qu'une épopée? En connaissez-vous une dans les littératures grecque ou latine? Laquelle?

NOTES

1. La Garonne se change à Bordeaux, en un long estuaire, la Gironde; ses principaux affluents de droite sont l'Ariège, le Tarn, l'Aveyron, le Lot, la Dordogne; à gauche, le Gers.
2. Un tiers du Pays Basque est en France, les deux autres tiers en Espagne; en France il y a plus de 100,000 Basques, et près de 800,000 en Espagne.
3. La pelote basque se joue à deux ou à quatre joueurs, munis d'une « chistera », sorte de long panier qui sert de gant pour relancer une balle assez lourde contre un mur, le « fronton ».
4. Les langues romanes sont issues du latin populaire: le français, l'italien, l'espagnol, le portugais, le provençal, le roumain, le romanche.

5. Les principaux sommets sont: le pic d'Anie, le pic du Midi d'Ossau, le Vignemale, le pic du Midi de Bigorre, le pic de Néouvielle. D'ouest en est nous y trouvons les cols de Roncevaux (pour la route seulement), du Somport, de Puymorens, et, sur la côte méditerranéenne, le col du Perthuis.

6. Les plus connues sont Cauterets, Barèges, Luchon, Bagnères-de-Bigorre.

7. C'est en 1858 que la Vierge est apparue à Bernadette Soubirous, et aujourd'hui des foules internationales innombrables de pèlerins et de malades viennent toute l'année à Lourdes y prier et demander leur guérison.

8. Les villes de Toulouse et de Bordeaux ont chacune plus de 250,000 habitants; c'est à Bordeaux que le gouvernement français s'est transporté trois fois, provisoirement, en 1870, en 1914, et en 1940, au moment des invasions allemandes.

9. Ancienne province de France, le Languedoc a été réuni à la Couronne royale en 1271.

10. Il y a aussi à Toulouse la remarquable église romane de Saint-Sernain; la cathédrale date du XIIème s.; le Capitole, aujourd'hui l'Hôtel de ville, du XIVème; au Moyen Age, Toulouse a été le centre d'une civilisation raffinée.

11. Il s'agit ici du département des Landes; les forêts landaises couvrent environ 700,000 hectares, c'est-à-dire un million et demi d'« acres »; les pins sont entaillés et un petit récipient recueille la résine, avec laquelle on fait la térébenthine et d'autres produits chimiques.

12. Les vignobles bordelais produisent des vins de crus réputés mondialement: le Médoc, le Graves, le Saint-Emilion, le Monbazillac, les Sauternes.

13. En comptant les cultures de l'Alsace, environ 30,000 hectares sont plantés en tabac pour la Régie (l'Administration) nationale des Tabacs, monopole d'Etat.

14. Les Albigeois, ou Cathares, déclarés hérétiques par le pape Innocent III, furent massacrés au cours d'une véritable croisade; ils comprenaient des populations de toute la région environnante. C'est à Albi qu'est né Henri de Toulouse-Lautrec (1864–1901); il a peint *la Clownesse, Yvette Guilbert, la Danse, Au Moulin Rouge,* etc. . .

15. *La Chanson de Roland,* grande épopée du XIIème s., fait de Roland, un comte de Bretagne, le neveu légendaire de Charlemagne, et raconte sa mort chevaleresque. Charlemagne (742–814), roi des Francs à partir de 768, grand conquérant, administrateur, a beaucoup étendu le domaine de la chrétienté; le pape Léon III le couronna empereur, à Rome, en l'an 800.

16. Henri IV (1553–1610), roi habile et énergique, calma les passions religieuses, promulgua l'Edit de Nantes en 1598 (qui accordait certaines libertés aux calvinistes), et il travailla à assurer une certaine prospérité à la France. L'ancienne province du Béarn, capitale Pau, n'a été réunie à la Couronne royale qu'en 1607.

17. Michel de Montaigne (1533–1592) est l'auteur des *Essais;* il a aussi été conseiller au Parlement de Bordeaux et maire de la ville.

18. Montesquieu (1689–1755), magistrat et écrivain, est l'auteur des *Lettres Persanes*, et de *l'Esprit des lois*.

19. François Mauriac, né à Bordeaux en 1885, Prix Nobel en 1952, situe beaucoup de ses romans dans la région bordelaise.

Grands hôtels à Nice

LA REGION MEDITERRANEENNE

Ce que l'on appelle communément le Midi est la région, en
bordure de la Méditerranée, faite de deux anciennes provinces que
le Rhône sépare: le Languedoc et la Provence.[1] Le Midi n'a pas
vraiment de capitale. Toute l'activité de sa plus grande ville,
Marseille,[2] est celle d'un grand port cosmopolite.   5

A l'ouest, elle touche à la frontière franco-espagnole, aux
Pyrénées, et au Bassin de la Garonne; à l'est, à la frontière franco-
italienne et aux Alpes. Une ligne courbe, épousant, à une centaine
de kilomètres du littoral, la forme de la côte,[3] la sépare des massifs
montagneux du centre de la France et de la région lyonnaise.   10

Les différentes sections que l'on y distingue [4] forment un ensemble où malgré des différences profondes se retrouvent à peu près partout le même type de climat, le même ciel, la même luminosité, une certaine façon de vivre, un passé commun, qui
5 différencient le Midi du reste de la France, et qui font son unité.

D'abord, les plaines côtières : après la frontière franco-espagnole, la côte du Roussillon, surnommée la « Côte Vermeille », prolonge quelque temps « la Costa Brava » espagnole ; les derniers contreforts des Pyrénées baignent dans la mer, formant de jolies petites
10 plages ; ensuite, la côte languedocienne s'étend, plate, toute en lagunes et en longues plages de sable ; les cultures maraîchères, et plus souvent la vigne, s'y avancent jusqu'au bord de l'eau. Port-Vendres et Sète y sont les seuls ports ; Port-Vendres, le « port de Vénus », assurait déjà pour les Romains les communications avec
15 l'Afrique du Nord. [5]

Paysage provençal

Puis vient le delta du Rhône; le Petit Rhône et le Grand Rhône, par leurs alluvions, ont formé la Camargue, terrain plat et marécageux où l'on voit encore galoper des « manades » * à demi sauvages de taureaux (entretenues pour les courses régionales) et des chevaux également à demi sauvages, surveillés par des « gardians », l'équivalent français des « cowboys », qui mènent leurs bêtes avec des tridents, comme le dieu Neptune.[6]

Au nord du delta, la ville d'Arles, centre commercial, a été une des villes les plus importantes de la Gaule romaine; il en demeure beaucoup de tombes et de monuments. En bordure du delta, au sud-ouest, se trouve la cité médiévale d'Aigues-Mortes, qui fut jadis le port de mer d'où le roi Louis IX (saint Louis) s'embarqua pour sa croisade, mais qui est maintenant à quelque distance de la mer, puisque le delta avance peu à peu et gagne sur la Méditerranée.[7]

En remontant le Rhône jusqu'au barrage de Donzère-Mondragon,[8] la vallée se rétrécit, entre les Alpes et les Cévennes; cette terre d'alluvions, bien irriguée, est très fertile, et se spécialise en primeurs de fruits, de légumes, expédiés vers le nord, l'étranger, et surtout vers l'Angleterre. Pour les protéger du « mistral », vent froid qui souffle du nord et les détruirait, les champs sont bordés de hauts arbres serrés les uns contre les autres — des cyprès — qui leur donnent un caractère particulier, et que Van Gogh a reproduits souvent dans ses tableaux.[9]

Dans la plaine du Comtat, propriété de la papauté au XIVème siècle, le long séjour des papes à Avignon a enrichi la ville d'un château magnifiquement situé sur le Rhône, et qui sert l'été de cadre aux pièces du Festival qu'organise le Théâtre National Populaire de Paris. Sur le Rhône même subsiste encore une partie de l'ancien « Pont d'Avignon » de la chanson, construit au XIIème siècle.[10] C'est dans cette ville que Pétrarque a rencontré Laure, et il a vécu plusieurs années tout près de là, à la Fontaine-de-Vaucluse.[11]

De l'autre côté du Rhône, les Causses et les Garrigues, secs et stériles, ne nourrissent que des moutons ou ne produisent que des buissons couverts d'épines, du buis, des plantes odorantes, et des genêts, peuplés de lapins sauvages.

Les plaines du Languedoc sont le royaume de la vigne: elles produisent énormément de vin de consommation courante, de qualité médiocre, vendu très bon marché.[12] Les villes y vivent principalement du marché et du commerce du vin.

Montpellier, petite capitale régionale, a une Faculté de Médecine célèbre; c'est une des plus anciennes de France, et Rabelais y fit une partie de ses études.[13] Nîmes est un centre industriel, riche aussi en monuments de l'époque gallo-romaine: la Maison Carrée, d'architecture parfaitement belle et pure, des Thermes,

* Une manade, en Provence, est un troupeau de taureaux ou de chevaux.

la Porte d'Auguste, des arènes, et tout proche, un ancien et magnifique aqueduc à deux étages, le Pont du Gard, en parfait état de
conservation. C'est ici un centre calviniste, et une bonne partie
de la population des environs est protestante. Moins commerçante,
5 la ville de Carcassonne, restaurée au XIXème siècle, offre l'image

en haut, *Carcassonne, la cité ancienne*
à droite, *Festival du Film à Cannes*

d'une belle ville du Moyen Age, qui sert de cadre chaque été à
un Festival. Le canal du Midi passe tout près; le « canal d'entre-
deux-mers », construction audacieuse pour le XVIIème siècle,
joignant Toulouse à Sète, c'est-à-dire l'Atlantique à la Médi-
10 terranée, est peu actif aujourd'hui.

De l'autre côté du Rhône, ce sont les coteaux et les montagnes
de la Provence: les Alpes descendent presque jusqu'à la mer; et à
l'intérieur, les vieux massifs compacts des Maures et de l'Estérel
sont peu peuplés faute d'eau.[14]

15 Aix-en-Provence, vieille ville fondée par les Romains, capitale
historique de toute la Provence, possède de belles fontaines, des
« cours » * ombragés de platanes (comme partout dans le Midi),
ainsi que des hôtels particuliers de style très pur, surtout du

* des boulevards

XVIIIème siècle. Son université (Facultés des Lettres et de Droit) se complète à Marseille d'une Faculté des Sciences; elle a une chaire de provençal,[15] unique en France, et elle offre, à Cannes, des cours d'été aux étudiants étrangers. Cézanne y est né et a pris dans la région les sujets de la majorité de ses tableaux.[16] Zola y a 5 passé sa jeunesse.[17]

Dominant la plaine, se dressent les ruines de la ville médiévale des Baux, près de laquelle on a découvert les premiers gisements de bauxite, le minerai de l'aluminium.

L'étroite bande côtière, le littoral, qui va de Marseille à la 10 frontière franco-italienne, et dont une partie constitue la « Côte d'Azur » proprement dite,[18] est peut-être le coin de France le plus fréquenté à cause de son climat en premier lieu, à cause de la beauté ensuite de ses montagnes qui descendent abruptement sur la mer d'un bleu intense, de sa végétation (orangers, oliviers, 15 citronniers, eucalyptus, aloès), de ses fleurs, ses jolies villas et ses plages. Des sports faciles, des boîtes de nuit, des concours, des courses, des divertissements plus ou moins artificiels mais amusants et de bonne qualité, font que la succession de petites villes et de petits ports de pêche de la côte sont devenus récemment 20 des centres de villégiature et d'amusement.[19]

Trois villes ressortent parmi ces centres urbains de la côte. Toulon,[20] bien protégé, est un port militaire qui abrite la flotte méditerranéenne. La ville de Cannes,[21] constamment développée et agrandie depuis une vingtaine d'années, attire les touristes de 25 toutes les classes sociales, été comme hiver, par sa plage, ses grands hôtels, son casino, son Festival international du Film.

Nice,[22] fondée deux ou trois siècles avant Jésus-Christ (c'était alors un comptoir grec), rattachée à la France par plébiscite en 1860 seulement, après avoir appartenu à la Savoie, puis à la Sardaigne, est la grande ville de la « Côte d'Azur » — qu'on appelle aussi la
5 Riviera —, et la quatrième de France. Sur sa Promenade des Anglais, on voyait à la belle époque (fin XIXème et début XXème) les familles princières et la noblesse de toute l'Europe; son aéroport est le second après Orly, et les fêtes qu'elle organise sont les plus spectaculaires de la côte.

10 Avec très peu de pluie toute l'année, du soleil assuré tout l'été, jamais de brouillard, et une température d'hiver élevée,[23] les mimosas, les orangers, les eucalyptus, les pins parasols, les lauriers-roses, forment un cadre semi-tropical à cette partie de la Provence. Dans les villages perchés sur les collines, les maisons de pierres
15 dorées au toit de tuiles rouges sont serrées les unes contre les autres;[24] les maisons neuves et modernes, en général blanches, basses, sont entourées de jolis jardins: c'est l'architecture typique de tout le littoral méditerranéen (celle que l'on retrouve en Espagne, en Grèce, en Italie, en Afrique du nord).

20 La Provence est ainsi devenue, sur la côte et dans les petites villes de l'intérieur, le lieu de passage ou de séjour favori d'artistes, d'écrivains, de peintres, de personnalités internationales de la politique, du cinéma, etc...

Marseille occupe une place à part. L'activité de son grand port
25 tourné vers l'Afrique et le Proche-Orient, celle du complexe industriel Berre-Marseille, et le caractère cosmopolite de sa population[25] font de cette vieille ville — fondée selon la légende par une colonie phocéenne six cents ans avant Jésus-Christ — un centre et une très importante étape entre le nord de l'Europe et
30 le monde méditerranéen et le monde africain. Le Marseillais, à l'accent du Midi très prononcé, est fier de sa ville, et surtout de sa Canebière, une courte et large avenue qui descend du centre de la ville jusqu'au port.

A quelques heures de bateau, la grande île de la Corse, enfin,
35 « l'île de Beauté », peu développée économiquement, offre dans ses montagnes de l'intérieur et sur ses plages des coins sauvages et paisibles, où l'on vient passer ses vacances, et surtout faire du camping.[26]

Dans le domaine économique, le Midi, dépourvu de grande in-
40 dustrie, n'a qu'un seul centre industriel important: à Marseille et près de Marseille, autour de l'étang de Berre. Avec ses raffineries de pétrole et toute l'industrie pétrochimique qui en découle, l'étang de Berre est en quelque sorte une annexe de Marseille: un canal souterrain les relie. Et le plus grand port pétrolier fran-
45 çais, Lavéra, également près de Marseille, est l'un des plus grands ports pétroliers européens.

Des barrages assurent l'irrigation de vastes terrains; d'autres, en construction, vont bientôt permettre l'irrigation et une plus

Port de Marseille

complète électrification de la plaine du Languedoc; et, par suite, une partie des vignobles médiocres y seront remplacés par des cultures de meilleur rendement: du blé, des cultures maraîchères, etc. . . ; [27] dans le Midi, « l'eau est de l'or ».

5   Mais, outre tout cela, le Midi méditerranéen est surtout le pays de l'industrie hôtelière; c'est aussi le pays idéal pour les retraités, une sorte de Floride et de Californie combinées; c'est une région qui produit relativement peu, mais où Français et étrangers viennent jouir des plaisirs de la mer, du ciel, et du soleil.

Course de taureaux aux arènes de Nîmes

Vocabulaire de Revision et Exercice

Choisir, parmi les catégories suivantes, trois mots ou groupes de mots, et les expliquer à l'aide de deux ou trois phrases complètes.

1. la Méditerranée; le Midi; le Languedoc; la Provence; la Corse
2. la Camargue; la Côte Vermeille; la Côte d'Azur; les Maures; l'Estérel
3. un delta; une terre d'alluvions; un olivier; un oranger; le riz
4. Marseille; Toulon; Nice; Avignon; Cannes; Arles; Aix-en-Provence
5. Carcassonne; Aigues-Mortes; les Baux; le Pont du Gard; le Pont d'Avignon
6. Saint Louis; Cézanne; Van Gogh; Zola; Pétrarque

Questions

1. De quel climat le Midi jouit-il? 2. Quel type de côte trouve-t-on à l'ouest du delta du Rhône? 3. Expliquez comment se forme un delta. 4. A quoi sert la culture de l'olivier? 5. Pourquoi les raffineries de pétrole se trouvent-elles généralement près des ports? 6. Quel sol et quel climat la culture du riz exige-t-elle? 7. Pourquoi a-t-on pu dire qu'en Provence « l'eau est de l'or »? 8. Pourquoi y a-t-il beaucoup de ruines romaines dans le Midi? 9. Nommez les principales cultures du Midi. 10. A quoi servent les barrages hydro-électriques en plus de la production de l'énergie électrique? 11. Nommez cinq langues romanes. 12. Donnez les diverses raisons pour lesquelles les peintres et les personnes âgées aiment la Provence. 13. A quoi sert la bauxite? 14. Pourquoi l'industrie hôtelière est-elle si importante en Provence? 15. Pourquoi cherche-t-on, dans le Languedoc, à substituer d'autres cultures à celle de la vigne?

Notes

1. Le mot « Languedoc » rappelle que la partie méridionale de la France parlait au Moyen Age la « langue d'oc », tandis que dans le nord on parlait la « langue d'oïl », toutes deux dérivées du latin médiéval, « oc » et « oïl » correspondant à « oui ».

   Le mot « Provence » vient du latin « provincia », la « provincia romana », la première des provinces romaines.

2. Marseille, seconde ville de France, a plus de 700,000 habitants.

3. Sauf dans les Alpes et dans le Massif Central, cette ligne suit à peu près la limite nord de la culture de l'olivier.

4. C'est-à-dire les plaines côtières, les Causses et les Garrigues du Languedoc, les coteaux et les montagnes de Provence, et le littoral provençal proprement dit.

5. Un peu en arrière, la ville de Perpignan, au milieu d'une riche région fruitière, constitue la dernière étape française de la route vers l'Espagne.

6. On cultive en Camargue presqu'assez de riz pour la consommation française.

7. Aigues-Mortes est toujours encadré par ses murailles du XIVème s.; saint Louis s'y embarqua en 1248 pour l'Egypte, et pour Tunis en 1270; il mourut de la peste avant d'y arriver.

8. Terminé en 1952, il permet une bonne irrigation de la vallée, facilite la navigation entre Lyon et la Méditerranée, et ses usines hydro-électriques forment la plus grande centrale européenne.

9. Vincent Van Gogh (1853–1890) naquit en Hollande, mais il passa une partie de sa vie à Aix et à Arles: *Pont à Arles, Chambre à Arles,* beaucoup de paysages de la région, etc...

10. C'est le pont de Saint-Bénézet. La ville et les environs d'Avignon ne sont devenus définitivement français qu'en 1791.

11. Pétrarque, poète italien du XIVème s., a immortalisé Laure de Noves (village provençal) dans ses poèmes.

12. Les deux-cinquièmes de la production totale française proviennent du Languedoc, dont la monoculture reste toujours à la merci des conditions atmosphériques et des crises de surproduction.

13. François Rabelais (1494–1553), né près de Chinon, dans la vallée de la Loire, est l'auteur de la *Vie inestimable de Gargantua,* et des *Faits et Dits héroïques du grand Pantagruel.*

14. L'aménagement en cours d'exécution de la Durance (avec barrages et canaux d'irrigation) transformera probablement toute la région.

15. La langue provençale, parlée dans le Midi jusqu'au XIVème s., et utilisée par les troubadours, est une langue romane, tout comme le français, l'italien, l'espagnol, le portugais, le roumain, et le romanche.

16. Paul Cézanne (1839–1906), ami des peintres impressionnistes, est le grand précurseur de la peinture moderne.

17. Emile Zola (1840–1902), quoique né à Paris, fit ses études à Aix; ami de Cézanne, romancier naturaliste, il écrivit *Thérèse Raquin,* les vingt volumes des *Rougon-Macquart,* et il prit une part active dans l'Affaire Dreyfus.

18. De Fréjus à Menton.

19. Suivant la côte d'ouest en est, on rencontre Cassis, Bandol, Toulon, Giens, Hyères, Cavalaire, Saint-Tropez, Fréjus, Saint-Raphaël, Cannes, Antibes, Nice, Villefranche, Monte-Carlo, Menton. Le casino de Monte-Carlo, l'une des deux petites villes de la Principauté de Monaco (superficie: 1,5 km²), est célèbre dans le monde entier.

20. Toulon a plus de 140,000 habitants.

21. Cannes a environ 60,000 habitants.

22. Nice a plus de 250,000 habitants.

23. La température moyenne y est d'environ 50 degrés F en hiver.

24. Pendant des siècles, ces villages ont dû se défendre contre les pirates barbaresques d'Afrique du nord qui descendaient de leurs bateaux pour faire des raids rapides, enlever les richesses, et emmener les populations en esclavage.

Côte provençale, près de Nice

25. Plus de 25% des habitants sont des étrangers: Italiens, Grecs, Arméniens, Espagnols, etc..., et plus de 20 millions de tonnes de marchandises passent annuellement par le port de Marseille (contre 28 à Hambourg, 38 à Anvers, 75 à Rotterdam).

26. Le port d'Ajaccio rappelle Bonaparte qui y naquit en 1769. Et le maquis de l'intérieur évoque les vendettas que Prosper Mérimée (1803–1870) décrit dans *Colomba*.

27. Le Midi provençal produit déjà des quantités d'huile d'olive, du savon, et des parfums naturels.

Le Puy

Le Centre recouvre à peu près 15% du territoire français.[1] Grand comme deux fois la Suisse et trois fois la Belgique,[2] il n'a cependant que trois millions et demi d'habitants.[3]

L'âge moyen de sa population est plus élevé que celui du reste du pays: les jeunes gens descendent dans les plaines, vers des zones 5 agricoles et industrielles plus actives, vers la Gascogne, vers Lyon et Saint-Etienne, ou vers Paris.[4] Les pays les plus pauvres de la région sont par suite dépeuplés,[5] et on y ressent une impression générale d'abandon. Et pourtant, par ses vieux villages isolés, aux maisons bien serrées les unes contre les autres, par ses petites 10 églises romanes sans prétention, par ses jolies routes de crêtes au-dessus des bois et des forêts, par ses lacs circulaires qui se sont formés dans les cratères de volcans éteints, tout le pays est beau et pittoresque.

La région du Centre englobe le Massif Central, remonte au nord jusqu'à la Loire,[6] et descend au sud jusqu'à une centaine de kilomètres de la Méditerranée. Elle est presque toute en montagnes,[7] qui sont d'origine volcanique, et en plateaux: certaines de ces
5 montagnes forment la belle chaîne des anciens volcans éteints (une cinquantaine), la chaîne des Puys;[8] les plateaux se maintiennent à environ 1,000 mètres d'altitude.[9] Au total, le relief, très cloisonné, rend les communications par routes et par chemins de fer assez difficiles.[10] Mais, par contre, cet ensemble montagneux
10 constitue un immense réservoir où une quantité de cours d'eau prennent leur source et d'où ils partent littéralement dans toutes les directions.[11] Le climat y est généralement froid et neigeux en hiver, avec de la pluie en abondance le reste de l'année.[12] Avec tant de montagnes et de rivières on a installé un grand nombre de
15 barrages hydro-électriques, qui produisent un dixième de l'énergie électrique consommée en France.[13] Et, près de Chinon, se trouvent trois centrales nucléaires.

Centre nucléaire, à Chinon

Malgré le petit nombre de machines agricoles, les faibles quantités d'engrais utilisés, et l'absence de cultures intensives, les pro-
20 ductions agricoles du Centre ne sont pas négligeables.[14] Mais c'est surtout un pays d'élevage.[15] La Touraine enfin donne des vins, rouges et blancs, d'un très bon cru, comme le Chinon et le Vouvray (moins connus à l'étranger que les Bourgogne et les Bordeaux parce qu'ils supportent moins bien le voyage).

Comme les ressources du sous-sol sont faibles,[16] les industries continuent plutôt les anciennes spécialités artisanales; des tanneries travaillent le cuir local: la maroquinerie, les chaussures, les gants, sont des spécialités relativement importantes du pays.[17] On y fabrique des vêtements de travail. Il y a des 5 usines de meubles. La coutellerie de la petite ville de Thiers est célèbre; de même que la papeterie de luxe, à Ambert, par exemple; et l'imprimerie de la Banque de France se trouve dans le département du Puy de Dôme. Les manufactures de Limoges,

Décoration de porcelaine, à Limoges

l'ancienne capitale du Limousin, produisent depuis le XVIIIème 10 siècle une des plus fines porcelaines d'Europe, respectant une tradition de soin, d'élégance, de sobriété dans le dessin et la décoration de leurs services de table et de leurs objets variés.[18] Aubusson possède la Manufacture nationale, déjà célèbre au XVIème siècle, de tapisseries fabriquées avec la laine des moutons du Limousin 15 et du Berry. La délicate dentelle du Puy est renommée. Mais il existe aussi des industries créées par les besoins modernes, comme celle du caoutchouc, à Clermont-Ferrand et à Montluçon.[19]

Les villes d'eau sont nombreuses,[20] surtout à cause des terrains volcaniques. Elles attirent une vaste clientèle de malades qui vont 20

en haut, *Pavillon thermal, à Vichy*
à droite, *Chenonceaux*

y faire une cure (en majorité aux frais de la Sécurité Sociale). Les sources thermales de Vichy, par exemple, connues déjà par les Romains, ont été célébrées à travers les siècles.[21] C'est aussi à Vichy que, de 1940 à 1944, a siégé le gouvernement du maréchal
5 Pétain,[22] au moment où la France était divisée en deux zones par les occupants allemands.

Sur les montagnes les plus élevées, les skieurs viennent faire des sports d'hiver. Et, pendant l'été, un grand nombre de « congés payés » passent leurs vacances dans des « coins tranquilles et bon
10 marché », des villages en altitude, frais et paisibles; ils logent souvent dans des « maisons familiales de vacances » qui suppléent aux hôtels trop petits et mal équipés.

Clermont-Ferrand, ancienne capitale de l'Auvergne,[23] a la seule université de la région; sa basilique romane Notre-Dame-du-Port et sa cathédrale gothique, en lave du pays, sont des lieux de pèlerinages. En 1095, Pierre Lhermite y prêcha la première croisade devant de grandes assemblées. Blaise Pascal y naquit,[24] et ₅ fit faire en 1648 au Puy de Dôme les expériences qui prouvèrent la pesanteur de l'air.

Tours est un grand carrefour de routes et de lignes de chemins de fer, situé sur l'ancienne route des pèlerinages du Moyen Age vers Saint-Jacques-de-Compostelle, en Espagne; détruite en partie au ₁₀ cours des bombardements de la Seconde Guerre mondiale, la ville a été rebâtie avec la belle pierre de taille blanche du pays. Balzac y naquit,[25] et y situe plusieurs de ses romans. Rabelais, également, naquit près de Chinon. L'Institut de Touraine attire à Tours chaque année beaucoup d'étudiants étrangers.[26] ₁₅

Dans la basilique de Vézelay, saint Bernard prêcha la seconde croisade, en 1147. A Bourges, ancienne capitale du Berry, se trouve une cathédrale gothique du XIIIème siècle. Mais la foule des touristes va surtout voir les châteaux de la vallée de la Loire, et principalement ceux que les rois de France ont construits pen- ₂₀ dant la Renaissance, comme Amboise, Azay-le-Rideau, Chenonceaux, Chambord, Villandry, Valençay, de même que ceux de Chinon (des XIIème et XVème siècles, aujourd'hui en ruines), de Langeais (du XVème et mi-forteresse mi-demeure privée), et de Loches (des XVème et XVIème siècles). ₂₅

Vocabulaire de Revision et Exercice

Choisir, parmi les catégories suivantes, trois mots ou groupes de mots, et les expliquer à l'aide de deux ou trois phrases complètes.

1. l'Auvergne; le Limousin; la Touraine; les Cévennes; l'Ardèche; l'Allier; la Dordogne
2. le Puy de Dôme; le Puy de Sancy; Clermont-Ferrand; Tours; Limoges; Vichy; Chinon
3. l'élevage; le bétail; la brebis; un puy; un cratère; un plateau
4. le cantal; le roquefort; le vouvray; la porcelaine; le caoutchouc; un pneu
5. une tannerie; une papeterie; une source thermale; faire une cure; un « congé payé »
6. Pierre Lhermite; saint Bernard; Pascal; Balzac; Pétain

Questions

1. Par rapport à la Suisse et à la Belgique, quelle est la superficie de la région du Centre? 2. Pourquoi la population du Centre est-elle âgée? 3. Où vont les jeunes gens et pourquoi? 4. Nommez les anciennes provinces dont la région est formée. 5. Quelle est l'altitude moyenne approximative des plateaux et celle du plus haut sommet? 6. Pour quelles raisons les communications routières et ferroviaires sont-elles difficiles? 7. Nommez une demi-douzaine de cours d'eau et indiquez leur direction générale. 8. Comment la région produit-elle beaucoup d'électricité? Qu'en fait-elle? 9. Qu'est-ce que c'est qu'une ville d'eau? Qu'y fait-on? 10. Nommez trois villes de la région, situez-les, et dites tout ce que vous savez de chacune d'elles. 11. En quels siècles eurent lieu les deux premières croisades? Qui les prêcha? 12. Recherchez dans un livre de physique en quoi consista l'expérience de Pascal au Puy de Dôme; expliquez-la simplement.

Notes

1. Une quinzaine de départements en font partie.
2. La Belgique a neuf millions d'habitants, et la Suisse un peu plus de cinq millions.
3. Sa population active atteint environ un million de personnes.
4. Ils travaillent comme maçons, travailleurs de force, ou comme fonctionnaires, employés et ouvriers des chemins de fer.
5. Ce sont les Causses, les Cévennes, au sud, et, au nord, le Morvan. Par exemple, avant 1957, il y avait plus de Cévenols de la première et de la seconde générations établis à Paris que dans les Cévennes.
6. C'est-à-dire jusqu'à Tours (140,000 habitants), capitale de la Touraine, ancienne province annexée en 1204 et propriété de la Couronne royale depuis 1584.

7. Font exception la Touraine et le Berry; l'ancienne province du Berry (Bourges, capitale) passa à la Couronne royale dès le début du XIIème s.

8. Les deux plus importants sont le Puy de Dôme (1,465 m), et le Puy de Sancy (1,886 m).

9. Ce sont les plateaux du Limousin, du Nivernais, des Causses, et des Cévennes. L'ancienne province du Limousin fut annexée par Henri IV; le Nivernais ne le fut qu'en 1669, par Louis XIV.

10. La ligne de chemins de fer Paris-Tours-Bordeaux est rapide (et électrifiée); celles de Nantes-Genève et de La Rochelle-Genève le sont beaucoup moins.

11. Les principaux cours d'eau comprennent le cours supérieur et une partie du cours moyen de la Loire, les affluents de la Loire: l'Allier, le Cher, l'Indre, la Creuse, et une partie de la Vienne; quelques affluents de la Garonne: la Corrèze, le cours supérieur de la Dordogne, du Lot, et du Tarn; l'Hérault, qui se jette dans la Méditerranée; le Gard et l'Ardèche, affluents du Rhône; et l'Yonne, affluent de la Seine.

12. Font exception la Touraine, qui est tempérée parce qu'elle est placée sous l'influence de l'Océan Atlantique, et les Cévennes, qui ont un climat méditerranéen; la chaîne des Cévennes forme la limite est du Massif Central; ses plus hauts sommets atteignent 1,500 et 1,700 mètres; les plateaux calcaires des Causses prolongent les Cévennes au sud-ouest.

13. La région ne consomme elle-même que la moitié de ce qu'elle produit, l'autre moitié allant directement à la région parisienne.

14. Le Centre produit un dixième du blé français, 40% du seigle, de l'orge, et des pommes de terre.

15. On y élève un sixième du bétail français; les bœufs et les vaches du Charolais et du Limousin donnent une viande de boucherie très estimée partout en France. Trois grands fromages de la région sont: le « cantal », le « saint-nectaire », et le « roquefort »; les deux premiers sont faits avec du lait de vache, le troisième avec du lait de brebis; le « bleu d'Auvergne », un peu moins connu, est du même genre que le « roquefort ».

16. Le sous-sol est pauvre sauf en quelques matières rares, comme le tungstène, utilisé par alliage pour durcir l'acier, et dans la fabrication des filaments de lampes à incandescence; les neuf-dixièmes de la production française viennent de cette région. Il y avait aussi plusieurs mines de charbon; elles sont désormais épuisées, ou fermées en application d'accords conclus dans le cadre de la Communauté Economique Européenne du charbon et de l'acier. Près de Limoges on extrait aussi un peu d'uranium.

17. La petite ville de Millau, par exemple, fabrique les trois quarts des gants français d'usage courant.

18. 50% de la porcelaine française vient de Limoges (120,000 habitants), grâce au kaolin du pays découvert en 1768, qui a permis de fabriquer la porcelaine dure, par opposition à celles de Sèvres et de Saxe.

19. Clermont-Ferrand (145,000 habitants) et Montluçon ont été les premières villes à fabriquer le caoutchouc; c'est de là que viennent les

pneus « Michelin » et « Dunlop ». Montluçon possède l'Ecole nationale d'enseignement supérieur technique, et la ville marque à peu près le centre géométrique de la France.

20. La Bourboule, le Mont Dore, Chaudes-Aigues (celle-ci avec des sources qui atteignent la température de 80 degrés centigrades, soit 176 F).

21. La marquise Marie de Rabutin-Chantal de Sévigné (1620–1696), entre autres, en a parlé à propos d'une cure qu'elle y fit en 1676, dans plusieurs de ses *Lettres*.

22. Philippe Pétain (1856–1951), le « vainqueur de Verdun » en 1916, général, ministre, ambassadeur, fut « Chef de l'Etat Français » de 1940 à 1944; accusé de haute trahison après la Libération et condamné à mort, sa peine fut commuée en détention perpétuelle.

23. Une partie de l'ancienne province d'Auvergne est passée à la Couronne en 1527, le reste en 1606.

24. Blaise Pascal (1623–1662), savant et philosophe, inventa à dix-huit ans une machine à calculer; il est l'auteur des *Lettres Provinciales*, des *Pensées*, etc...

25. Honoré de Balzac (1799–1850), romancier, est l'auteur de *Eugénie Grandet, le Père Goriot, la Cousine Bette, le Cousin Pons*, etc...

26. Deux collèges universitaires récemment créés vont bientôt s'y transformer en universités.

10

LA REGION LYONNAISE

La région lyonnaise est active et en grande expansion. Elle couvre un dixième de la France;[1] et sa population représente aussi à peu près le dixième de la population totale.[2]

Au nord, elle recouvre le sud du Jura; à l'ouest, elle englobe une partie du Massif Central; à l'est, elle comprend les Alpes 5 jusqu'aux frontières suisse et italienne; au sud, elle descend le long de la vallée du Rhône.[3] On y distingue trois zones naturelles: les Alpes, le Massif Central, et la vallée du Rhône; les industries se concentrent autour des trois villes principales, Lyon, Grenoble, et Saint-Etienne. Le reste de la région se livre à l'agriculture et 10 à l'élevage.[4]

Dans les Alpes, au sud du lac Léman, se dresse le massif du Mont Blanc, avec ses neiges éternelles, ses aiguilles, ses vallées profondes; un tunnel routier de douze kilomètres, passant sous le Mont Blanc, relie la France à l'Italie. Dans les vallées, les pâtu-
5 rages permettent l'élevage; parmi les produits de la Savoie,[5] en particulier, le « reblochon » est un fromage apprécié partout en France.[6] Les forêts y donnent lieu à une importante industrie du bois.

Chamonix, Annecy, Aix-les-Bains, Evian,[7] et quantité d'autres
10 petites villes attirent les alpinistes et les touristes, ceux qui font les aiguilles, ceux, plus nombreux, qui se contentent d'ascensions moins périlleuses, et surtout les skieurs qui passent leurs fins de semaine ou leurs vacances aux sports d'hiver. Des téléphériques

Classe de neige, dans les Alpes du Dauphiné

montent à deux et trois mille mètres; et d'innombrables monte-
pentes, télébennes, et télé-skis, sont partout à la disposition des
sportifs, été comme hiver, dans les petites stations alpestres, par
ailleurs fort bien équipées pour satisfaire à toutes les bourses.
Pendant l'année scolaire, on y rencontre des « classes de neige »; et, 5
pour les malades, les enfants et les grandes personnes, les immenses bâtiments des sanatoriums font à certains endroits des
taches blanches sur le flanc de la montagne.

De puissants barrages hydro-électriques,[8] sur le Rhône et sur
l'Isère, ont donné naissance à de grandes industries électro- 10
chimiques et électro-métallurgiques; on trouve là l'usine d'aluminium la plus puissante d'Europe.[9] Grenoble est la capitale de la
houille blanche.[10] A côté de son université, on a récemment créé
un centre de recherches nucléaires. Ses cours pour étudiants
étrangers sont réputés. Stendhal naquit à Grenoble, dont l'at- 15
mosphère se retrouve souvent dans ses œuvres.[11]

La partie du Massif Central qui se rattache économiquement
au centre industriel lyonnais est pittoresque mais pauvre, et les
jeunes gens quittent les villages pour aller dans des régions où
la vie et le travail sont moins durs que dans la montagne. Les 20
terres y sont fort morcelées, la plupart des exploitations agricoles
ayant moins de dix hectares; l'élevage, toutefois, y réussit assez
bien. Au sud,[12] le reboisement se pratique systématiquement, et,
entre quatre et six cents mètres d'altitude, les cultivateurs se
spécialisent dans la culture des arbres fruitiers. Sur les hautes 25
terres, naturellement, le climat rigoureux ne permet que des
pâturages et l'élevage.

D'autre part, les villes de Saint-Etienne et du Creusot ont des
forges, des hauts fourneaux, des filatures, des manufactures; on y
produit de l'acier pour la construction mécanique, la fabrication 30
d'armes et d'outils.[13]

Saint-Etienne, par ailleurs, possède l'un des sept Centres dramatiques de province, la Comédie de Saint-Etienne.

La ville de Lyon est la vraie capitale de la région.[14] Déjà à
l'époque gallo-romaine, « Lugdunum », siège du Primat des Gaules, 35
était une ville très importante. Aujourd'hui, Lyon est la seconde
ville après Paris sur le plan économique et sur le plan culturel.
Sa Foire annuelle internationale attire plus de six mille exposants
(en produits chimiques, métallurgiques, en soies et en textiles).
Son université est la seconde de France par ses effectifs; elle est 40
réputée pour sa Faculté de Médecine et ses hospices civils; ses
Instituts de Physique générale et de Physique industrielle, de
Chimie, son Institut national des sciences appliquées, coopèrent
avec l'industrie; Lyon possède, à l'imitation de Paris, deux
« grandes écoles », l'Ecole Centrale et l'Ecole des Mines. De plus, 45
les grandes entreprises industrielles ont créé plusieurs autres
Instituts et Ecoles d'enseignement supérieur, rapprochant ainsi
le monde universitaire et le monde des affaires.[15]

Lyon possède un des premiers musées de France, et deux théâtres: le plus ancien, le Théâtre des Célestins, est aussi le plus actif en dehors de Paris; l'autre, le Théâtre de la Cité, à Lyon-Villeurbanne, est semblable au Théâtre national populaire du
5 Palais de Chaillot à Paris. Pendant la Renaissance, il y eut un groupe de poètes lyonnais, dont Maurice Scève et Louise Labé sont les plus connus.[16] De nos jours, Lyon est connu aussi par ses marionnettes: le « Guignol » lyonnais intéresse et amuse les enfants et les grandes personnes depuis la fin du XVIIIème
10 siècle.[17]

Lyon est une ville d'églises, et une ville de ponts qui passent par-dessus le Rhône et son affluent, la Saône. La couleur grise est peut-être la couleur dominante à Lyon; le ciel y est souvent gris; grises aussi sont les vieilles maisons aux très hautes fenêtres qui
15 bordent les larges avenues et qui s'étagent sur les deux collines dominant la ville: la Croix-Rousse et Fourvière; au sommet de

Lyon

cette dernière, se dresse Notre-Dame de Fourvière, lieu célèbre
de pèlerinage. Depuis le martyr de Pothin, premier évêque de
Lyon, et celui d'une jeune esclave chrétienne, Blandine, en 177, le
rayonnement spirituel de Lyon est grand; des Missions religieuses
en partent continuellement, et leur influence se fait sentir dans le 5
monde entier.[18]

L'importance durable de la ville de Lyon s'explique aussi par
sa situation admirable au confluent du Rhône et de la Saône, sur
la grande voie de communication Paris-Marseille, et sur celle de
Strasbourg-Marseille, c'est-à-dire entre la Hollande, la Belgique, 10
l'Allemagne, d'une part, et la Méditerranée, d'autre part; elle est
accessible en outre à l'Italie par les cols des Alpes. Elle conserve
non seulement son industrie de la soie naturelle,[19] dans laquelle
elle s'est distinguée au XIXème siècle, grâce au métier à tisser
inventé par Jacquard,[20] mais elle maintient sa réputation bien 15
acquise de l'excellente « fabrication lyonnaise » dans l'industrie

de la soie artificielle et de tous les textiles synthétiques; ses beaux tissus, ses velours, ses taffetas, son satin, ses crêpes contribuent au prestige de la Haute Couture parisienne.[21]

Les industries métallurgiques y sont prospères: on fabrique des machines, des machines-outils, des pièces détachées, des transformateurs électriques, des presses hydrauliques, des turbines, des tracteurs, de gros camions, etc. . .[22]

Lyon sert aussi de marché agricole pour l'étroite vallée septentrionale du Rhône. Les terres y sont morcelées, mais dans un climat favorable et avec une bonne irrigation toutes les cultures réussissent, celles du nord et celles de la région méditerranéenne: on y trouve des fruits, du blé, des oliveraies, et de la vigne (sur les coteaux du Beaujolais et du Mâconnais); et au nord de Lyon, la culture du maïs est intensive.[23]

Grande région de passage et de séjour, la région lyonnaise fabrique et consomme beaucoup de produits alimentaires. Sa cuisine et sa gastronomie sont justement réputées.

Vocabulaire de Révision et Exercice

*Choisir, parmi les catégories suivantes, trois mots ou groupes de mots,
et les expliquer à l'aide de deux ou trois phrases complètes.*

1. Lyon; Grenoble; Saint-Etienne; le Creusot; Chamonix; Annecy
2. Evian; Aix-les-Bains; la Saône; l'Isère; le lac Léman
3. un haut fourneau; la houille; la houille blanche; un métier à tisser; le reboisement
4. la soie; une volaille; le « reblochon »; l'acier; l'aluminium; le maïs
5. un téléphérique; un tunnel; une aiguille; l'alpinisme; un sanatorium; un pâturage
6. Jacquard; Stendhal; Maurice Scève; Louise Labé; la Grande Chartreuse; Paray-le-Monial; Notre-Dame de Fourvière
7. la chartreuse; le mûrier; un marché agricole; une filature; un pâturage

Questions

1. Quelle est la population totale de la région? la population active? la population de la ville de Lyon? 2. Nommez les trois villes principales; repérez-les sur la carte; repérez aussi sur la carte Chamonix, Annecy, et Evian. 3. Qu'est-ce que c'est qu'un téléphérique? 4. Nommez les deux pays étrangers qui bordent la région. 5. En montagne, que nomme-t-on une « aiguille »? 6. Qu'est-ce que c'est que l'alpinisme? 7. Etes-vous alpiniste? Pourquoi? 8. Quelles sont les principales spécialités industrielles de Lyon? 9. Expliquez comment fonctionne un théâtre de marionnettes. 10. A quoi servaient les feuilles de mûriers avant la découverte des procédés de fabrication de la soie artificielle? 11. Expliquez pourquoi Lyon est un grand carrefour commercial et industriel en Europe occidentale. 12. Nommez cinq ou six produits agricoles de la région. 13. Recherchez un poème de Maurice Scève et de Louise Labé; lisez-les et essayez de les commenter.

Notes

1. Les neuf départements de la région sont: le Rhône, la Loire, l'Isère, l'Ardèche, l'Ain, la Saône-et-Loire, la Savoie, la Haute Savoie, et une partie de la Drôme et de la Haute-Loire.
2. Sur les quatre millions et demi d'habitants, on compte plus d'un million et demi de personnes actives.
3. Le barrage de Donzère-Mondragon en est à peu près la limite.
4. Il s'agit surtout des départements de l'Ain, de la Savoie, et de la Saône-et-Loire.
5. La Savoie n'est française que depuis 1860, à la suite d'un plébiscite.
6. Le « reblochon » est un fromage de lait de vache à pâte pressée.

7. Annecy, Aix-les-Bains, Evian, sont aussi des stations thermales.

8. Le barrage de Génissiat, sur le Rhône, dans le Jura du sud, date de 1947; celui de Tignes, sur l'Isère, affluent du Rhône, de 1952.

9. C'est l'usine de Saint-Jean de Maurienne; elle produit 70,000 tonnes d'aluminium par an.

10. Grenoble a 120,000 habitants; la production d'énergie électrique y atteint près de 40% de la production française.

11. Henri Beyle, dit Stendhal (1783–1842), romancier, est l'auteur de *le Rouge et le Noir, la Chartreuse de Parme, Armance*, etc...

12. C'est-à-dire sur les plateaux de l'Ardèche.

13. Le Creusot n'est qu'une vaste usine où domine la métallurgie lourde; la maison Schneider y est la plus connue; le Creusot a eu le premier haut fourneau, et, en 1816, la première fabrique d'acier a été fondée près de Saint-Etienne.

14. Par sa population, 500,000 habitants, Lyon vient en fait au troisième rang des villes de France. Dès le règne de Louis XI, roi de 1461 à 1483, la soie naturelle s'y fabrique.

15. Ce sont, entre autres, des Ecoles de chimie, de tissage, de tannerie, de papeterie, un Laboratoire de mécanique des fluides, une Ecole catholique des arts et métiers, etc...

16. Maurice Scève (1501–1562) est l'auteur de *Délie, objet de plus haute vertu.*

    Louise Labé, fille et femme de cordiers, et surnommée par suite la Belle Cordière (1522–1566), écrivit des *Elégies* et des *Sonnets.*

17. C'est un Lyonnais, Laurent Mourguet qui, en 1795, importa d'Italie le premier théâtre de marionnettes.

18. C'est à proximité de Lyon que l'on trouve Paray-le-Monial (centre de pèlerinage), le site de la basilique romane du XIIème s. de l'abbaye de Cluny (d'où les Bénédictins rayonnèrent au Moyen Age), et le monastère de la Grande Chartreuse (fondée comme l'ordre des Chartreux en 1084); les Chartreux sont connus aussi par les liqueurs de leur fabrication: la chartreuse jaune et la chartreuse verte.

19. Aujourd'hui, Lyon importe la soie naturelle brute de l'Italie du nord et du Japon. Auparavant, les « canuts » lyonnais (les artisans travaillant sur le métier à tisser) utilisaient la soie des vers à soie que l'on nourrissait, dans toute la vallée du Rhône, avec des feuilles de mûriers.

20. Joseph-Marie Jacquard (1757-1834) était un mécanicien lyonnais.

21. Il y a à Lyon plus de quatre cents firmes ou maisons, totalisant plus d'un milliard de francs d'affaires annuelles; un tiers de la production est destinée à l'exportation.

22. Il s'agit ici des camions Berliet. Les grandes firmes industrielles de la région sont: Péchiney, Rhône-Poulenc, la Compagnie nationale du Rhône.

23. C'est la Bresse, où l'on fait également un élevage intensif de volailles.

11

LA REGION DE L'EST ET DU NORD–EST

La région de l'Est et du Nord-Est, entre le Bassin parisien et le Rhin, recouvre deux anciennes provinces, l'Alsace,[1] et la Lorraine,[2] ainsi qu'une bonne partie de la Bourgogne,[3] et de la Franche-Comté.[4] Le climat y est rigoureux, intermédiaire entre celui de la région parisienne et celui de l'Europe centrale. Les Vosges, le Jura, 5 le plateau lorrain, et les plaines d'Alsace et de Lorraine, y forment des zones naturelles distinctes.

Les Vosges, dont l'altitude varie entre 500 et 1,000 mètres, ont de belles sapinières admirablement entretenues et nettoyées de leurs basses branches et des buissons, ce qui permet de longues 10 perspectives entre les troncs d'arbres qui coupent les rayons du soleil. Le climat y est rude, l'hiver y est long; il neige et il pleut beaucoup. Le ballon de Guebwiller est le point culminant de ces vieilles montagnes de l'époque primaire, avec 1,420 mètres d'altitude; des cirques et des lacs font des Vosges une région attrayante, 15 et pour les touristes de l'été et pour les skieurs de l'hiver qui glissent sur des pentes assez douces; les Vosges se trouvent suffisamment près de Paris pour qu'on y vienne facilement passer la fin de semaine.

Les plissements plus récents du Jura abritent beaucoup de 20 vallées et de petites villes, mais les communications y sont malaisées.[5] A l'ouest des Vosges s'étendent la plaine et le plateau lorrain; tandis que tout à fait à l'est, le Rhin arrose la plaine d'Alsace, large seulement de trente kilomètres et longue de deux cents; Strasbourg en est la capitale. Beaucoup de cours d'eau [6] et de 25 canaux sillonnent cette partie de la France.[7] Et l'on y distingue aisément deux zones économiques.[8]

Dans la première, l'Alsace (qui détient le record français du morcellement des terres) [9] cultive des céréales, des betteraves à sucre, du houblon (pour faire de la bière), et des vignes (qui pro- 30 duisent, par exemple, les bons vins blancs de Riquewihr). La bière alsacienne est justement appréciée; les Alsaciens cultivent beaucoup de tabac. Et, du sous-sol, par ailleurs pauvre, s'extrait toute la potasse française. Mulhouse, sur le canal du Rhône au Rhin, a une industrie textile active; et, comme beaucoup de petites villes 35 alsaciennes, ses rues et ses vieilles maisons présentent les aspects caractéristiques de l'architecture du pays. Le musée de la charmante ville de Colmar possède le retable fameux du peintre Grünewald; [10] le sculpteur Bartholdi y naquit.[11] Dans une large partie de l'Alsace, les habitants parlent soit la langue allemande 40

soit la langue française; beaucoup de gens sont bilingues; et, de plus, dans maints villages, on parle un dialecte alsacien, incompréhensible aux Français comme aux Allemands.

En Lorraine, il y a comme en Alsace des céréales; on y cultive
5 des arbres fruitiers; [12] le vin gris des Côtes de Moselle est réputé; 30% des terres sont boisées, mais l'élevage y est tout de même assez prospère. La terre lorraine donne de la pierre à chaux, qui permet de produire des quantités de ciment; avec ses sables et ses argiles, la Lorraine fabrique de la céramique et de la verrerie;
10 à Baccarat, par exemple, on fait des objets d'art, des services de

Vignes et champs, en Alsace

table; sa cristallerie est connue. Mais par-dessus tout, on extrait du sous-sol lorrain du charbon et du minerai de fer; l'exploitation des mines de charbon,[13] et l'extraction du minerai de fer [14] y sont très modernes, grâce à l'automation. En fait, la grande activité de l'Est et du Nord-Est se trouve toute entière concentrée en Lor- 5 raine: la sidérurgie y donne les deux tiers de la fonte et de l'acier français.[15] Près d'un million de personnes y sont employées.

Verdun, où bien des événements historiques ont eu lieu,[16] évoque surtout maintenant le moment décisif de la Première Guerre mondiale, car c'est ici qu'entre février et juillet 1916, un 10 demi million de soldats français et allemands sont morts; le général Pétain, commandant les forces françaises, devint alors « le vainqueur de Verdun ».

Le Jura (comme d'ailleurs les Vosges) se spécialise dans l'élevage et l'exploitation du bois; la production du lait y est toutefois plus abondante que celle de la viande de boucherie, et les neuf dixièmes du lait vont à la fabrication du fromage de gruyère.[17] Sur le plan industriel, le Jura a des industries mécaniques,[18] des mines de sel gemme, des usines qui fabriquent du matériel électrique, et toute une petite industrie à demi artisanale de la montre et de l'horlogerie, à quoi les habitants travaillent pendant la mauvaise saison.

Dans les Vosges, l'industrie textile compte pour un tiers de l'industrie textile française. Epinal a des filatures de coton, et des imageries célèbres.[19] La petite ville de Saint-Claude est connue pour les pipes qu'elle fabrique, et dont 90% vont à l'exportation. Et à Morez, l'industrie de la lunetterie s'acquitte des neuf dixièmes de toute la production française. La Bourgogne enfin doit la meilleure part de sa richesse et de son activité commerciale à une mince bande d'excellents vignobles.[20]

Un peu à part, Belfort, une des nombreuses places fortifiées par Vauban,[21] et le Territoire de Belfort,[22] ont des filatures très actives de coton, et des ateliers de constructions mécaniques (depuis 1870, quand les Alsaciens de Mulhouse ont quitté leur ville pour ne pas devenir Allemands).

Vendanges, en Bourgogne

Cimetière militaire de Verdun

Strasbourg, Nancy, Dijon, Mulhouse, sont les grandes villes de la région;[23] les trois premières ont chacune leur université. A Dijon, ancienne capitale des ducs de Bourgogne, on voit aussi le Palais des ducs, une cathédrale des XIIème et XIIIème siècles, et un palais de justice datant du XVème. Dijon est également un 5 centre gastronomique bien connu des gourmets. A Nancy, le beau-père de Louis XV, Stanislas Leczinski, tint sa petite cour, au XVIIIème siècle. Aujourd'hui, la gracieuse Place Stanislas qu'il fit construire, entourée de palais, y est toujours en parfait état de conservation. 10

A Strasbourg, grand carrefour européen sur le Rhin,[24] l'université a, en plus des Facultés traditionnelles, une double Faculté théologique, catholique et protestante, cas unique en France. C'est à Strasbourg que, depuis 1949, siège le premier Parlement européen.[25] La cathédrale, commencée au XIème siècle, 15 est une des plus belles d'Europe; ses proportions, ses lignes toutes en hauteur donnent l'impression d'un mouvement ascendant vers le ciel plutôt que de masse et d'équilibre solide comme Notre-Dame de Paris et Reims; et sa couleur, d'un rose délicat, ajoute encore à sa légèreté. Les statues qui ornent les portails de la 20 cathédrale sont de très beaux exemples de la sculpture du XIIIème siècle; l'horloge astronomique qui attire les foules n'a, par contre, qu'une centaine d'années. Dans les quartiers qui environnent la cathédrale, les maisons des XVème, XVIème, et XVIIème siècles sont encore très belles, avec d'immenses toits très en pente. 25

La Comédie de l'Est,[26] l'un des sept Centres dramatiques de province, contribue au rayonnement intellectuel et artistique de Strasbourg; de même plusieurs Instituts et « grandes écoles », comme l'Institut d'études politiques et l'Ecole Normale supé-
5 rieure de chimie. Strasbourg a été sous la domination allemande de 1870 à 1918,[27] puis de 1940 à 1944 (pendant la Seconde Guerre mondiale), ce qui explique le caractère bilingue de la ville. Situé sur la ligne Marseille-Lyon-Rotterdam, son port fluvial, le sixième port de France,[28] fait un commerce important grâce aux chalands
10 et péniches belges, français, allemands, hollandais, qui circulent sur les voies d'eau de tous ces pays, transportant des mar-chandises lourdes (du bois, des pierres, du charbon, du sable, etc...). De ses chantiers de constructions navales sortent des pétroliers de gros tonnage.
15 La quatrième université se situe à Besançon, vieille forteresse et capitale de la Franche-Comté au XVIIIème siècle, dans un méandre du Doubs. Besançon aujourd'hui est une station ther-male, l'un des centres de l'horlogerie française, et son université offre des cours pour étudiants étrangers qui sont parmi les meilleurs
20 de France. Hugo, Proudhon, les frères Lumière, y naquirent.[29]

Vocabulaire de Revision et Exercice

Choisir, parmi les catégories suivantes, trois mots ou groupes de mots, et les expliquer à l'aide de deux ou trois phrases complètes.

1. l'Alsace; la Lorraine; la Bourgogne; le Territoire de Belfort; la Lotharingie
2. Strasbourg; Nancy; Mulhouse; Dijon; Besançon; Verdun
3. la Saône; la Meuse; la Moselle; la Sarre; le Doubs; un canal
4. Hugo; Proudhon; Verlaine; Lumière; Bartholdi; Stanislas Leczinski
5. une sapinière; la bière; le tabac; la potasse; le minerai de fer; la sidérurgie lorraine

Questions

1. Indiquez les limites de la région de l'Est.   2. Quelle sorte de climat trouve-t-on dans l'est de la France, et pourquoi ? 3. Quelles sont les caractéristiques générales des Vosges ?   4. Nommez le sommet et le principal col du Jura; quelle est leur altitude ? 5. Nommez cinq cours d'eau de la région; dans quelles directions coulent-ils ?   6. Quels sont les produits agricoles des Vosges et ceux du Jura ?   7. Nommez quelques vins de la région, et situez les pays qui les produisent.   8. Expliquez la part de la Lorraine dans l'industrie française.   9. Où se trouvent les universités de la région ?   10. Dites tout ce que vous savez sur Strasbourg et son port.   11. Qu'est-ce que Verdun vous évoque ?   12. Procurez-vous un court poème de Verlaine; lisez-le, et essayez d'en faire un bref commentaire.   13. Décrivez brièvement la Statue de la liberté de Bartholdi; quelle signification lui donne-t-on généralement ?   14. A quoi servent les péniches et les chalands ? 15. Pourquoi la langue allemande se parle-t-elle en Alsace ?

Notes

1. L'Alsace a été réunie à la France en 1648 par le traité de Westphalie.
2. L'histoire de la Lorraine est complexe: du IXème au XVème s., la Lorraine fit partie de la Lotharingie; elle fut partiellement annexée à la France en 1648, et, totalement, en 1766 à la mort de Stanislas Leczinski, le beau-père de Louis XV.
3. La Bourgogne devint française sous Louis XI, en 1477.
4. La Franche-Comté fut réunie à la Couronne royale par la paix de Nimègue en 1678.
5. Le Crêt de la Neige atteint 1,723 mètres d'altitude; et le col de la Faucille, à 1,323 mètres, offre la seule voie de passage entre l'ouest et la Suisse.
6. Les principaux cours d'eau sont: la Saône, la Meuse, la Moselle, la Meurthe, la Sarre, le Doubs, l'Ain.

Cathédrale de Strasbourg

7. Ce sont le canal de Bourgogne (qui relie la Saône et la Seine), le canal de la Marne au Rhin, et le canal de la Moselle à la Saône.

8. L'une comprend l'Alsace, la Lorraine et les Vosges; la seconde, le Jura et la Bourgogne.

9. Chaque exploitation agricole a en moyenne huit hectares (environ vingt « acres »), et le cultivateur passe 20% de son temps à aller d'un champ à l'autre.

10. Matthias Grünewald (vers 1450–1528), naquit probablement à Mayence.

11. Frédéric Auguste Bartholdi (1834–1904) est l'auteur de la Liberté éclairant le monde, à l'entrée du port de New York, le Lion de Belfort, à Paris, etc. . .

12. Avec une certaine espèce de prune et avec des cerises, par exemple, les Lorrains fabriquent, respectivement, une « mirabelle » et un « kirsch », deux liqueurs délicieuses connues à travers toute la France.

13. La Lorraine extrait un quart du charbon français, c'est-à-dire environ 15 millions de tonnes par an.

14. La Lorraine extrait 90% du minerai de fer français, c'est-à-dire environ 60 millions de tonnes par an, dans les bassins de Briey, Nancy, et Longwy.

15. La sidérurgie lorraine produit environ 17 millions de tonnes d'acier brut (les deux tiers de la production française).

16. C'est à Verdun qu'en 843 fut signé le traité entre les trois petits-fils de Charlemagne: Charles le Chauve, Lothaire, et Louis le Germanique; le premier reçut la Francie occidentale, le second, la Francie médiane ou Lotharingie, et le troisième, la Francie orientale.

17. Le gruyère est un fromage cuit, primitivement fabriqué à Gruyère, en Suisse.

18. On y trouve les usines Peugeot; les automobiles Peugeot sont une des principales marques françaises.

19. Les « images d'Epinal » ont été très répandues au XIXème s.; elles consistent en séries de dessins, d'un art naïf, vivement colorées, qui accompagnent des textes sur des sujets populaires, sur des histoires morales pour enfants, sur des contes de fées.

20. Quelques crus célèbres sont: le Chambertin, le Mâcon, le Nuits-Saint-Georges.

21. Vauban (1633–1707), ingénieur militaire, construisit pour Louis XIV une trentaine de places fortes et en répara une centaine.

22. Le petit Territoire de Belfort, créé en 1871, a aujourd'hui rang de département.

23. Les populations de Strasbourg, Nancy, Dijon, et Mulhouse, sont, respectivement: 250,000, 125,000, 115,000, et 120,000 habitants.

24. Le Rhin, navigable sur 800 kilomètres, a un trafic annuel de plus de cent millions de tonnes.

25. Ce Parlement est l'organisme démocratique des trois grandes Communautés européennes: celles du charbon et de l'acier (organisée en 1952), du Marché Commun (1958), et d'Euratom (1958), pour l'énergie atomique. Le quartier général des deux dernières se tient à Bruxelles, celui de la première, dans la capitale du Luxembourg.

26. De même que les autres Centres dramatiques, celui-ci est modestement subventionné par le gouvernement.

27. L'Alsace a fait d'abord partie de la Lotharingie, puis de l'Empire germanique. Elle est devenue française en 1648, par le traité de Westphalie; redevenue allemande à la suite du traité de Francfort de 1871, elle ne revint à la France qu'à la fin de la Première Guerre mondiale, en 1918.

28. Le port de Strasbourg vient après ceux de Marseille, le Havre, Dunkerque, Rouen, et Nantes-Saint-Nazaire. C'est le premier port charbonnier français.

29. Pierre Joseph Proudhon (1809–1865), théoricien socialiste, écrivit *Qu'est-ce que la propriété?*

Louis-Jean Lumière (1864–1948), chimiste et industriel, mit au point le cinéma avec l'aide de son frère, Auguste Lumière (1862–1954).

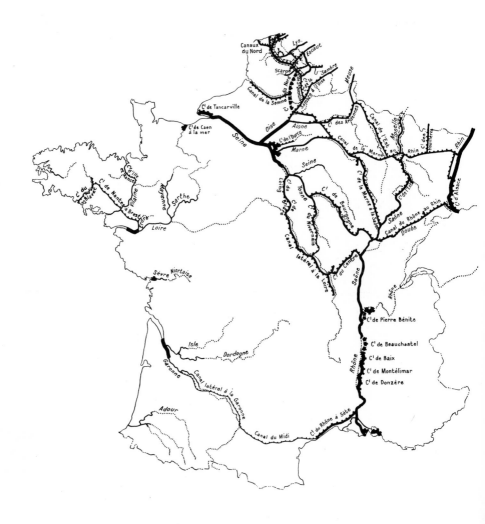

CARTE DES CANAUX

12

LA REGION DU NORD

Le Nord de la France, entre la mer du Nord, la Belgique, et les autres régions françaises au sud, ne représente que 4% de la superficie totale de la France; mais 10% de la population française s'y trouve concentrée. Sans unité physique, ni unité historique, ni capitale, la région du Nord est une des premières régions 5 économiques de France, grâce à son sous-sol et au dynamisme de ses entreprises industrielles et agricoles. La densité de la population y atteint par endroits 1,000 habitants au kilomètre carré. On y distingue trois zones: la Flandre,[1] l'Artois,[2] et les Ardennes.[3]

A la mort d'Henri IV, en 1610, le royaume de France s'arrêtait 10 juste à la limite méridionale de la région actuelle; ce n'est qu'à partir du XVIIème siècle, sous Louis XIV, de 1659 à 1678, que, morceau par morceau, plaines et plateaux du Nord sont devenus français.

Des plaines d'argile * forment la Flandre intérieure, où se situe 15 la grande agglomération urbaine de Lille-Roubaix-Tourcoing (avec près d'un million d'habitants), tandis que la côte, derrière les falaises de la mer du Nord et du détroit du Pas-de-Calais, est constituée par des argiles d'origine plus récente ** et des « polders » †, très favorables à l'élevage. En Flandre intérieure, de 20 petites exploitations agricoles, dispersées dans le bocage, produisent du blé, des betteraves, des cultures maraîchères, ainsi que du tabac, du houblon, du lin. La Flandre maritime pratique la grande agriculture intensive du blé et de la betterave;[4] on y élève également beaucoup de bœufs, de moutons, de vaches 25 laitières. Le climat y est généralement humide et frais, par suite de la proximité de la Manche.

Les plateaux de l'Artois et des Ardennes séparent le Bassin Parisien de la plaine du Nord. Ceux de l'Artois sont faits d'une terre riche, qui permet la grande culture du blé, et de la betterave, 30 de même que l'élevage. Sur les plateaux de l'Ardenne, au sol plus pauvre, on se contente de l'élevage et des forêts.

Dans toute la région, l'agriculture et l'industrie sont intimement liées et mêlées; il n'existe pas vraiment de population rurale et de population urbaine ou industrielle clairement séparées. 35

* de l'époque tertiaire   ** de l'époque quaternaire   † mot hollandais qui s'applique à une terre fertile conquise par les hommes sur la mer ou sur un marais

Mine de charbon, à Hénin-Liétard (Pas-de-Calais)

Une douzaine de cours d'eau arrosent la région,[5] systématiquement reliés et complétés par un réseau serré de canaux où circulent péniches et chalands chargés de marchandises lourdes (blé, minerais, charbon, etc...), entre Paris, la Belgique (et par suite
5 les Pays-Bas), l'Allemagne, la Lorraine, et l'Alsace. Au centre d'un vaste triangle Londres-la Ruhr-Paris, la région se trouve en contact immédiat avec plusieurs pays européens. Très bien desservie par ses ports, Boulogne, Dunkerque, Calais, et par un dense réseau de routes et de lignes de chemins de fer, la région constitue
10 un vrai carrefour de peuples et de marchandises.

Cette richesse de moyens de communications est à la fois cause et effet d'une très forte concentration industrielle. Le bassin houiller du Nord et du Nord-Est, qui produit près de trente millions de tonnes de charbon,[6] a donné naissance à de grandes in
15 dustries métallurgiques, une industrie chimique, et une industrie du textile. Un cinquième de l'acier français y est produit.[7] On y fabrique des engrais, des goudrons, des produits pharmaceutiques, des textiles synthétiques. Le raffinage du pétrole se fait à Dunkerque. Les deux tiers du verre à vitre français viennent de la région,
20 dont les Centrales thermiques produisent la moitié de l'électricité française d'origine thermique. L'industrie textile y est connue

depuis longtemps. Dès le Moyen Age, les Flandres utilisent la laine des moutons de la Champagne voisine et celle d'Angleterre, ainsi que le lin local pour la toile des beaux draps et des mouchoirs. Aujourd'hui, plus de la moitié de la laine française se travaille dans les filatures de Roubaix et de Tourcoing. A Lille, à Armentières, 5 et à Cambrai, on produit 90% du lin français. Roubaix, Armentières, et Lille, rassemblent un tiers de l'industrie cotonnière. Calais fabrique de la dentelle.

Les industries alimentaires fournissent 25% de la production totale du sucre de betterave, et il y a aussi beaucoup de grosses 10 minoteries, pour la fabrication de la farine de blé.

A Lille, actuellement la seule ville universitaire du Nord et du Nord-Est, la Faculté de Médecine et son Centre hospitalier moderne sont réputés. Boulogne, premier port de pêche de France, et second d'Europe,[8] est un grand port de voyageurs entre l'Angle- 15 terre et le continent; il en va de même pour Calais. Les marchandises passent surtout par Dunkerque, troisième port français, tout reconstruit depuis la dernière guerre.

Toute la région a une forte natalité, supérieure à la moyenne de celle de la France. Beaucoup d'étrangers y vivent et y travail- 20 lent: ce sont des Belges, des Polonais, des Nord-Africains, des Italiens; certains d'entre eux conservent leurs façons de vivre,

Centre hospitalier de Lille

leur langue, leurs coutumes; ils ont parfois leurs églises, forment des villages entiers, et reviennent périodiquement dans leur pays d'origine.

5 Dans le coin septentrional, à proximité de la Belgique, on parle plus flamand que français. Partout la bière est la boisson favorite. Les gens du Nord sont généralement blonds et peu exubérants. Le pays est plutôt plat; les paysages, tristes, gris, monotones, sauf dans les Ardennes et sur le littoral, sont scandés de petites montagnes triangulaires de charbon et de scories, auprès des « corons »,

10 longues files de maisons noires, caractéristiques des villages miniers. Zola a placé dans le Nord son grand roman *Germinal*, sur la vie des mineurs. Pierre Hamp [9] et Van der Meersch,[10] plus récemment, ont abondamment décrit la vie des travailleurs des milieux industriels de la région.

15 Malgré quelques belles cathédrales gothiques, comme celle d'Arras,[11] de beaux hôtels de ville et des beffrois, qui rappellent la domination espagnole et le caractère d'indépendance relative des villes au Moyen Age, le touriste français ou étranger se sent peu attiré. Par son monument aux « Bourgeois de Calais » qui se

20 sacrifièrent pour sauver leur ville, le sculpteur Rodin [12] nous rappelle aussi que les Anglais prirent la ville de Calais en 1347; et ce n'est qu'en 1558 que François de Guise put leur reprendre la ville.[13]

Voie naturelle des invasions germaniques, depuis les premiers

25 siècles jusqu'en 1914 et 1940, les guerres successives l'ont marquée de cimetières militaires et de monuments aux morts; et bien des villes et des villages, reconstruits après la dernière guerre, ont un aspect moderne, mais plus monotone que d'autres villes, anciennes, moins homogènes.

Les « Bourgeois de Calais », de Rodin

VOCABULAIRE DE REVISION ET EXERCICE

Choisir, parmi les catégories suivantes, trois mots ou groupes de mots et les expliquer à l'aide de deux ou trois phrases complètes.

1. la Flandre; l'Artois; les Ardennes; l'Escaut; le Pas-de-Calais
2. Lille; Boulogne; Dunkerque; Roubaix; Tourcoing; Calais
3. le houblon; le lin; le charbon; une houillère; un port de pêche; un carrefour
4. une distillerie; une Centrale thermique; un engrais; un « polder »; une minoterie; une raffinerie de pétrole
5. Louis XIV; Rodin; la langue flamande; les Espagnols; Van der Meersch

QUESTIONS

1. Indiquez les limites, terrestres et maritimes, de la région.
2. Expliquez la topographie générale de la région. 3. Nommez et situez quatre cours d'eau; dans quelles directions coulent-ils ?
4. Quelles sont les caractéristiques des trois ports de la région ?
5. Essayez d'expliquer pourquoi la région du Nord et du Nord-Est est une des grandes régions industrielles de France. 6. Quelles sont les deux grandes cultures du Nord ? 7. Pour quelles raisons l'industrie textile est-elle prospère dans la région ? 8. Expliquez comment s'obtient un « polder ». 9. Expliquez pourquoi on peut dire que la région est une voie de passage et un carrefour international. 10. Nommez quelques produits chimiques fabriqués dans les centres industriels. 11. Quelles sont les trois subdivisions de la région ?

NOTES

1. L'ancien pays de Flandre recouvre une large section du littoral belge actuel et de la Flandre française. La Flandre française, avec Lille comme capitale, est une ancienne province de France, annexée à la couronne royale sous Louis XIV (roi de 1643 à 1715), par le traité d'Aix-la-Chapelle en 1668; les Flamands sont les habitants des Flandres.
2. L'ancienne province de l'Artois, capitale Arras, est passée à la couronne royale sous Louis XIV grâce au traité des Pyrénées, en 1659.
3. Le plateau et la forêt des Ardennes, à cheval sur la frontière franco-belge, englobe une partie de la Picardie, de la Champagne, et du Hainaut (province belge actuelle et ancienne province française depuis 1668); on y trouve aujourd'hui le bassin métallurgique de la Sambre.
4. La Flandre maritime détient les records français de l'utilisation des engrais et de la production à l'hectare.
5. Les principaux cours d'eau sont la Lys, la Scarpe, l'Escaut, la Meuse, la Sambre, le cours supérieur de l'Oise (affluent de la Seine).

6. Le bassin houiller a une centaine de kilomètres de long sur une douzaine de kilomètres de large; il a été exploité dès 1734 à Anzin, et en 1850 à Lens; il emploie plus de 125,000 mineurs; les houillères de Lorraine semblent avoir plus d'avenir que celles du Nord.

7. Les trois centres de la sidérurgie sont: le bassin de la Sambre, de Valenciennes, et de Lille-Roubaix; on y fabrique des locomotives électriques, des câbles, des tubes d'acier, des wagons, des machines agricoles, du matériel pour les sucreries et les distilleries.

8. Boulogne assure près du quart de la production française de poisson.

9. Pierre Hamp (né en 1876) a écrit toute une longue série de romans très documentés, *la Peine des Hommes*.

10. Maxence Van der Meersch (1907–1951), né à Roubaix, est l'auteur de *la Maison de la Dune, Invasion 14, l'Empreinte du Dieu, la Fille pauvre*, etc...

11. A Arras, sur la Scarpe, plusieurs traités furent signés au XVème s.; Louis XI (roi de 1461 à 1483) s'empara une première fois de la ville en 1477; Louis XIII (roi de 1610 à 1643) la reprit sur les Espagnols en 1640.

12. Auguste Rodin (1840–1917) est aussi l'auteur du *Baiser*, du *Penseur*, de *la Porte de l'Enfer*, etc...

13. François de Lorraine, duc de Guise (1519–1563), fut aussi le chef des catholiques, au début des guerres de religion. Célèbre aussi est la victoire de Rocroi, dans les Ardennes, en 1643, remportée sur les Espagnols par le Grand Condé (1621–1686). Et, en 1870, à Sedan, dans les Ardennes également, la capitulation de Napoléon III amena la chute du Second Empire.

Seconde Partie

Institutrice

L'ENSEIGNEMENT

En France, pays de Rabelais, de Montaigne, et de Jean-Jacques Rousseau, la formation et le développement de l'esprit de l'enfant ont toujours passionné les éducateurs et les parents.[1] C'est pourquoi le petit Français, quel que soit le milieu social auquel il appartienne, entend des remarques de ce genre autour de lui, dès 5 son plus jeune âge: «l'école, les études, c'est sérieux», et «on n'en sait jamais trop». Les mots «examens», «concours», «les

bonnes notes », « les mauvaises notes », « les punitions », etc...font partie de son vocabulaire courant.

Dans la presse, à la radio, à la télévision, dans les familles, se discutent les réformes de l'enseignement projetées ou en cours
5 d'exécution. Dans chaque foyer, les parents surveillent et suivent attentivement les études de leurs enfants. Ils veillent à ce que les leçons soient apprises, les devoirs soigneusement écrits, et ils examinent d'un œil sévère les bulletins et les rapports que l'école ou le lycée leur envoie périodiquement. L'enfant, d'ailleurs, n'en
10 semble pas souffrir; il reste spontané et gai, et il sait d'autant mieux profiter de tous les instants réservés au jeu.

Les raisons pour lesquelles les études sont prises si sérieusement sont à la fois économiques et culturelles. Le niveau de vie moyen est moins élevé qu'aux Etats-Unis. Une population de 47 millions
15 d'habitants, dans un pays plus petit que le Texas, où les ressources agricoles et industrielles sont simplement moyennes, ne peut pas offrir un pourcentage élevé de très bonnes positions dans tous les ordres d'activités; il y a donc une forte compétition pour ces positions. Et ceci explique combien il est difficile de devenir
20 un « pionnier », de découvrir de nouveaux domaines où exercer son activité. Les jeunes gens s'en rendent compte. Leurs études terminées, ils savent qu'ils seront choisis, dans leur spécialisation, selon leurs titres et leurs diplômes; les firmes ou les administrations qui les emploieront préfèrent tomber juste d'abord, sans
25 laisser aux candidats le temps de courir leur chance, de prouver leur valeur; il y a trop de demandes pour les bonnes et moyennes situations; la première sélection joue d'après les diplômes. Plus tard seulement, le jeune homme (ou la jeune fille) pourra monter les échelons plus rapidement que d'autres, s'il prouve sa valeur
30 personnelle.

L'enseignement français est donc tout orienté vers les examens qui finalement décident des meilleurs individus pour tels métiers, telles professions ou telles carrières. Les classes servent à former patiemment l'élève et à le préparer à des épreuves qui sont données
35 pour tous les candidats d'un même groupe dans une même région, sans que les professeurs individuels aient à intervenir; les copies, dans bien des cas anonymes, sont corrigées avec un extrême souci de justice et d'impartialité, mais aussi de rigueur. Et il y a toujours une forte proportion de refusés.
40 Cette pression des familles, des milieux, pour pousser le plus possible leurs enfants, est due en grande partie aussi au respect universel que les Français ont pour les valeurs intellectuelles et culturelles. On estime l'intelligence, la créativité, la culture générale, la spécialisation, la recherche. On sait aussi que chaque
45 individu, grâce à une bonne formation, est capable de développer son intelligence au maximum de ses potentialités; mais, qu'empêché par la paresse, ou par des circonstances matérielles, le même enfant mènera une vie intellectuelle ou active médiocre, sans avoir

révélé la personne qu'il aurait pu devenir. Et ceci, pour les Français, semble une perte énorme, presque criminelle. Le travail scolaire sérieux, poussé, même intense, devient ainsi un devoir moral.

Dès que l'enfant a deux ans, sa mère, surtout si elle travaille 5 hors de la maison, peut le mettre à la « Maternelle », de huit heures du matin à six heures du soir (ou au « Jardin d'enfants », le matin ou l'après-midi). Ce n'est pas une vraie école, mais ce n'est pas non plus une simple garderie d'enfants. Des maîtresses, spécialement formées, les « Jardinières » utilisent les « méthodes 10 actives »; elles apprennent déjà à ces tout-petits une certaine discipline, une certaine conception de la vie scolaire. Les écoles maternelles se trouvent dans toutes les communes de plus de 2,000 habitants; elles sont gratuites mais non obligatoires. La vraie scolarité ne commence qu'à l'âge de six ans. 15

Les études, obligatoires jusqu'à seize ans,[2] demeurent laïques,[3] et gratuites, dans les deux branches parallèles de l'enseignement primaire et de l'enseignement secondaire, ainsi que dans l'enseignement supérieur. Il est difficile d'entrer à l'université, mais la gratuité des études permet de tenter sa chance à tout étudiant 20 dont le travail et l'intelligence lui permettent de franchir une succession de barrages.

Les trois enseignements

Il y a en France trois cycles ou trois enseignements, le primaire, le secondaire, et le supérieur. Tous les trois dépendent, directement ou indirectement, des bureaux ministériels de l'Education na- 25 tionale, à Paris, qui prévoient, administrent, sanctionnent tout: les programmes d'études, les horaires, les méthodes pédagogiques, les nominations des professeurs et des instituteurs, ainsi que tous les diplômes.[4]

Pour les deux premiers cycles, parallèles, il ne faut pas con- 30 fondre la signification des mots « primaire » et « secondaire » avec leur signification américaine. Ce sont deux systèmes qui prennent, tous deux, les enfants à partir de six ans, leur donnant un enseignement assez différent. Les parents, ou les circonstances, placent les jeunes élèves dans l'un ou l'autre sytème; la possibilité demeure 35 de passer de l'un à l'autre, à certains niveaux. Toutefois, ces deux enseignements tendent à s'adresser à des classes sociales différentes. Le primaire, en effet, peut se terminer à seize ans, tandis que le secondaire, préparant au baccalauréat, qui mène lui-même à l'université, oriente l'étudiant vers des études prolongées jusqu'à 40 l'âge de 23 ou 25 ans. Et bien des parents, dans les milieux ouvriers et agricoles, ne comprennent pas toujours l'intérêt — lointain, il est vrai — d'un diplôme universitaire incertain; ils songent, au

contraire, à leurs responsabilités financières, voient que leurs enfants ne gagneront rien pendant des années, et qu'il faudra les entretenir pendant ce temps-là; en conséquence, ils les dirigent vers des études relativement courtes, pratiques, en un mot, vers
5 l'enseignement primaire ou l'enseignement technique.

Car, si en effet le lycée et l'université sont gratuits, il faut tout de même vivre, s'habiller, pendant plusieurs années difficiles. Et, les petits « jobs » temporaires, que les élèves et les étudiants américains pratiquent couramment pour gagner plus ou moins
10 leur vie, sont rares en France: l'organisation actuelle du commerce, de l'industrie, des administrations, n'y est pas favorable (et d'ailleurs, les salaires des travailleurs non-qualifiés sont si bas que l'argent gagné dans un emploi à mi-temps ne saurait guère aider l'étudiant besogneux); et les heures de classes, de cours, de tra-
15 vail à la maison sont trop nombreuses. Ce sont donc les enfants des classes libérales et bourgeoises qui forment la plus grosse clientèle des lycées d'abord, et celle des universités ensuite.[5]

L'enseignement primaire

A l'école primaire, à la « communale », les enfants, à partir de six ans, reçoivent un enseignement précis, solide, méthodique, mais
20 peu nuancé. Les instituteurs et les institutrices leur apprennent l'essentiel des matières qui leur seront indispensables dans la vie pratique, comme l'orthographe, la composition française, l'arithmétique, le « calcul mental »,* les « leçons de choses »,** l'histoire, la géographie, un peu de chant, de civisme, de couture, de gym-
25 nastique.

La plupart des matières sont enseignées par le même maître ou la même maîtresse, et le programme, qui en principe prépare au Certificat d'Etudes primaires, est exactement le même pour tous les élèves: aucun choix n'est laissé aux enfants. Chaque jour de
30 la semaine (les dimanches et les jeudis, jours de congé, exceptés), ils passent environ six heures à l'école, et ils ramènent à la maison une heure ou deux de devoirs et de leçons, à écrire et à apprendre, pour le lendemain.[6]

Ils jouent dans les cours de récréation, ensemble et à heures fixes,
35 et sous la direction ou la surveillance d'un des maîtres. Comme dans les campagnes le système de ramassage des élèves n'est pas généralisé, on peut voir garçons et filles, par bandes joyeuses, s'égrener le long des routes et couvrir ainsi facilement plusieurs kilomètres aller et retour, matin et soir, à pied ou à vélo.
40 Le Certificat d'Etudes primaires s'obtient actuellement à la suite d'un examen simple mais rigoureux. Les épreuves de la partie

* mental arithmetic   ** practical science

Salle de classe (enseignement primaire)

écrite comprennent une dictée, une analyse grammaticale, un ou
deux problèmes simples d'arithmétique, une rédaction ou une
composition française; à l'oral (presque tous les examens français
comportent une partie écrite et une partie orale, celle-ci souvent
publique), les élèves sont interrogés aussi sur les autres matières 5
du programme, comme l'histoire, la géographie, etc. . . Si modeste
soit-il, ce petit diplôme est presque toujours exigé des candidats
à des postes subalternes, dans les administrations privées comme
dans celles de l'Etat.

Les parents qui envoient leurs enfants à l'école primaire n'envisagent point pour eux d'études avancées plus tard. Ils veulent pouvoir les faire entrer, dès que possible, dans une école professionnelle, une école technique, un centre d'apprentissage; ou
5 bien ils les placent dans une usine, dans un commerce, pour gagner immédiatement leur vie.

Lycée de Reims

Au cours de l'année scolaire 1961–1962, sur une population scolaire totale de dix millions d'élèves et d'étudiants, les écoles primaires publiques groupaient près de sept millions d'enfants,
10 et les écoles primaires privées, plus d'un million.

Pour l'enseignement public, les départements et les municipalités, aidés par le gouvernement central, ont construit de jolis Groupes scolaires à travers tout le pays; leur architecture moderne

contraste avec celle des vieux bâtiments scolaires que l'on aper-
çoit encore souvent au centre des villes. De plus, à la campagne,
des logements sont presque toujours prévus pour les instituteurs,
les institutrices, et leur famille.

Ces instituteurs sont formés par des Ecoles normales départe- 5
mentales. Dès leur entrée à l'Ecole, après examen, ils deviennent
fonctionnaires, et ils sont modestement rémunérés; ils y suivent
des cours pour se préparer au baccalauréat et à un Certificat de
fin d'études, et, très guidés et contrôlés, ils font de longs stages
pédagogiques.[7] Leur carrière ensuite se déroulera généralement 10
dans le département où ils ont été formés, mais ils peuvent solliciter et obtenir une nomination dans un autre département ou
même se faire détacher à l'étranger; il y en a actuellement plusieurs milliers au Maroc, en Algérie, en Tunisie, en Asie, en Afrique
Noire.   15

La préparation pédagogique et la compétence des instituteurs et
des institutrices sont solides; ils aiment vraiment leur métier.
Leur position morale, principalement dans les petites communes,
est respectée (l'instituteur y est parfois le secrétaire, rémunéré, de
la mairie, ce qui ajoute à son prestige). Assurés d'une retraite 20
raisonnable (qu'ils peuvent prendre, dans certaines circonstances,
dès l'âge de cinquante-cinq ans), souvent mariés dans la profession, ils se voient parfois enviés par les gens de la campagne au
milieu desquels ils vivent et travaillent; dans les villes, par contre,
leur sort est plus dur, et leurs classes y sont toujours surchargées. 25

L'enseignement secondaire

Le but idéal de l'enseignement secondaire traditionnel des lycées
et des collèges,[8] est de donner à l'élève une bonne culture générale
qui lui servira le reste de sa vie, soit qu'il s'arrête après le baccalauréat, soit qu'il poursuive des études supérieures spécialisées.

Cet enseignement est partiellement parallèle à celui de l'école 30
primaire. A six ans en effet, l'enfant commence ses études, soit à
l'école primaire, soit dans les classes primaires du lycée; il peut ensuite, ou bien passer du primaire au secondaire, ou bien du lycée
au collège d'enseignement général.[9]

L'enseignement secondaire atteint aujourd'hui près d'un mil- 35
lion et demi d'élèves dans les établissements publics, et 700,000
dans les écoles secondaires privées.[10] L'enseignement secondaire
proprement dit va de la classe de sixième (l'élève a en général
onze ans) jusqu'à la classe de première (il a alors seize ou dix-
sept ans), où se placent les épreuves de la première partie du bac- 40
calauréat.[11] Une année de spécialisation vient ensuite, en philosophie et en lettres, ou en mathématiques, ou en sciences naturelles;
ces études-ci le préparent aux épreuves de la seconde partie du
baccalauréat.[12]

Travaux pratiques au laboratoire

Les matières étudiées sont nombreuses, trop nombreuses même selon les élèves, les parents et beaucoup de professeurs. Dès la classe de sixième, il faut choisir entre un programme avec ou sans latin. Dans l'un et l'autre cas, le nombre d'heures de français, 5 d'histoire, de géographie, de mathématiques, de sciences, etc... est à peu près le même. Une fois le programme choisi en vue du baccalauréat préparé, tout est réglé pour l'élève pendant le temps qu'il passe au lycée: il n'a point à sélectionner les matières qui lui plaisent, lui paraissent utiles pour l'avenir, ou semblent l'in-10 téresser à tel moment.

Presque toutes les matières sont étudiées pendant au moins deux ans; la plupart le sont pendant quatre et six ans; et c'est un professeur spécialisé et différent qui enseigne chaque matière. En moyenne, au cours des sept années passées au lycée, l'élève suit chaque jour de la semaine (le jeudi et le dimanche exceptés) quatre 5 ou cinq classes d'une heure; et, à la maison, ou dans une salle d'études s'il est pensionnaire, il lui faut de quatre à six heures par jour pour préparer ses devoirs et ses leçons. Voici, par exemple, en 1962, l'emploi du temps hebdomadaire d'une sixième moderne:

13

LUNDI	MARDI	MERCREDI	VENDREDI	SAMEDI
Math.	Math.	Sciences naturelles	Math. (T.P. I)*	Sciences naturelles
Anglais **	Lecture expliquée	Sciences naturelles (T.P. I)	Anglais	Anglais (T.P. II)
Chant	Education physique	Histoire †	Français (T.P. I)	Français (T.P. I)
Français (dictée)	Français (T.P. II)	Travail manuel	Histoire	Math.
Anglais	Anglais (T.P. I)	Français	Education physique	Anglais Sc. nat. (T.P. II)
Histoire		Français (T.P. II)	Dessin	Math. (T.P. II)

Chaque élève arrive donc ici à vingt-quatre heures de classe par 10 semaine (y compris les deux heures d'éducation physique). Il en est à peu près de même dans les classes suivantes. Avec les heures de préparation et de révision à la maison, cela fait une semaine d'une cinquantaine d'heures, pour les enfants de onze ans.

La plupart des lycées ont des équipes de football, de basket, de 15 volley-ball, les matchs ayant lieu le jeudi ou le dimanche, mais

* **T.P., Travaux pratiques,** correspond à « workshop » et « laboratory »
** Anglais ou Allemand   † Histoire et Géographie

en toute simplicité, sans publicité tapageuse, sur le stade du lycée ou sur le stade municipal. Le temps consacré aux sports et à l'athlétisme se trouve limité par le nombre d'heures qu'absorbent les classes et leur préparation. Toutefois, depuis un quart de siècle, 5 la vie sportive et la vie en plein air, le camping, sont très encouragés par les autorités scolaires.[14]

Dans la cour de récréation

Beaucoup de lycées (et de collèges) reçoivent des pensionnaires.[15] Ce sont généralement des enfants dont les familles habitent à la campagne ou dans de petites villes sans collège ou lycée; ils doi- 10 vent par conséquent se séparer de leurs parents pour poursuivre leurs études secondaires. Mais, au contraire des Etats-Unis et de la Grande-Bretagne, les parents ne pensent pas qu'en principe il soit bon de séparer l'enfant de sa famille pour développer son individualité et lui apprendre à vivre avec les autres. Seules 15 d'ailleurs, les meilleures institutions religieuses et les meilleures écoles privées donnent à leurs élèves une formation morale et spirituelle en même temps qu'une instruction solide.[16]

La vie du pensionnaire s'est récemment améliorée; elle reste cependant peu enviable; la discipline et la solitude imposées au pensionnaire ne lui font pas une existence agréable. Entre les récréations, dans les murs de l'établissement, et les séances du jeudi ou du dimanche sur le terrain du stade, ou bien les promenades quasi enrégimentées du dimanche, les jours s'écoulent monotones.

Externe ou pensionnaire, le lycéen se trouve plongé dans une ambiance d'émulation et de compétition intellectuelles. Chaque semaine, il doit rendre à ses professeurs composition française, problèmes, exercices, analyse grammaticale, dissertation. En classe, il est constamment entraîné à analyser des textes, faire un peu de critique littéraire, résoudre de nombreux problèmes de mathématiques et de physique. Trois fois par an, dans chaque matière, une composition trimestrielle lui donne une note chiffrée, sur 20,[17] et un rang dans la classe.[18] A la fin de l'année scolaire, au début de juillet, le jour de la Distribution des Prix (plus ou moins solennelle selon les goûts du proviseur ou de la directrice), un palmarès est distribué aux familles, classant, par classe et par matière, les cinq ou six meilleurs élèves.

Au lycée (ou au collège), le bon élève est amené à assimiler de nombreuses lectures, tout un bagage littéraire et scientifique, quelle que soit sa spécialisation ultérieure (et cela bien que les bibliothèques scolaires soient moins riches et moins bien organisées que celles des Etats-Unis; il est vrai que la liste des lectures obligatoires y est beaucoup plus longue). D'autre part, grâce à ses contacts, même distants parfois, avec des professeurs cultivés et spécialisés, il se sent poussé sans cesse, et par sa famille également, à fournir toujours un plus grand et meilleur travail. Il peut arriver que sa santé en souffre, ou bien ses bons rapports avec les camarades; mais, en général, le lycéen est heureux et il se crée, au cours de ces années importantes, des amitiés durables et profondes.

Le professeur, de son côté, toujours exigeant, cherche à donner à l'élève de bonnes méthodes de travail, et à l'amener peu à peu à étudier et à juger avec intelligence et par lui-même. Le mauvais élève, le paresseux, le moins doué, sont peut-être un peu négligés; ils s'éliminent souvent d'eux-mêmes. Toutefois, les psychologues, les assistants sociaux qui travaillent en accord avec l'administration scolaire, aident à orienter non seulement les enfants psychologiquement inquiets mais ceux qui sont simplement faibles et moins doués. Le professeur est déjà estimé, à part sa valeur personnelle, en fonction des examens et des concours qu'il a dû passer pour arriver à la position qu'il occupe, et dont la difficulté et la qualité sont reconnues.[19] Après les inspections d'usage, il est titularisé, et il peut poursuivre sa carrière sans heurt jusqu'à l'âge de la retraite.

Innovations

Depuis l'année scolaire 1960–1961, les classes de sixième et de cinquième servent à observer et à orienter les jeunes élèves venus des classes primaires du lycée (les quatre ou cinq classes qui précèdent la sixième) et ceux qui viennent de l'école communale, l'école
5 primaire proprement dite.[20]

A la fin de la classe de cinquième (les enfants ont douze ans), les parents sont informés officiellement et sans détours des aptitudes et des chances de succès de leurs enfants dans les diverses voies qui s'ouvrent à eux, et ils restent, bien entendu, maîtres de la
10 décision à prendre.[21] Il s'agit à ce moment-là de choisir entre l'enseignement du lycée (classique, moderne ou technique) et celui des écoles primaires techniques ou des collèges d'enseignement général. C'est ainsi, par exemple, que l'élève qui n'a aucun don pour les études livresques peut, dans une école technique, se
15 préparer, en trois ou quatre années, à devenir un ouvrier qualifié.[22]

L'enseignement supérieur

Muni de ses deux baccalauréats, l'étudiant qui veut s'inscrire à l'université doit d'abord suivre une année de préparation, soit en lettres, soit en sciences, appelée l'année de « propédeutique ».*

L'enseignement supérieur se donne, en gros, entre le 15 octobre
20 et le 15 juin, dans les seize universités actuelles, dans une douzaine de collèges universitaires de création récente,[23] et dans les « grandes écoles ».[24] Pendant les mois d'été, aucun cours régulier d'enseignement public n'est offert aux étudiants français.[25]

En 1962, l'enseignement supérieur a atteint 300,000 étudiants;
25 pour 1965, on en prévoit plus de 400,000. Ces chiffres, considérables pour la France, peuvent sembler bien faibles par rapport aux quatre millions de « college students » américains; mais il suffit d'ouvrir les catalogues et bulletins des universités des deux pays pour se rendre compte que beaucoup de cours sont offerts au
30 niveau de l'enseignement supérieur aux Etats-Unis qui n'auraient point accès à l'université française; celle-ci en effet s'en tient rigoureusement aux disciplines traditionnelles et à un niveau déjà avancé. Pour ne citer que quelques exemples, on n'y commence point l'étude des langues vivantes; il n'y a point de cours d'édu-
35 cation physique, de publicité, de pédagogie, de comptabilité, de « writing », de religion, d'appréciation de la musique, etc. . . ; les arts, la musique, l'architecture, les affaires et le commerce, l'art dramatique, les enseignements ménager et agricole, etc. . . relèvent d'autres écoles, instituts, conservatoires, qui ne font pas
40 partie, à proprement parler, de l'enseignement supérieur français.[26]

* propédeutique: qui prépare à l'enseignement supérieur

Le corps enseignant se compose de professeurs, de maîtres de conférences, de chargés de cours et d'assistants, de directeurs de laboratoires et de travaux pratiques, tous docteurs ès-lettres ou ès-sciences ou bien en train de le devenir.[27] Chaque université,

Cour principale, côté bibliothèque, de l'université de Caen

dirigée par un recteur, est divisée en Facultés: les Facultés des 5 Lettres et des Sciences humaines, des Sciences, de Droit, de Médecine, de Pharmacie.[28] Et quelle que soit l'université qui les décerne, les diplômes ont exactement la même valeur.[29] Quant à l'agrégation, c'est un concours organisé sur le plan national.[30]

L'étudiant français ne connaît pas la vie de « campus » américain. 10 Il suit les cours indiqués pour la préparation des Certificats [31] auxquels il compte se présenter, en juin et en octobre. Sauf pour certains cours, laboratoires et travaux pratiques, en lettres comme en sciences, sa présence n'est point contrôlée, d'autant que les cours sont souvent donnés dans des amphithéâtres combles. Sa vie et 15 son sort sont réglés par les examens auxquels il réussit ou échoue

Candidats aux épreuves du baccalauréat, à Paris

(un tiers des candidats échouent généralement la première fois aux
Certificats). La plupart des cours sont très spécialisés; le professeur
de Lettres, par exemple, n'étudie dans ses conférences qu'un seul
aspect d'un auteur ou qu'une seule œuvre; et l'étudiant est censé
5 fournir un gros travail personnel, organiser lui-même ses recherches, et faire beaucoup de lectures.

Les deux à trois cents étudiants, d'autre part, qui réussissent
chaque année au concours d'entrée à l'Ecole Normale Supérieure,[32]
subissent là une formation toute spéciale. Les professeurs y don-
10 nent des cours et des conférences, mais aucun examen et aucune
note. Le « normalien » fait déjà partie des cadres de l'Université
de France; il reçoit un modeste traitement; il s'est engagé à en-

seigner pendant dix ans, et il sort généralement de l'Ecole au bout
de trois ans ayant réussi à l'agrégation. L'Ecole Normale Supérieure est avant tout un milieu, une « serre intellectuelle ». Si, plus
tard, « l'ancien élève de Normale » renonce à la carrière de professeur, ce sera pour écrire, entrer dans la politique, ou dans la grande 5
industrie, les grandes affaires, ou les grandes administrations.

A côté de l'université, et sur le même plan, une vingtaine de
« grandes écoles » (la plupart situées à Paris), où l'entrée se fait
également par voie de concours, préparent des centaines d'ingénieurs, dans toutes les spécialisations, des administrateurs, des 10
artistes (peintres, musiciens, architectes), des officiers.

L'organisation extrêmement centralisée de l'enseignement présente probablement plus d'avantages que d'inconvénients. Etant
donné les dimensions du pays, il n'est point concevable d'envisager
plusieurs types d'enseignement, un pour le Nord, un pour le Midi, 15
par exemple. Les problèmes financiers des différents établissements
sont ainsi égaux. Et les réformes, les améliorations, les adapta-
tions, s'accomplissent simultanément dans le pays tout entier.

Par ailleurs, en dépit de l'apparente rigueur des règlements,
l'instituteur, le professeur, se sentent et sont en fait très libres 20
dans leur salle de classe; s'ils suivent dans ses grandes lignes le
programme prescrit, et s'ils respectent l'esprit général des méthodes officielles, ils peuvent organiser leur enseignement selon leur
inspiration personnelle — à condition également que les résultats
de leurs élèves aux examens justifient cette indépendance. 25

L'enseignement privé

A côté de l'enseignement public, laïc, et gratuit, un ensemble
d'écoles, de collèges, et de quelques instituts, payants et généralement catholiques, forment l'enseignement « privé ».[33] Les programmes y sont à peu près les mêmes que dans l'enseignement
public, puisque seuls les examens et les diplômes qui comptent 30
sont ceux de l'Etat: tous les enfants et tous les jeunes gens se présentent ensemble devant les mêmes jurys d'examens, et ils reçoivent les mêmes diplômes.

C'est en 1850 que le gouvernement, par crainte du socialisme,
a reconnu l'enseignement « privé ». Depuis 1951, l'Etat lui accorde 35
même des subventions, complétées depuis la loi de 1959 par tout
un système de contrats entre le Ministère de l'Education nationale
et les établissements privés remplissant certaines conditions (titres
et diplômes détenus par les professeurs, par exemple). Contre
cette prise de position par le gouvernement bien des gens de 40
gauche, ardents défenseurs de l'école publique et laïque, pro-
testent avec violence. En fait, depuis bientôt cent ans, depuis
la fondation de la Troisième République, la question de la laïcité

de l'enseignement creuse un fossé profond entre la droite et la gauche, et envenime constamment les débats parlementaires. La droite, conservatrice, soutenant les catholiques cléricaux et conservateurs, veut des écoles libres du contrôle gouvernemental; la
5 gauche, par contre, et qui englobe d'ailleurs beaucoup de catholiques libéraux, voudrait pour toute la population scolaire un seul type d'écoles, où la neutralité religieuse soit vraiment respectée.

Vocabulaire de Revision et Exercice

Choisir, parmi les catégories suivantes, trois mots ou groupes de mots, et les expliquer à l'aide de deux ou trois phrases complètes.

1. le concours; la note; la composition trimestrielle; une épreuve; l'enseignement primaire; l'enseignement secondaire
2. la « Maternelle »; l'école communale; le lycée; le collège; la classe de sixième; la classe de première
3. le Certificat d'études primaires; le baccalauréat; la licence; l'agrégation; le doctorat d'Etat; la scolarité obligatoire
4. un instituteur; une institutrice; une Ecole Normale d'instituteurs; l'Ecole Normale supérieure; une « grande école »; l'enseignement privé
5. suivre un cours; se présenter à un examen; échouer à un examen; la Faculté des lettres et sciences humaines; le corps enseignant
6. Rabelais; Montaigne; Jean-Jacques Rousseau; Alfred Binet; les classes d'observation et d'orientation

Questions

1. Essayez d'expliquer pour quelles raisons les études sont généralement prises très au sérieux en France.   2. Quelle est l'importance des examens dans l'enseignement français ?   3. Qu'appelle-t-on enseignement privé ?   4. Pour quelles raisons le petit Français va-t-il soit à l'école primaire soit au lycée ?   5. Donnez quelques chiffres de la population scolaire actuelle dans les divers enseignements.   6. Pour quelles raisons l'enseignement primaire a-t-il jusqu'ici attiré tant d'enfants ?   7. Indiquez les grandes différences entre l'école primaire française et l'école américaine.   8. Indiquez les grandes différences entre l'enseignement secondaire français et l'école américaine.   9. Qu'est-ce que le Certificat d'études primaires ?   10. Qu'est-ce qu'une Ecole normale d'instituteurs ?   11. Essayez de décrire l'ambiance dans laquelle le lycéen (ou collégien) se trouve plongé pendant sept ans.   12. Que se passe-t-il, au lycée, dans les classes de sixième et de cinquième ?   13. Qu'est-ce que le baccalauréat ?   14. Nommez les villes universitaires de France.   15. Expliquez ce qu'est un concours.   16. Quelles sont les cinq Facultés d'une université française ?   17. Qu'est-ce que l'Ecole Normale Supérieure ?   18. Qu'appelle-t-on « grande école » ?   19. Essayez de formuler une opinion objective sur la centralisation de l'enseignement français.   20. Pensez-vous que l'Etat doive subventionner l'enseignement privé ?   Donnez vos raisons.

Notes

1. François Rabelais (1494–1553) combat les méthodes d'enseignement pratiquées au Moyen Age, ainsi que l'ignorance de beaucoup de

moines; il est partisan d'un mode encyclopédique d'éducation pour développer toutes les facultés intellectuelles.

Michel de Montaigne (1533–1592) préconise le développement simultané du corps de l'enfant et de son esprit; il veut former le jugement par un exercice continu et non pas tout confier à la mémoire.

Jean-Jacques Rousseau (1712–1778) veut qu'on laisse l'enfant se développer librement « par l'expérience des choses et non par la lecture des livres ». On sait également que les Jésuites, aux XVIIème et XVIIIème siècles, ont formé dans leurs écoles des générations d'hommes instruits et éminents.

2. La scolarité obligatoire jusqu'à seize ans ne sera pleinement effective qu'à partir de 1967.

3. Dans l'enseignement public, l'école, le collège, le lycée, doivent s'efforcer d'observer une neutralité religieuse complète. Dans les écoles, collèges et instituts privés (voir aussi la fin de ce chapitre), l'enseignement donné est souvent payant et presque toujours confessionnel.

4. Mais, tandis que naguère, chaque cycle avait sa propre administration au ministère, bien séparée des deux autres, depuis 1961–1962, il y a trois directions et trois bureaux communs aux trois cycles: un bureau pour le recrutement de tout le personnel enseignant, un bureau pour l'organisation scolaire, la gestion matérielle et financière de tous les établissements, et un bureau pour l'enseignement proprement dit et la formation professionnelle.

5. Pour remédier à cette forme d'injustice, les autorités scolaires cherchent depuis plusieurs années à atténuer les différences traditionnelles entre l'enseignement primaire et l'enseignement secondaire, en ouvrant plus grandes que par le passé les portes du lycée, en facilitant davantage le passage du primaire au secondaire, et en donnant à l'enseignement technique un rang et un statut plus élevés que jadis.

6. La tendance actuelle est de supprimer complètement le travail à la maison.

7. Jusqu'en 1936, les instituteurs devaient passer un examen de l'enseignement primaire, aujourd'hui supprimé, le Brevet supérieur; actuellement, par la préparation du baccalauréat, en trois années à l'Ecole normale du département, ils s'imprègnent de l'esprit de l'enseignement secondaire. Une fois en fonctions, ils sont régulièrement inspectés et rapidement titularisés.

8. Dans une petite ville, le collège donne exactement le même enseignement (classique, moderne ou technique) que le lycée de la grande ville; mais le budget du collège dépend en partie du budget de la municipalité.

9. Le collège d'enseignement général a récemment remplacé les « cours complémentaires », où allaient autrefois les élèves de l'enseignement primaire après le Certificat d'études; l'emploi du temps de ce nouveau type de collège (en 1961–1962, on y comptait près de 800,000 élèves) comprend une quarantaine d'heures de travail par semaine, dans les classes, les laboratoires, les ateliers, et à la maison.

10. La répartition actuelle se présente ainsi:

lycées classiques et modernes:	950,000;	enseignement privé:	500,000;
lycées techniques:	190,000;	id.	45,000;
collèges techniques:	250,000;	id.	130,000.

11. La première partie du baccalauréat offre les sept options suivantes: *la section classique « A »*: latin, grec, une langue vivante, et une partie facultative permettant de s'orienter plus tard vers des études scientifiques; *la section classique « B »*: latin, deux langues vivantes, et un programme général tourné vers les sciences humaines; *la section classique « C »*: latin, sciences, et une langue vivante; *la section moderne « M »*: sciences et deux langues vivantes; *la section moderne « M' »*: sciences expérimentales, physique et une langue vivante; *la section technique « T »*: sciences, une langue vivante, et les techniques de l'industrie; *la section technique « T' »*: une langue vivante, et les diverses matières étudiées sous l'angle économique.

12. La seconde partie du baccalauréat offre actuellement cinq options: *philosophie, sciences expérimentales, mathématiques, mathématiques et techniques, économie politique et sciences humaines.*

   Dans toutes les épreuves, les sujets sont les mêmes pour tous les candidats de la France métropolitaine (depuis 1961).

   Environ 40% des candidats échouent au premier essai. En juin 1962, il y avait 260,000 candidats pour les deux parties, et il y eut environ 59% de reçus.

   L'équivalence du baccalauréat par rapport aux diplômes américains est difficile à établir; en général toutefois, un bon bachelier français, connaissant bien l'anglais, devrait être accepté en troisième année de « college » américain. Réciproquement, un « junior » est d'ordinaire admis à suivre les cours universitaires français, en particulier ceux qui préparent à la « licence ».

13. Les matières principales ont chacune une ou deux heures dites de « travaux pratiques » où le professeur n'a devant lui que la moitié de sa classe habituelle pour lui faire faire des devoirs collectifs, des activités dirigées, donner des compléments d'explications, etc. . .

14. Les autorités scolaires organisent même, sur une petite échelle encore, des « classes de neige »; pendant deux ou trois semaines, maîtres et élèves vont s'installer dans un châlet de montagne; les classes régulières se tiennent le matin; l'après-midi, tout le monde fait du ski.

15. Il y a aussi des demi-pensionnaires: ils sont au lycée (ou au collège) de 8 h. du matin à 7 h. du soir; les externes surveillés ont les mêmes heures, mais ils vont déjeuner à la maison; les externes libres ne viennent qu'aux heures de classes, en général de 8 ou 9 h. du matin à midi ou 1 h., et de 2 h. à 4 h. de l'après-midi.

16. Dirigées par des éducateurs civils, l'Ecole des Roches (en Normandie), l'Ecole Alsacienne (à Paris), le Collège Cévenol (dans le Massif Central), sont parmi les meilleures écoles privées.

17. La plupart des notes dans l'enseignement secondaire vont de zéro à vingt: 10 est la note « passable »; 12 correspond à « assez bien »; 14 à « bien »; 16 à « très bien »; les 18, 19, 20, ne se donnent que tout à fait exceptionnellement.

18. Lorsque le professeur rend les copies de compositions trimestrielles, il les classe toujours par ordre de mérite; il y a donc chaque fois un premier de classe, un second, un troisième, etc. . . et un dernier.

19. Pour toute nomination dans un lycée, l'agrégation (obtenue par concours), ou tout au moins le Certificat d'aptitudes à l'enseignement secondaire (le C.A.P.E.S., obtenu par examen), sont requis des professeurs.

20. C'est en effet à ce stade-là que les passages entre le primaire, le secondaire, et le technique, peuvent s'effectuer le plus facilement et sans gêner les études.

21. La France, pays d'Alfred Binet, le promoteur de la méthode des « tests », fait un usage modéré de ces « tests ».

22. Grâce à cette période d'observation et d'orientation, le lycée est plus facilement accessible aux enfants des classes ouvrières et paysannes qui ont commencé leurs études à l'école primaire.

    En octobre 1962, il n'y avait encore que 8% d'enfants venant de familles de la campagne et 19% venant de familles d'ouvriers.

    L'enseignement secondaire, d'autre part, améliore la sélection de ses élèves, et ainsi reprend plus sûrement son rôle de préparation à l'université.

23. Chacune des seize universités actuelles offre deux courts semestres de trois mois! Ce sont les universités de Paris, Lille, Caen, Rennes, Poitiers, Bordeaux, Clermont-Ferrand, Toulouse, Montpellier, Aix-Marseille, Grenoble, Besançon, Dijon, Nancy, Lyon, Strasbourg. De plus, trois Académies viennent d'être créées, autour de Reims, Orléans, Nantes, où vont s'ouvrir les Facultés traditionnelles de Lettres, Sciences, Droit, etc... Pour le moment on y trouve des collèges universitaires littéraires et scientifiques; en 1961 et 1962, une vingtaine de collèges ou d'instituts du même genre ont été créés à Brest, Pau, Tours, Nice, etc... dans le double but de soulager l'université de Paris et de faciliter la poursuite des études supérieures à un plus grand nombre d'étudiants.

24. Les plus connues sont: l'Ecole Polytechnique, l'Ecole des Mines, l'Ecole Centrale, celle des Ponts et Chaussées, l'Ecole nationale d'administration, l'Ecole des Chartes, l'Institut d'études politiques, les Hautes études commerciales, l'Institut agronomique, le Conservatoire des arts et métiers, l'Ecole du Louvre, l'Ecole nationale des arts décoratifs, le Conservatoire national de musique, l'Ecole des langues orientales.

25. Par contre, pendant l'été, presque toutes les universités organisent des cours de français, d'histoire, d'économie politique, d'art, pour les étudiants étrangers.

26. L'enseignement artistique se donne régulièrement à tous les niveaux scolaires (dessin, etc...) dans les écoles régionales spécialisées (danse, peinture, sculpture, etc...), et, à Paris, à l'Ecole nationale supérieure des Beaux-Arts et l'Ecole nationale supérieure des Arts décoratifs. La musique et le théâtre s'étudient et se pratiquent dans les Conservatoires de province, et, à Paris, au Conservatoire national de musique et au Conservatoire national d'Art dramatique.

27. Il existe trois doctorats: le doctorat d'Etat est exigé des professeurs d'université; le doctorat d'université est plutôt destiné aux étrangers, car il n'est d'aucun bénéfice aux professeurs français; le doctorat du troisième cycle, créé récemment, moins rigoureux et à la préparation moins longue que le premier, est exigé des futurs chefs de laboratoires ou des directeurs de travaux pratiques dans les diverses Facultés.

28. De plus elle comprend souvent des Instituts, comme les Instituts de chimie, de psychologie, etc... Et sur le plan médical, plusieurs Centres hospitaliers, où hôpitaux et facultés travaillent en rapports étroits,

viennent d'être créés (ou sont en voie de l'être), à Paris (quatre), à Lyon, à Marseille, à Lille.

29. Les principaux diplômes décernés par l'Université de France sont, dans l'ordre où l'on peut les obtenir: la Licence (ès-lettres ou ès-sciences, ou Licence en droit), le Diplôme d'études supérieures, le Doctorat.

30. L'agrégation est un concours, c'est-à-dire que chaque année le ministère annonce à l'avance le nombre de postes disponibles dans les lycées de France, pour chaque discipline, et quel que soit le nombre de candidats; il peut y avoir, par exemple, dix postes en philosophie et 150 candidats, soixante postes en anglais et cinq cents candidats et candidates, tous solidement préparés.

31. Chaque Licence se compose obligatoirement de quatre ou cinq Certificats d'études supérieures bien déterminés.

32. La première en date des quatre Ecoles Normales Supérieures, et la plus connue, est celle de la rue d'Ulm, pour les jeunes gens; l'Ecole correspondante pour les jeunes filles se trouve à Sèvres. Depuis 1952, l'Ecole Normale de Saint-Cloud, pour les hommes, et celle de Fontenay-aux-Roses, pour les femmes (toutes deux autrefois réservées à la formation des instituteurs), recrutent leurs élèves à peu près dans les mêmes milieux que les deux premières, et préparent aussi à l'agrégation.

Une Ecole Normale Supérieure Technique joue, dans son domaine, le même rôle que les quatre autres: la formation de professeurs hautement spécialisés.

33. L'enseignement privé groupe dans ses écoles primaires (souvent paroissiales) plus d'un million d'élèves; dans ses écoles secondaires: 700,000 élèves; dans ses Instituts: 15,000 étudiants.

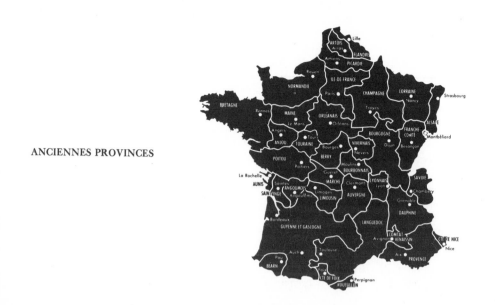

ANCIENNES PROVINCES

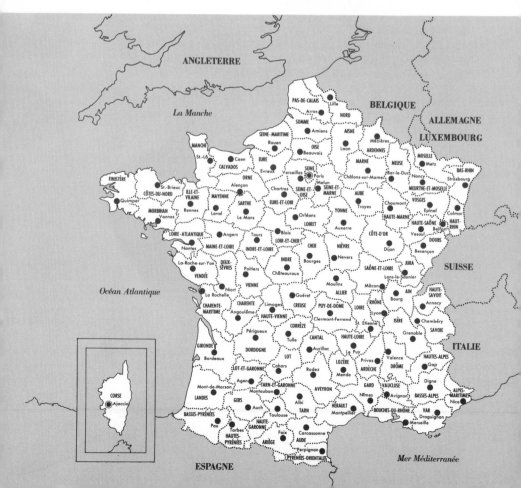

14

LE GOUVERNEMENT — L'ADMINISTRATION

« *La France est une République indivisible, laïque, démocratique et sociale. Elle assure l'égalité devant la loi de tous les
citoyens sans distinction d'origine, de race ou de religion. Elle
respecte toutes les croyances.*

*L'emblème national est le drapeau tricolore, bleu, blanc,
rouge.*[1]

L'hymne national est la Marseillaise.[2]

La devise de la République est « Liberté, Egalité, Fraternité ».

*Son principe est: « gouvernement du peuple, par le peuple,
pour le peuple ».*

(CONSTITUTION DE 1958)[3]

Les trois pouvoirs

Le pouvoir exécutif — D'après la Constitution de 1958, qui régit
la Vème République,[4] le Premier Ministre,[5] chef du gouvernement
(c'est-à-dire de ce que l'on appelle à Washington « the Administration »), ne détient pas seul le pouvoir exécutif; il le partage avec
le Président de la République. Le Président de la République pré- 5
side les Conseils de ministres. Il peut dissoudre l'Assemblée Nationale, et faire appel directement à tous les électeurs par voie de
référendum. En certaines circonstances, il assume, pour un temps
qu'il fixe d'avance, des pouvoirs absolus.[6] Il est élu pour sept
ans, au suffrage universel direct.[7] Il promulgue les lois; il peut 10
exiger du parlement une nouvelle délibération sur un projet de loi
qui ne le satisfait pas. Il signe les ordonnances et les décrets dé-
libérés en Conseils de ministres. Il nomme aux emplois civils et
militaires importants. Il est le chef des armées. Il négocie et ratifie
les traités avec les puissances étrangères. Il prétend jouer un rôle 15
d'arbitre entre le gouvernement (le Premier Ministre et les ministres) et le parlement (l'Assemblée Nationale et le Sénat).[8] Et enfin
il nomme le Premier Ministre, qui devient théoriquement le vrai
chef du gouvernement.[9]

Le Premier Ministre, choisi et nommé par le Président de la 20
République,[10] dispose de l'administration centrale et de la force
armée. Il choisit à son tour ses collaborateurs, les ministres,[11] et,
sous certaines conditions, il est responsable devant le parlement.
C'est lui qui soumet aux deux Chambres (l'Assemblée Nationale
et le Sénat) les projets de lois, et qui possède seul l'initiative de 25

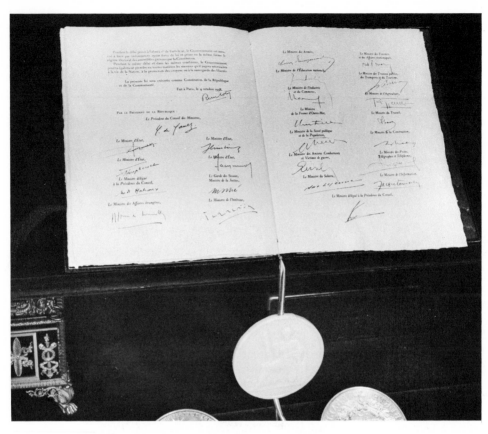

Dernières pages de la Constitution de la Ve République:
les signatures du Président de la IVe République et des ministres

toutes les dépenses gouvernementales. Une fois votées par le Parlement, c'est lui qui assure l'exécution des lois.

Autrefois, pour changer de gouvernement, pour renverser le gouvernement au pouvoir, il suffisait d'un vote simple et immé-
5 diat des députés, dit « vote de confiance »; c'est-à-dire qu'en présence de difficultés, le Président du Conseil des ministres « posait la question de confiance », et la Chambre votait « pour » ou « contre » le gouvernement, qui alors, selon le cas, restait au pouvoir ou au contraire présentait sa démission en bloc au Président de la
10 République.[12]

Sous la Vème République, le Premier Ministre ne peut être renversé (c'est-à-dire que l'Assemblée Nationale ne peut lui retirer sa confiance) qu'à la majorité absolue, et par un vote pris seulement après une période de réflexion d'au moins soixante-
15 douze heures. Il en résulte nécessairement une plus grande stabilité gouvernementale que naguère.

160   *LA FRANCE MODERNE*

Le pouvoir législatif — Les députés (environ 450 actuellement pour la France métropolitaine, plus une vingtaine pour les départements et les Territoires d'Outre-Mer) sont élus au suffrage universel direct, et pour cinq ans; [13] ils se réunissent au Palais Bourbon. La tradition veut que les députés de gauche siègent à la gauche du président de l'Assemblée, et les députés de droite à sa droite. C'est l'Assemblée qui vote les lois, mais elle en partage l'initiative avec le Sénat et le Premier Ministre. En fait, ses votes

L'Assemblée Nationale

portent surtout sur les programmes présentés par les membres du gouvernement, c'est-à-dire par les ministres, et non pas sur ceux des commissions parlementaires.[14]

Le Sénat se réunit au Palais du Luxembourg. Par suite de son 5 mode d'élection,[15] le Sénat représente plutôt la France des notables; il dispose, en théorie tout au moins, d'autant de pouvoir que l'Assemblée Nationale.

Plusieurs autres assemblées apportent leur concours aux travaux du Parlement et du gouvernement; ce sont les grands corps de 10 l'Etat.[16]

Les partis politiques — Dans l'histoire parlementaire de la IIIème et de la IVème République, les partis politiques ont joué un rôle important. Toujours nombreux (il y en avait sept en 1871, douze en 1936), ils ont sans cesse évolué et dans leur programme et dans le 15 nombre de leurs adhérents.

On a dit que la IVème République était un régime d'assemblée, c'est-à-dire un régime où ce sont les députés qui font et défont la politique et le gouvernement. Sous la Vème, le rôle et le prestige des partis et du parlementarisme se sont trouvés réduits par la 20 Constitution; le fonctionnement même du jeu parlementaire s'est vu réglementé; on peut parler ici de régime présidentiel.

En tout cas, quelles que soient les tendances du régime, qu'il se porte vers le régime d'assemblée ou vers le régime présidentiel, le politicien français ne croit pas aux mérites du système simplifié 25 des deux partis, à l'anglaise ou à l'américaine. Il exige plus de nuances dans l'expression des opinions politiques; il préfère plus de mobilité dans le jeu parlementaire. Et il n'est point convaincu que le fonctionnement du gouvernement et le bien général du pays souffrent de la multiplicité des partis, multiplicité d'ailleurs plus 30 apparente que réelle, car l'histoire des cinquante dernières années montre que la division essentielle se fait en fin de compte entre une gauche libérale et « sociale » et une droite conservatrice.[17] Et le gouvernement est donc amené, pour gouverner, à s'appuyer sur des coalitions de partis. Les élections de novembre 1962 toute- 35 fois, en donnant la majorité absolue à l'un des partis, l'Union pour la Nouvelle République, annoncent peut-être des tendances nouvelles.

Les groupes de pression — Le « lobbying » se pratique moins au grand jour qu'aux Etats-Unis, mais, officieux, secret, souvent ina- 40 voué, il demeure actif et efficace. Il revêt des formes diverses et agit par l'intermédiaire de la Presse, ou bien directement sur les adhérents de groupes plus ou moins bien organisés à travers le pays, ou encore sur les hommes politiques eux-mêmes d'une façon subtile et difficilement vérifiable.[18]

Le pouvoir judiciaire — Tout en haut de la hiérarchie se situe le Conseil supérieur de la magistrature.[19] Ce Conseil nomme tous les hauts magistrats, c'est-à-dire les membres de la Cour de Cassation et le Premier Président des vingt-sept Cours d'Appel du pays. Aucun magistrat n'est élu au suffrage universel; tous sont nommés 5 par leurs supérieurs ou par leurs pairs.

Pour les affaires civiles et les procès, les trois juges de chaque tribunal [20] rendent leur jugement sans l'assistance d'un jury.

Une Cour d'Assises

La juridiction répressive comprend des tribunaux de police (pour les contraventions, par exemple), des tribunaux correction- 10 nels (pour les délits), et enfin des Cours d'Assises (pour les crimes). Ces dernières ont trois juges et neuf jurés. Le jury vote au scrutin secret; l'unanimité n'y est pas nécessaire: il suffit d'une majorité de huit voix pour condamner l'inculpé; jurés et magistrats délibè- rent ensemble, mais les juges ne participent pas au vote.[21] 15

Au-dessus de ces cours et tribunaux divers, vingt-sept Cours d'Appel sont chargées de statuer sur les appels des jugements déjà rendus. Enfin, à Paris, la Cour de Cassation, tribunal suprême, juge les jugements et les casse s'il y a eu vice de forme, et le cas échéant, les renvoie à une autre Cour d'Appel.[22] 20

De Paris, les divers ministères et leurs nombreux bureaux administrent le pays.[23] Les collaborateurs immédiats du ministre appartiennent généralement au même parti politique que lui, et par conséquent ils risquent de ne pas être maintenus dans leur
5 poste si la situation politique nationale ou internationale se modifie. Mais la majorité des chefs de bureaux et des hauts fonctionnaires qui gèrent et dirigent les affaires de la France constituent des cadres quasi permanents qui assurent une continuité anonyme et efficace.[24] Cet état de choses donne à l'administration bien plus
10 de stabilité qu'on ne pourrait le croire à considérer seulement les changements de ministères.[25]

Dans tous les domaines (enseignement, travaux publics, ponts et chaussées, eaux et forêts, postes et télécommunications, etc. . .), toutes les directives et toutes les instructions partent des bureaux
15 des ministères, et, descendant les échelons hiérarchiques, atteignent le fonctionnaire subalterne: le facteur, le percepteur d'impôts, l'instituteur, etc. . . Aucune loi locale ou régionale, et qui pourrait correspondre aux « State laws » des Etats-Unis, ne vient modifier les ordres venus de Paris.

20 *Les grands services publics*—L'entreprise privée jouit, bien entendu, d'une liberté parfaite. Pour diverses raisons toutefois, plusieurs grands services publics sont pris en charge par l'administration centrale et une petite armée de fonctionnaires.

Ce sont, par exemple, les services des Postes et Télécommu-
25 nications, pour tout ce qui touche la poste, le téléphone, les télégrammes; ils dépendent du ministère du même nom. Tous les chemins de fer sont réunis en un seul réseau: la Société nationale des chemins de fer français, société nationalisée, en a la gestion sous le contrôle du ministère des Transports. L'enseignement
30 public, à tous les niveaux, la magistrature, la Sécurité Sociale, plusieurs grandes banques, et plusieurs grandes compagnies d'assurances, relèvent de quelque ministère à Paris. Il en va de même pour l'administration des Eaux et Forêts (qui s'occupe de l'entretien et du développement des bois et des forêts de l'Etat, des
35 canaux, des cours d'eau, des lacs), et pour celle des Ponts et Chaussées (qui se charge d'établir et d'entretenir le réseau routier et les installations dans les ports).

Dans le domaine de la production proprement dite, un tiers des industries sont nationalisées: les charbonnages, l'électricité, le
40 gaz, le tabac, les automobiles Renault, Air-France, Sud-Aviation, la Compagnie Générale Transatlantique (la « French Line »), le pétrole, l'énergie atomique.

Les cadres supérieurs de ces sociétés et de ces compagnies détiennent leur nomination, plus ou moins directement, d'un bureau
45 ministériel. Et, si, d'autre part, les employés ne sont pas à propre-

ment parler des fonctionnaires (avec retraite, pension, sécurité, etc...), ils subissent le contrôle d'un ministère et bénéficient de sa protection.[26]

L'administration locale — La centralisation extrême de l'autorité administrative s'opère sans heurt grâce à la division du pays en quatre-vingt-dix départements.[27] Chaque département est divisé en arrondissements,[28] eux-mêmes divisés en cantons et en communes, la commune étant l'unité administrative de base. 5

Le département a à sa tête un préfet que nomme le ministre de l'Intérieur.[29] Ce préfet, représentant officiel du gouvernement, est avant tout responsable de l'ordre dans son département. Il y est le premier fonctionnaire, le chef de toutes les administrations de l'Etat dans son secteur. Tous les services publics sont sous sa tutelle, et en particulier, la police, les finances, et l'état civil. 10

Cependant, cette autorité est contrebalancée par celle de notables élus au suffrage universel: les conseillers généraux,[30] ainsi que par celle des maires des communes.[31] En d'autres termes, l'administration départementale repose sur l'accord et la coopération du préfet, représentant du gouvernement central et nommé par lui, d'une part, et des représentants locaux que les citoyens ont élus, d'autre part. 15

20

Le maire d'une petite commune et les pompiers du village

Les gouvernements, à Paris, peuvent tomber, les ministres peuvent se succéder, les préfets eux-mêmes peuvent être déplacés, les conseillers généraux et les maires retiennent leurs fonctions et leurs privilèges le temps de leur mandat électoral, c'est-à-dire pen-
5 dant au moins six ans. Et c'est ainsi que dans le département se maintiennent la continuité politique et la stabilité économique.

Dans la commune, toute la responsabilité administrative repose sur le Conseil municipal, et principalement sur le maire à condition qu'il sache faire approuver son programme et son budget par
10 la préfecture.[32]

La Sécurité Sociale — Depuis août 1946, la Sécurité Sociale, vaste administration semi-publique sous le strict contrôle de l'Etat, revêt de nombreuses formes dans le cadre des « prestations » ou « allocations familiales » et des « assurances sociales ». Plus de trente
15 millions de personnes en bénéficient; les artisans, les étudiants, les agriculteurs ont aussi des régimes spéciaux, et la tendance est d'élargir sans cesse le nombre des catégories de gens à en bénéficier. Les sommes reçues à titre de « prestations familiales » constituent une sorte de salaire indirect appréciable.
20 Le financement de la Sécurité Sociale d'autre part, est complexe, mais les employeurs, les employés, et l'Etat y participent.[33]

Pour déterminer les sommes à verser à chaque catégorie d'individus, le gouvernement décide d'un salaire mensuel fictif de base, assez bas (environ 200 francs actuellement), variable selon les
25 régions et les années, sur lequel s'appliquent les pourcentages suivants. Toutes les familles de salariés et de non-salariés qui ont deux enfants à leur charge (c'est-à-dire jusqu'à l'âge de dix-sept ans, s'ils sont apprentis, et jusqu'à vingt ans, s'ils sont étudiants) reçoivent de la Sécurité Sociale un supplément équivalent à 22%
30 du salaire de base théorique; celles de trois enfants, un supplément de 55%, etc... Ce sont les allocations familiales. De plus, les familles à salaire unique, c'est-à-dire celles où seul le père travaille, reçoivent un autre supplément de 20% du salaire de base théorique pour le premier enfant, 40% pour deux enfants, 50%
35 pour trois enfants, etc...[34] Une allocation mensuelle prénatale de 25% est versée pendant les six premiers mois de la grossesse, et de 12,5% pendant les trois derniers mois. A la première naissance, une allocation unique de maternité, égale à deux fois le salaire mensuel de base, est donnée au couple; cette allocation
40 tombe ensuite à quatre tiers du salaire fictif pour chaque naissance qui suit.

Toutes ces « prestations » ne font jamais de grosses sommes d'argent, étant donné le niveau très bas du salaire théorique de base, et le même pour tous, d'où l'on part pour les calculer; elles
45 soulagent tout de même sensiblement les charges des familles les moins favorisées, et elles corrigent un peu la médiocrité des petits salaires et des petits traitements.

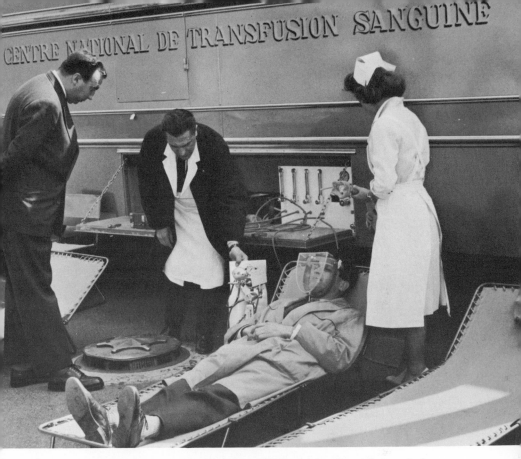

Groupe mobile de réanimation et de transfusion

Il en va de même en quelque mesure des assurances sociales. Celles-ci en effet couvrent d'une manière générale tous les frais causés par les soins de santé: toutes les notes du docteur, du chirurgien, du dentiste, du pharmacien, ainsi que les frais d'hospitalisation (longs traitements en sanatorium, par exemple, cures dans 5 villes d'eau, etc...), sont en grande partie (à 80% dans la plupart des cas) remboursés au malade. L'assurance-maternité couvre à peu près tous les frais engagés à l'occasion d'une grossesse. Ces assurances contribuent à donner de la sécurité aux familles.

Par contre, les diverses assurances-accidents, assurances-vieil- 10 lesse, assurances-incapacité de travail, également prévues, sont rarement suffisantes; elles ne constituent tout au plus qu'un appoint.

Lorsque l'on compare le niveau de vie français avec celui des autres pays, il est bon de tenir compte de la « sécurité » que don- 15 nent ces « prestations » et ces assurances réglementées par la loi. Sans elles, la plupart des familles ne pourraient certainement pas se payer des soins médicaux éclairés et suffisants, et la naissance des enfants serait souvent un désastre.

Vocabulaire de Revision et Exercice

Choisir, parmi les catégories suivantes, trois mots ou groupes de mots, et les expliquer à l'aide de deux ou trois phrases complètes.

1. la Marseillaise; la devise de la République Française; la Constitution de 1958; le pouvoir exécutif; le pouvoir législatif; le pouvoir judiciaire
2. l'administration centrale; les ministères; le département; un arrondissement; une commune; le maire
3. un référendum; le scrutin; le vote de confiance; un projet de loi; la majorité absolue; la majorité relative
4. le Premier Ministre; le Président du Conseil des ministres; un député; un sénateur; la droite; la gauche
5. le Conseil d'Etat; la Cour de Cassation; une Cour d'Assises; le jury; les grands services publics
6. le parti communiste; la S.F.I.O.; le parti radical; le M.R.P.; l'U.N.R.; les Indépendants

Questions

1. Quelles ont été les trois dernières Constitutions de la France? 2. Quelles sont les dates de la IIIème, la IVème, la Vème République? 3. Nommez quatre grands partis politiques. 4. Où siègent ces partis à l'Assemblée nationale? 5. Expliquez les tendances politiques générales de trois partis. 6. Qu'est-ce qu'un groupe de pression? 7. Nommez quatre groupes de pression; que cherchent-ils à obtenir? 8. Quel est le mode d'élection des députés? 9. Quel est le nombre approximatif des sénateurs, et comment sont-ils élus? 10. Qu'est-ce que la Cour de Cassation? 11. Qu'est-ce qu'une Cour d'Assises? Combien y en a-t-il? 12. Nommez six ministères. 13. Essayez d'expliquer les grandes caractéristiques de l'administration centrale en France. 14. Qu'est-ce qu'un préfet? 15. Comment les pouvoirs du préfet dans son département sont-ils contrebalancés? 16. Nommez une demi-douzaine d'industries et de grands services publics nationalisés. 17. Nommez trois des grands corps de l'Etat; quel rôle jouent-ils? 18. Qu'est-ce qu'une prestation familiale? Donnez quelques exemples. 19. Expliquez comment la Sécurité Sociale peut être considérée comme l'un des facteurs responsables de la montée de la population. 20. Comment la Sécurité Sociale contribue-t-elle à l'amélioration de la santé publique?

Notes

1. Le drapeau tricolore a été adopté en 1789: le bleu et le rouge représentent les couleurs de Paris, le blanc, la royauté.
2. La Marseillaise a été composée en 1792 par Rouget de Lisle à Strasbourg pour servir de chant de guerre à l'armée du Rhin; des soldats

marseillais la chantaient en entrant à Paris en juillet 1792; trois ans plus tard, la Convention la décréta Chant national, et le 4 février 1879, la Chambre des députés la confirma comme tel.

3. A la suite d'une émeute à Alger, le 13 mai 1958, la IVème République se désintégra; le 1er juin, le général de Gaulle fut investi chef du gouvernement par l'Assemblée Nationale, avec le pouvoir de faire rédiger une nouvelle constitution; le 28 septembre, le projet de cette constitution fut approuvé par référendum (à 80%), et la Vème République naissait officiellement le 4 octobre 1958.

4. La IIIème République était régie par la Constitution de 1875; la IVème, par celle de 1946.

5. Sous les précédents régimes, il n'était que le « Président du Conseil des ministres ».

6. Ce texte, assez dangereux pour les institutions républicaines de l'avenir, déclare en effet: « Lorsque les institutions de la République, l'indépendance de la nation, l'intégrité de son territoire ou l'exécution de ses engagements internationaux sont menacés d'une manière grave et immédiate et que le fonctionnement régulier des pouvoirs publics constitutionnels est interrompu, le Président de la République prend les mesures exigées par les circonstances . . . Il en informe la nation par un message . . . Le Parlement se réunit de plein droit. L'Assemblée Nationale ne peut être dissoute pendant l'exercice des pouvoirs exceptionnels ».

7. Selon la Constitution de 1958, le Président de la République était élu par un collège électoral d'environ 80,000 personnes (députés, conseillers généraux, sénateurs, conseillers municipaux, maires); la représentation favorisait les petites communes et les villages aux dépens des grandes villes, car plus de 30,000 communes (sur environ 40,000) ont moins de 5,000 habitants.

D'après le référendum d'octobre 1962, il est élu au suffrage universel direct.

8. Les textes disent qu'il « veille au respect de la Constitution », et « assure, par son arbitrage, le fonctionnement régulier des pouvoirs publics ainsi que la continuité de l'Etat ».

9. La plupart des Présidents de la IIIème et de la IVème République ont eu des personnalités effacées.

10. Avant 1958, le Président de la République se contentait de désigner le Président du Conseil des ministres; celui-ci choisissait alors ses collaborateurs, les ministres, et il faisait approuver son programme et son cabinet par la Chambre des députés, qui en somme l'investissait ou le rejetait.

11. Ceux-ci, en acceptant leur poste, doivent renoncer à leur mandat de député ou de sénateur, ainsi qu'à toute activité professionnelle. Cette interdiction du cumul de fonctions vise à décourager les changements ministériels des précédents régimes.

12. Car, alors, tous les membres du cabinet étaient solidaires les uns des autres.

13. Ils sont élus par le corps électoral tout entier, au scrutin majoritaire uninominal à deux tours, dans le cadre de l'arrondissement: au premier

tour, les candidats doivent obtenir la majorité absolue, c'est-à-dire la moitié des suffrages exprimés plus un; au second tour, le dimanche suivant, la majorité relative suffit.

Tout citoyen, homme ou femme, est électeur à 21 ans; les femmes n'ont obtenu le droit de vote qu'en 1945.

Pour être éligible à l'Assemblée il faut avoir 23 ans; pour l'être au Sénat, il faut avoir 35 ans.

Les députés tiennent deux sessions ordinaires par an: d'octobre à décembre, et pour trois mois à partir de la fin du mois d'avril. Des sessions extraordinaires limitées sont ouvertes et closes par décrets du Président de la République. Tous les débats sont publiés in-extenso dans le *Journal Officiel*.

14. Il y a actuellement six Commissions permanentes (selon le système américain), et un nombre variable de Commissions d'enquête ou de contrôle.

15. Les sénateurs (au nombre de 300 environ) sont élus au suffrage in-direct, pour neuf ans, et renouvelés par tiers tous les trois ans, par les députés, les conseillers généraux, et les délégués des Conseils municipaux. Ce Collège électoral accorde une prépondérance à la po-pulation rurale; le Sénat est parfois surnommé « la Chambre d'agri-culture »; il est en tout cas le « Grand conseil des petites communes », car ses électeurs se répartissent ainsi: moins de 500 députés, moins de 4,000 conseillers généraux, et plus de 100,000 délégués des Conseils municipaux.

16. C'est d'abord le Conseil économique et social, composé de quelque deux cents membres, désignés pour cinq ans par les grands mouve-ments syndicalistes et professionnels, et par le gouvernement. Son rôle est purement consultatif: il donne son avis sur les projets de lois et sur tous les problèmes de caractère économique et social.

Le Conseil constitutionnel veille à la régularité des élections et des référendums; il se prononce sur la constitutionnalité des lois avant leur promulgation; neuf membres, nommés pour neuf ans et renou-velables par tiers tous les trois ans, le composent: trois membres sont nommés par le Président de la République, trois par le prési-dent de l'Assemblée Nationale, et trois par le président du Sénat.

La Haute Cour de justice, assemblée de juges élus par les députés et les sénateurs, juge le Président de la République, les ministres, et les parlementaires, en cas de haute trahison ou de complot.

Le Conseil d'Etat, dont les membres sont nommés par le gouverne-ment, conseille celui-ci dans la rédaction des projets de lois, des ordonnances, et des décrets. Il constitue aussi le tribunal adminis-tratif le plus élevé.

La Cour des comptes enfin contrôle l'exécution des lois de finances; elle vérifie les comptes tenus par les hauts fonctionnaires qui gèrent les finances de l'Etat.

17. Voici les principaux partis politiques, au cours de ces dernières années: à l'extrême gauche de l'Assemblée nationale siègent les députés com-munistes, composant un bloc bien discipliné; le parti communiste est né en 1920; c'est un parti de masses (et non de cadres) qui exige l'adhésion totale de ses membres; la « cellule » groupe les adhérents d'une même entreprise, magasin, administration ou usine; ces « cel-lules » sont reliées verticalement par une forte discipline; actuelle-

ment le parti atteint environ 20% des électeurs, mais, par suite des lois électorales, il n'atteint pas ce pourcentage à l'Assemblée.

Puis viennent les socialistes: la Section française de l'internationale ouvrière (la S.F.I.O.) est un parti de masses fondé en 1905; il a longtemps pratiqué une politique de soutien du gouvernement sans accepter d'y participer; en 1936, avec Léon Blum, il a exercé le pouvoir; théoriquement un parti marxiste révolutionnaire, il est en fait très modéré; en 1950, Guy Mollet, son chef, a mené une politique nationaliste.

Le parti socialiste unifié (le P.S.U.), dirigé naguère par Pierre Mendès France, résulte d'une scission dans la S.F.I.O., en 1958.

Les « radicaux » ont joué un rôle important dans la IIIème République; officiellement, le parti a été organisé en 1901; c'est un parti de cadres, en déclin. Au début il se situait à l'extrême gauche; il s'appuyait d'abord sur les électeurs des villes et proposait un programme de réformes sociales radicales; la Ligue de l'enseignement public et la franc-maçonnerie ont travaillé pour lui; il s'est vu récemment repoussé vers la droite par les partis socialistes et communistes, et il subit de plus en plus l'influence des groupes de pression économiques et privés.

Le Mouvement républicain populaire (le M.R.P.), parti d'inspiration chrétienne, né de la résistance contre les Allemands et contre Vichy (1940–1944), cherche à se maintenir au centre et à constituer un parti de masses; il a un programme social réaliste: il a voté les nationalisations et la Sécurité Sociale; il est peu lié aux féodalités économiques et aux grands intérêts privés; il aide ainsi à désolidariser l'Eglise catholique de la droite.

L'Union pour la nouvelle République (l'U.N.R.), fondée en octobre 1958, se réclamant du général de Gaulle, est un parti composite, avec des tendances à la fois vers la droite et vers le radicalisme. Aux élections législatives de novembre 1962, il a, pour la première fois dans l'histoire républicaine de la France, fait entrer à l'Assemblée Nationale assez de députés pour s'assurer, provisoirement tout au moins, une majorité absolue.

La droite (le parti des Indépendants) et l'extrême droite, se caractérisent à des degrés variés par leur antiparlementarisme, leurs liens avec une partie de l'Eglise catholique, et leurs rapports étroits avec de grands intérêts économiques. En 1876, en 1887, et en 1898–1899, la droite a essayé de renverser le régime républicain. Depuis la Première Guerre mondiale, elle ne cherche plus à restaurer la monarchie, mais elle envisage toujours une république autoritaire ou même dictatoriale.

Au début de la IIIème République, la droite était très liée à l'Eglise: toutes deux soutenaient l'école privée parce qu'elles la considéraient toutes deux comme la meilleure défense contre le socialisme, alors jugé révolutionnaire. En recommandant aux catholiques le ralliement à la République, le pape Léon XIII, en 1871, a brisé la rigidité de la droite.

Les élections législatives de novembre 1962 ont envoyé à l'Assemblée Nationale les députés suivants:

41 du parti communiste, 4 P.S.U., 66 socialistes, 42 radicaux, 38 M.R.P. (dont 9 favorables à la Vème République), 235 de l'U.N.R.,

50 indépendants (dont 32 favorables à la Vème République), aucun pour l'extrême droite, et 6 sans étiquette.

18. Ces groupes de pression comprennent, par exemple, les grands syndicats ouvriers, les associations d'anciens combattants, la Confédération nationale du patronat français, la Fédération nationale des syndicats agricoles, la Confédération des petites et moyennes entreprises, les betteraviers, les transporteurs routiers, les vignerons du Midi. Dans un autre domaine, la Ligue pour la défense de l'école laïque et la Ligue pour la défense de la liberté de l'enseignement se livrent un dur combat. Et enfin, dans l'armée elle-même, depuis quelques années, existe un groupe de pression, l'Activisme, du genre des « Ligues » qui ont exprimé, avant et après la Première Guerre mondiale, leur anti-parlementarisme: la Ligue d'action française, la Ligue de la patrie française, les Jeunesses patriotes, les Croix de Feu, etc...

19. Le Conseil de la magistrature comprend neuf membres désignés par le Président de la République.

20. Ce sont les tribunaux d'instance et de grande instance.

21. Il y a aussi des cours de prud'hommes pour régler les différends entre employés et patrons; elles sont composées d'un nombre égal d'employés et de patrons. Les litiges entre commerçants sont traités dans les tribunaux de commerce.

22. Il existe également un Tribunal pour enfants dans chaque département; là, un juge d'enfants, assisté d'un psychologue et d'assistantes sociales, examine les enfants délinquents (environ 15,000 par an). Dans les affaires criminelles impliquant des jeunes gens de 16 à 18 ans, une Cour d'Assises spéciale, sans journaliste ni télévision, fonctionne selon une procédure assez souple.

23. Les principaux ministères sont ceux des finances, des affaires étrangères, de l'intérieur, de la justice, de l'éducation nationale, de la défense nationale, des postes et télécommunications, des travaux publics et des transports, du commerce et de l'industrie, du travail, de la santé, des anciens combattants, de l'agriculture; en plus, il y a des ministères d'Etat pour les affaires culturelles, les affaires algériennes, la recherche scientifique, la coopération avec la communauté et l'étranger, les départements et territoires d'Outre-Mer, etc...

24. Il y a plus de 900,000 fonctionnaires civils (il y en avait 500,000 en 1914), dont 3,000 magistrats, 300,000 enseignants, et 30,000 dans les corps supérieurs de l'Etat: emplois centraux de direction, corps préfectoral, représentation à l'étranger, le Conseil d'Etat, l'Inspection des finances, la Cour des comptes, etc... En 1961, il y avait environ 1,600,000 « civil servants » aux Etats-Unis.

25. Pendant une dizaine d'années après la Libération il n'y a d'ailleurs eu que deux ministres des affaires étrangères; alors qu'il y a eu quatre Secrétaires d'Etat à Washington pendant la même période.

26. Chaque catégorie de fonctionnaires a son statut et jouit d'une certaine sécurité; les examens ou les concours d'entrée sont les mêmes pour tout le pays, et l'avancement est systématique et garanti par la loi.

27. L'organisation administrative en départements date de 1790. Outre ces 90 départements, la France est aussi divisée en 19 académies (correspondant aux 19 universités complètes ou en formation). La France

judiciaire se partage en 27 Cours d'Appel, et la France militaire en 9 régions.

28. A ne pas confondre avec les arrondissements parisiens, lyonnais, et marseillais.

29. Le préfet est un haut fonctionnaire, sortant généralement de l'Ecole nationale d'administration; il réside à la préfecture, au chef-lieu du département, c'est-à-dire dans la ville ordinairement la plus importante du département.

30. Au niveau du préfet, agent du pouvoir central, siège le Conseil général, dont les membres élus représentent chacun un « canton ».

31. Chaque commune a son Conseil municipal, composé de 9 à 37 membres, selon la population de la commune, élus aussi au suffrage universel direct. Les conseillers municipaux élisent au scrutin secret le maire, qui est le pouvoir exécutif de la commune; le mandat de ces notables est de 6 ans. Il y a environ 40,000 communes en France.

32. A Paris, les 20 maires des 20 arrondissements sont nommés par le gouvernement. Paris possède aussi deux assemblées: un Conseil municipal et un Conseil général (du département de la Seine), composés respectivement de 90 conseillers municipaux et de 60 conseillers généraux élus. Lyon et Marseille sont aussi divisés en arrondissements, mais l'une et l'autre ville ont un maire unique.

33. En gros, par exemple, l'employeur verse aux Caisses privées de la Sécurité Sociale, et pour chaque salarié, un peu plus du tiers du salaire réel de chaque employé.

34. En 1961, une famille avec deux enfants recevait une douzaine de dollars par mois; avec trois enfants, une trentaine de dollars; avec quatre enfants, une cinquantaine de dollars. Et, si seul le père travaillait, ces chiffres devenaient: environ $25 pour deux enfants, $50 pour trois enfants, $60 pour quatre enfants, et $18 supplémentaires pour chaque enfant en plus.

481–751	les rois mérovingiens	Clovis (481–511)
751–987	les rois carolingiens	Charlemagne (768–814)
987–1328	les rois capétiens	Hugues Capet (987–996)
		Louis IX (1226–1270)
1328–1589	les Valois	Charles V (1364–1380)
		Charles VII (1422–1461)
		Louis XI (1471–1483)
		François Ier (1515–1547)
1589–1792	les Bourbons	Henri IV (1589–1610)
		Louis XIII (1610–1643)
		Louis XIV (1643–1715)
		Louis XV (1715–1774)
		Louis XVI (1774–1792)

De la Révolution à nos jours

1792–1799	la Première République
1799–1804	le Consulat (Napoléon)
1804–1814	le Premier Empire (Napoléon Ier)
1814–1824	la Restauration (les Bourbons, Louis XVIII)
1824–1830	Charles X
1830–1848	la Monarchie de juillet
1848–1852	la Seconde République (Louis Napoléon)
1852–1870	le Second Empire (Napoléon III)
1870–1940	la Troisième République
1940–1944	l'Etat Français (Pétain)
1944–1946	le Gouvernement Provisoire (de Gaulle)
1946–1958	la Quatrième République
1958–	la Cinquième République (de Gaulle)

15

MILIEUX ET INFLUENCES

Les classes sociales et la famille

Les classes sociales actuelles ne sont plus divisées en catégories aussi séparées qu'autrefois. Tout individu peut monter d'un milieu social inférieur à un milieu social supérieur, s'il possède de la valeur, de l'ambition, s'il est travailleur et instruit, et s'il s'adapte aux conventions extérieures des classes auxquelles il cherche à accéder. 5

La noblesse a disparu en tant que classe économique; les familles nobles gardent la fierté de leur nom et le sens d'appartenir un peu à l'histoire, mais elles ont perdu leurs privilèges, bien souvent leur patrimoine; elles se sont alliées à de riches familles bourgeoises, et 10 elles ne forment plus réellement un groupe à part.

Dans le monde des grandes affaires commerciales, industrielles, bancaires, les grands bourgeois (et aussi parfois les arrivistes et les nouveaux riches) constituent les cadres supérieurs: hommes d'affaires, financiers. 15

Les intellectuels, les membres des professions libérales, professeurs, magistrats, docteurs, écrivains, journalistes, etc... composent un milieu relativement restreint, mais qui peut avoir une forte influence sur la direction et l'évolution politique et intellectuelle du pays. 20

Beaucoup de non-intellectuels et de non-manuels proprement dits appartiennent aux vastes groupes des petits commerçants et des petits employés, aux origines variées, mais issus plus ou moins récemment de milieux ruraux ou ouvriers.

Plus de six millions d'hommes et de femmes travaillent en usine. 25 Ces ouvriers, ces ouvrières, forment une classe qui se distingue par le travail, le logement, souvent par les vêtements et les distractions, et certainement par le salaire et la sécurité, la condition ouvrière ne se comparant à nulle autre, et en France beaucoup moins qu'aux Etats-Unis. 30

Un autre milieu groupe les cultivateurs, et surtout les petits exploitants agricoles qui possèdent moins de trente hectares,* et souvent une dizaine seulement.

La famille — La famille française constitue traditionnellement une cellule relativement solide et fermée: les parents y exercent 35 leur autorité, et les enfants doivent aux parents, jusqu'à un cer-

* C'est-à-dire environ soixante-quinze « acres ».

tain point, obéissance et respect. Cela malgré les deux dernières guerres mondiales, les bouleversements, les déplacements, les destructions, les privations et les morts, qui ont eu des répercussions
5 morales et psychologiques désastreuses.[1]

A l'heure actuelle, un mariage sur dix se brise par un divorce, en province; à Paris, un mariage sur cinq.[2] Mais les parents, en général, disciplinent encore intelligemment leurs enfants: ils s'efforcent d'avoir des « enfants bien élevés »; ils critiquent les
10 « enfants mal élevés »; ils surveillent les fréquentations, les amitiés, le travail scolaire, dirigent les projets d'avenir d'une main plus ou moins ferme. Pourtant ces enfants se sentent rarement écrasés; leur individualité est le plus souvent respectée, et s'ils n'ont pas jusqu'à l'adolescence une grande liberté d'action, du moins savent-
15 ils la plupart du temps penser et réagir par eux-mêmes avec une certaine sagesse et du bon sens. Il faut se rappeler que si tous les parents d'un certain milieu agissent plus ou moins de la même manière, chacun des enfants ne pourra se sentir injustement traité ou opprimé, puisque sa vie est la même que celle de ses amis. Et
20 si le contrôle des parents est parfois un peu étroit, l'enfant reçoit en échange une sécurité plus grande. Il sait toujours, au cours de son enfance, où il en est: on lui indique ses erreurs, ses faiblesses; on l'encourage, en lui en donnant toujours les raisons, vers les directions où il se développera le mieux. Il se révolte parfois; la
25 plupart du temps, il est sensible à tant de soins et de tendresse; il n'a pas l'impression d'être seul, dérouté.[3] Pendant les années d'adolescence, où il sent instinctivement qu'il doit gagner son indépendance, où ses parents trouvent presque toujours qu'il est trop jeune pour l'avoir entière, il y a souvent, par contre, des tensions et des
30 révoltes.

Les parents ne font plus le mariage de leurs enfants; ils ne décident plus de leur carrière ou de leur métier, mais ils les conseillent, et ils conservent une influence certaine sur leurs études, la formation de leur esprit, le développement de certaines habitudes
35 jugées propres au milieu social auquel la famille appartient. Malgré la révolte traditionnelle des « jeunes » contre les « vieux », les enfants respectent leurs parents parce qu'en quelque mesure ils tiennent à leur approbation. Et, dans l'ensemble, la famille prend aujourd'hui une allure plus jeune; un certain esprit de camaraderie
40 s'y développe entre parents et adolescents.

L'habitation — Certains quartiers des grandes villes sont horriblement surpeuplés. Malgré les efforts publics et privés entrepris depuis une vingtaine d'années, un grand nombre de citadins demeurent mal logés, dans une maison ou un immeuble mal entre-
45 tenus. Les loyers sont souvent extraordinairement bas, car la loi ayant bloqué le prix des anciennes locations, le propriétaire ne s'occupe point de moderniser ses immeubles ni même de les entretenir.[4]

Toutefois, depuis quelques années, la construction commence à rattraper le retard.[5] Aujourd'hui, plus de six millions de Français vivent dans des logements neufs. Les villes et les villages détruits par les combats, les bombardements et les actes de sabotage de la Résistance ont été à peu près entièrement rebâtis.[6] Tous ces centres reconstruits sont aérés, avenants, les rues y sont plus larges qu'autrefois, les installations sanitaires sont modernes, et presque partout le beau style des anciennes maisons détruites a été reproduit. 5

Bagnols-sur-Cèze: logements neufs pour
ouvriers et employés d'une usine de plutonium

Le visiteur américain qui pénètre dans un intérieur français, 10 par temps froid et humide, est toujours désagréablement surpris par la température des pièces, que la famille française juge, de son côté, suffisante. Par habitude et par économie, le Français moyen (comme la majorité des Européens) n'aime pas chauffer trop son

appartement. Pour lui, le bureau, la salle de classe, l'hôtel, l'appartement, aux Etats-Unis, sont surchauffés. Il faut ajouter que, pour le budget dont il dispose, le coût du charbon, du gaz, de l'électricité, est extrêmement plus élevé qu'aux Etats-Unis. Pour
5 la même raison, l'éclairage des pièces semble toujours insuffisant aux Américains; et on éteint soigneusement dans chaque pièce les lampes inutiles.

Paris opposé à la province — Paris est vivant et gai pour ceux qui l'aiment; le travail y est facilité par l'ambiance, l'émulation;
10 l'individu y peut changer facilement d'orientation; il dispose d'un grand cercle de relations et il peut communiquer avec des milieux variés; il y est tenu de donner son maximum; dans les affaires, il s'adapte facilement au progrès; ses voisins ne le connaissent guère

Salle de séjour dans un petit appartement moderne à Paris

et ne portent pas de jugements. A tous les égards, la vie y est libre
15 et active. Et la province, par contre, peut sembler triste et somnolente.

Pour d'autres, au contraire, tout coûte un peu plus cher à Paris qu'ailleurs; on s'y loge plus difficilement; les occasions de dépenser

sont plus nombreuses; le rythme de vie y est plus dur, physique-
ment et moralement, plus fatigant, plus trépidant; tandis que la
province — qui demeure le réservoir où Paris puise bon nombre
de sujets — cache ses richesses. Elle offre une vie mieux réglée,
calme, humaine. On y trouve plus facilement à se loger dans des 5
maisons particulières, avec un jardin, des fruits, des légumes, des

Petit jardin potager dans la Touraine

fleurs; les distances à parcourir pour aller au travail sont moins
grandes, la circulation moins intense, la vie familiale plus normale.
    Il est vrai qu'en province le choix du métier ou de la profession
est plus limité qu'à Paris; les échanges de vues sont moins variés; 10
une stagnation mondaine, intellectuelle, semble prévaloir; il s'y
trouve moins d'écoles, peu ou pas de théâtres. Il y existe toutefois
beaucoup de petits salons ou cercles où les gens du même milieu
social, ou ceux qui ont des intérêts communs, se retrouvent périodiquement pour faire ensemble de la musique, écouter des confé- 15
rences sérieuses, ou simplement converser paisiblement.
    La plupart des villes de province semblent petites en comparai-
son avec celles des Etats-Unis: 50,000 habitants, pour une ville
française moyenne, est un chiffre respectable. Mais la population

est très dispersée, les petites agglomérations sont nombreuses, et ces villes et villages, peu distants les uns des autres existent souvent depuis des siècles, et présentent toujours quelque intérêt ou curiosité, historique ou pittoresque; chaque ville a naturellement sa
5 bibliothèque, ses musées, ses librairies (tenues comme celles de Paris par des libraires qui connaissent et aiment les livres qu'ils vendent ou qu'ils prêtent).

Dès la tombée du jour, en province, chacun ferme soigneusement ses volets ou ses persiennes avant d'allumer l'électricité. La tra-
10 versée nocturne de la petite ville ou du village en est rendue particulièrement triste, alors que la famille, à l'intérieur, est en train de dîner, de se retrouver, de se réjouir. De l'extérieur, l'étranger qui passe ne voit qu'un mur sombre et inhospitalier. La « picture window » américaine indique évidemment un comportement bien
15 différent. Le Français, lui, préfère une maison intime.

Les salaires — En 1961, le salaire horaire minimum industriel garanti par la loi (le S.M.I.G.) allait, dans la métallurgie, de 1,85 francs pour l'ouvrier non qualifié à 2,76 francs pour l'ouvrier qualifié.* Ces chiffres d'ailleurs varient selon les différentes
20 branches de l'industrie, selon la région et selon le coût officiel de la vie. En fait, les travailleurs ne reçoivent jamais le salaire minimum, qui reste fictif et sert simplement de base à différents calculs; ils reçoivent tous un salaire horaire plus élevé, et, dans plusieurs industries, la régularité des heures supplémentaires
25 compense, jusqu'à un certain point, l'insuffisance générale des salaires.

En 1962, un ingénieur diplômé d'une « grande école » (Polytechnique, Centrale, etc. . .) débutait avec un traitement d'environ $200–250 par mois. Un instituteur débutait à un peu plus de $100
30 et il recevait en fin de carrière environ $200 par mois.[7] Dans le monde des fonctionnaires, le traitement dépend beaucoup du diplôme acquis en fin d'études.[8] Dans les affaires, une secrétaire ordinaire reçoit une centaine de dollars par mois; une secrétaire de direction, environ deux fois plus. Une visite à domicile de doc-
35 teur non spécialiste coûte de $3 à $5; à la consultation, au cabinet du médecin, les honoraires à payer sont d'environ $2. Ces frais médicaux, d'ailleurs, nous l'avons vu, tout comme les frais pharmaceutiques, sont remboursés en grande partie (environ 80%) par la Sécurité Sociale. Dans l'armée, le jeune soldat faisant son service
40 militaire obligatoire régulier en France métropolitaine ne touche même pas deux dollars par mois;** il paie ainsi sa dette de citoyen, pour laquelle l'Etat estime ne rien lui devoir.

Dans l'ensemble, on peut dire que les salaires, les traitements, les honoraires français sont de deux à trois fois plus faibles que

* soit approximativement de quarante à cinquante « cents »   ** moins de 9 francs

ceux qui sont généralement pratiqués aux Etats-Unis, avec un écart plus grand qu'aux Etats-Unis entre les petits salaires et ceux des classes sociales supérieures. Il n'est pas facile en tout cas de connaître exactement le revenu d'une famille. D'abord un certain secret entoure ce sujet: il est de mauvais goût, sauf entre parve- 5 nus, de parler de ce que l'on gagne. Et, les diverses prestations de la Sécurité Sociale aident certainement beaucoup de familles à vivre mieux: les familles nombreuses, par exemple, c'est-à-dire celles qui ont plus de deux enfants à leur charge, bénéficient de réductions appréciables sur les moyens de transports publics (les 10 trains, les autobus, le métro); elles peuvent aussi solliciter et re- cevoir des bourses qui leur permettent d'envoyer leurs enfants, l'été, dans une colonie de vacances, pendant plusieurs semaines.[9]

La jeunesse

Les « moins de vingt ans », ceux qui sont nés inmédiatement après la guerre de 1939–1944, forment une proportion importante 15 de la population totale: plus de 35%.[10] Prise dans son ensemble, cette jeunesse est saine et gaie. Elle aime la vie de plein air, les engins motorisés, et les voyages. Les pseudo-existentialistes de Saint-Germain-des-Prés et des films de la Nouvelle Vague, de même que les « blousons noirs » ne représentent qu'une infime 20 minorité de la jeune génération.

Extérieurement tout au moins, jeunes gens et jeunes filles semblent jouir d'une plus grande liberté de mouvements que leurs aînés de la précédente génération. Avec une confiance suffisante en eux-mêmes, avec du bon sens et un scepticisme sain, ils parais- 25 sent savoir ce qu'ils veulent tirer de la vie et de la société où ils entrent. Dans la vie pratique, ils font preuve de spontanéité et de vitalité. Cette plus grande liberté, récemment acquise, soulève naturellement des protestations parmi les générations précédentes à l'esprit conservateur. 30

Toute spéculation sur la jeunesse française en général serait dangereuse. Il est plus prudent de la considérer selon les diffé- rents groupes sociaux: la jeunesse ouvrière, la jeunesse rurale, et la jeunesse des lycées et des universités. Ces groupes ne se rencon- trent guère que sur les stades, dans les équipes qui s'opposent 35 l'une à l'autre, dans les compétitions sportives, et pendant le ser- vice militaire.

Les jeunes ouvriers non qualifiés semblent assez conformistes; ils ne s'intéressent guère à la politique. Dans quelques familles, les parents gardent le salaire des jeunes travailleurs et leur don- 40 nent un argent de poche plus ou moins généreux jusqu'au moment où leur fils ou leur fille quittera le foyer pour se marier ou s'établir ailleurs à leur compte. Ils ne font pas partie de bandes fortement

organisées; un tiers d'entre eux appartiennent à des associations diverses, des équipes sportives, des clubs; un très petit nombre de jeunes ouvriers et ouvrières font partie de la Jeunesse Ouvrière Chrétienne, tandis que d'autres, à peine plus nombreux, se
5 joignent à l'Union des Jeunesses Communistes. D'autre part, beaucoup de syndicats, de groupements religieux, d'usines, de municipalités, organisent des colonies de vacances, des manifestations sportives, des fêtes de toutes sortes où les jeunes ouvriers se retrouvent entre eux. 50% pratiquent un ou plusieurs sports, et un
10 quart seulement se contentent d'assister aux compétitions sportives. Beaucoup (80%) vont au cinéma une fois par semaine. Comme lectures, les journaux illustrés (comme « Tintin », « Le Journal de Mickey », etc. . .) sont populaires; de même les romans

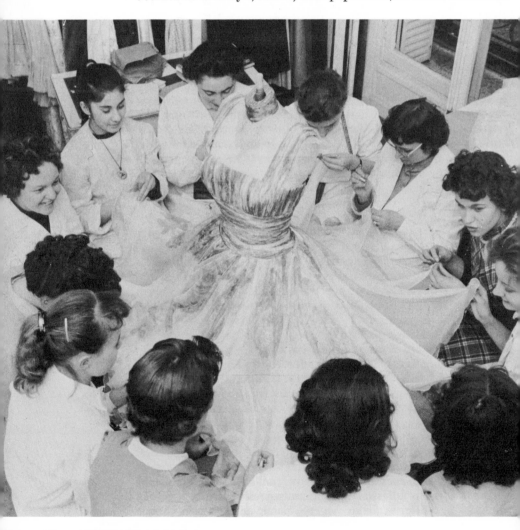

Apprenties couturières

de la série noire, les faits divers, les crimes, et les romans-feuilletons des magazines. Moins d'un quart d'entre eux s'intéressent à des sujets culturels, arts, sciences, littérature. Quelques-uns suivent des cours municipaux, le soir. Ils ne cherchent guère à se tenir au courant des questions sociales. Mais, tous sont fascinés par les scooters, les motos; un désir constant d'évasion les anime; le dimanche, ils partent avec des copains, une amie, loin de la foule, loin de la ville; ils utilisent au mieux leur congé payé (de trois à quatre semaines), et ils arrivent souvent à profiter de voyages, parfois très beaux, toujours bon marché, que leur offrent des organismes sociaux (usines, syndicats, associations religieuses, etc...). Ils peuvent aussi prendre des congés supplémentaires légaux, comme les congés d'éducation ouvrière (financés par les Comités d'entreprise et les syndicats), et des congés culturels (pour la formation des cadres des Mouvements de jeunesse), partiellement subventionnés par l'Etat.

La jeunesse des campagnes éprouve, elle aussi, un grand désir d'évasion, qui va parfois jusqu'à abandonner la ferme familiale. L'exode des campagnes les plus pauvres continue vers les grandes villes. Les jeunes paysans qui décident de rester à travailler la terre tiennent à moderniser leurs méthodes et leur outillage; ils fréquentent donc des centres d'enseignement agricole, le soir ou pendant la morte saison. Le dimanche, ils profitent de leur liberté; tous les moyens de transports sont bons: vélo, moto, camion, pour se retrouver avec des camarades, voir un film, assister à un match de football, voir une course cycliste (ou y participer), et surtout pour aller à des bals qui s'organisent successivement dans chaque village d'une même région, avec un orchestre modeste, dans des salles, l'hiver, sur la place du village, en été. Les hommes attendent ainsi de partir au service militaire à vingt ans; service envisagé sans enthousiasme parce qu'il retarde le mariage et l'établissement définitif dans leur métier. Les jeunes filles, si elles restent au village, se contentent le plus souvent de se préparer à leur futur métier de femme de cultivateur. L'ambition bien arrêtée de tous ces jeunes agriculteurs, garçons et filles, est de vivre mieux, plus pleinement que leurs parents. Dans beaucoup de campagnes, la famille s'est déjà acheté un réfrigérateur et une télévision, immédiatement après les petits tracteurs et l'équipement moderne de la ferme.

Au contraire des jeunes ouvriers et surtout des jeunes agriculteurs, les jeunes bourgeois ne sont pas encore entrés dans la vie active à la fin de leur adolescence; ils poursuivent leurs études pendant plusieurs années afin d'acquérir les diplômes requis par la carrière qu'ils ont choisie. Ils ont moins de loisirs, mais un plus grand choix de distractions.

Ils font partie de Mouvements de jeunes, comme le Scoutisme, ou d'associations, comme l'Action catholique, ou de sociétés, comme les sociétés sportives ou les Jeunesses musicales. Ils par-

Etudiants de Sorbonne

viennent en somme à mener une vie relativement active, étant
donné le temps dont ils disposent. Il est vrai qu'avant la fin de
leurs études primaires ou secondaires, c'est-à-dire avant l'âge de
16 ou 17 ans, les garçons et les filles consacrent peu de temps aux
5 sorties individuelles.

A l'université, par contre, c'est-à-dire entre 18 et 23–24 ans, les jeunes gens et les jeunes filles jouissent d'une grande liberté. Comme l'université française ne comporte pas de « campus », ils logent où ils veulent, ou plutôt où ils peuvent, selon leurs moyens pécuniaires, et selon les possibilités offertes, étant donné la crise 5 du logement. Certains d'entre eux habitent encore chez leurs parents; d'autres, dont la famille demeure loin de l'université, vont dans les Cités universitaires ou dans les Foyers d'étudiants ou d'étudiantes, très insuffisants en nombre; d'autres encore s'installent dans des pensions ou dans de petits hôtels modestes, ou bien 10 trouvent des chambres peu confortables au dernier étage d'immeubles d'habitation (d'anciennes chambres de bonnes). Ils peuvent prendre leurs repas dans les restaurants universitaires que subventionne l'Etat, où les prix sont maintenus extrêmement bas (environ vingt-cinq « cents » le repas, en 1963). Comme dans tous 15 les pays du monde, ces étudiants vivent en quelque sorte coupés du reste de la population, pendant plusieurs années, en marge de la société active.

Quelques étudiants fréquentent assidûment les cafés et en font leur quartier général et leur salle d'études; des discussions ani- 20 mées et bruyantes succèdent à des heures de lectures dans une atmosphère de bibliothèque. Très peu d'étudiants boivent immodérément. Ils vont au théâtre, au ciné-club, au concert, à des conférences publiques variées, dans les musées, dans les bibliothèques.

Ces trois, quatre, cinq années sont généralement dures et pas- 25 sionnantes. Des cercles se forment, par petits groupes, selon les idées politiques ou philosophiques ou selon les intérêts personnels immédiats: le ski, le tennis, le camping, la pêche sous-marine, etc. . . Une minorité active et influente forme l'Union nationale des étudiants de France (aux idées politiques très à gauche) et la 30 Fédération nationale des étudiants de France (à droite).[11] Des manifestations assez fréquentes et parfois violentes partent de ces groupes.

L'amour tient évidemment sa place dans les préoccupations et les sentiments de la jeunesse française. Sur ce sujet particulière- 35 ment délicat à traiter, toute généralisation est dangereuse et probablement fausse. Il est peut-être vrai de dire que les adolescents ne semblent pas préoccupés trop tôt par les questions d'amour et de mariage. Cela est dû sans doute à l'ambiance morale catholique ou familiale dans laquelle ils grandissent. L'en- 40 seignement généralement séparé des garçons et des filles y est aussi certainement pour quelque chose.

Entre garçons et filles, les premiers rapports sont plus souvent des rapports de simple camaraderie que des rapports sentimentaux. Les sports, la musique, les excursions, etc. . . se pratiquent plutôt 45 par bandes que par couples.

Le tutoiement entre jeunes gens et jeunes filles s'établit très rapidement de nos jours, ce qui marque une différence nette avec les générations précédentes, où l'on ne se tutoyait que si l'on se connaissait très bien.

Comme la plupart des étudiants ne proviennent pas, après tout, de familles très riches, il en résulte que beaucoup de jeunes gens 5 et de jeunes filles mènent une vie simple et peu coûteuse, et que ceux qui sont plus riches que leurs camarades n'en retirent pas un prestige spécial. Une jeune fille, par exemple, trouvera normal de passer une longue soirée au café, avec un garçon qui l'intéresse, devant une ou deux consommations, ou encore, de faire, un di-10 manche, une longue promenade avec lui, sans s'attendre du tout à ce qu'il l'emmène dîner ou finir la soirée dans une boîte de nuit; s'ils vont au cinéma, elle paiera fort bien sa place si lui-même ne peut pas la lui offrir ce soir-là. Cette simplicité permet des relations fréquentes de franche camaraderie, dès lors que le garçon ne 15 doit pas attendre, pour retrouver sa camarade, le moment où son portefeuille. sera suffisamment garni pour lui offrir une autre soirée; dès lors aussi que la jeune fille se sent libre de toute obligation envers un garçon qui ne lui aura donné rien de matériel.

Une différence essentielle enfin avec les Etats-Unis est que la 20 notion et la pratique du « boy-friend » et de la « girl-friend » attitrés n'existent pas. De plus, le garçon qui sort régulièrement avec la même jeune fille (et vice-versa) n'en retire aucun prestige spécial, et celui qui ne s'attache à aucune jeune fille en particulier n'en est pas déconsidéré pour autant; de même que l'estime en laquelle 25 il est tenu par ses amis ou son groupe ne baissera point s'il ne sort pas régulièrement, s'il est moins invité que les autres. La vie sociale a peu de conventions, et l'opinion des autres se fonde certainement davantage sur la valeur réelle de l'individu.

Tout jeune homme qui n'a pas d'incapacité grave [12] doit faire 30 son service militaire, ce qui l'éloigne pendant deux années de la vie civile normale, mais qui lui permet de découvrir des jeunes gens venant de milieux qu'il n'avait jamais fréquentés auparavant. Que ce soit avant ou après le service, un garçon sur quatre se marie avant 24 ans. Les trois quarts des jeunes filles sont mariées 35 avant 25 ans, et la plupart d'entre elles sans dot, laquelle en effet n'est certainement plus l'élément décisif du choix du jeune homme. Comme, d'autre part, beaucoup de jeunes filles travaillent et gagnent assez bien leur vie, elles se sentent plus indépendantes, et il est incontestable que leur salaire ou leur traitement peut être con-40 sidéré comme l'équivalent de la dot de jadis.

La religion

Dans une comparaison rapide et superficielle avec d'autres pays européens, comme l'Italie et l'Espagne, la France ne donne pas l'impression d'être un pays très religieux, en dépit du grand nombre d'églises, anciennes et modernes, qui marquent à peu près partout le centre de la ville et du village français. Si l'on en juge d'après une partie de la littérature et beaucoup de spectacles, d'après la grande liberté d'expression, les mœurs et le comportement de certains groupes, on peut estimer que la France est païenne, matérialiste ou athée. Mais ceci n'est pas exact. 5

Sous l'Ancien Régime, c'est-à-dire pendant plus de quinze siècles, depuis Clovis, au Vème siècle, jusqu'à la Révolution Française de 1789, la France a été un pays officiellement catholique: c'était « la Fille aînée de l'Eglise ». Le roi de France et l'Eglise, le pouvoir temporel et le pouvoir spirituel, dirigeaient d'un commun 10 accord les destinées du pays, en apparence tout au moins. Cet état de choses a résisté au développement du protestantisme, aux guerres religieuses, à l'humanisme (qui pouvait changer les rapports de l'homme à Dieu).

Au Moyen Age, en France comme dans toute l'Europe d'alors, 15 les structures hiérarchiques de l'Eglise et du Féodalisme se soutiennent mutuellement. Les Français sont présents aux croisades; ils les dirigent ou constituent le gros des troupes. Les premières grandes cathédrales gothiques ont été bâties dans la province de l'Ile de France. La littérature, le théâtre, la musique, la peinture, 20 sont essentiellement d'inspiration religieuse. Et, du Moyen Age au XVIIème siècle, beaucoup de Français peuplent les grands ordres religieux et les monastères.[13]

Pendant la Réforme, c'est d'abord, naturellement, l'Eglise traditionnelle qui condamne les nouveaux mouvements et les déclare 25 hérétiques; mais les rois ne peuvent pas rester neutres, et ils doivent lui prêter leur appui. Les atroces guerres religieuses qui, pendant près d'un demi-siècle, ont déchiré la France ont eu souvent des motifs politiques, mais les dissensions étaient toujours d'origine religieuse; cette période de guerres civiles, la seule de ce 30 genre que la France ait connue, prouve au moins combien les Français d'alors étaient attachés à leur croyance religieuse.

Au XVIIème siècle, si la cour de Louis XIV donne en spectacle la frivolité et la recherche du plaisir, la nation demeure dans l'ensemble solidement religieuse, quoique d'une manière moins étroite. 35 La noblesse devient plus raffinée, et avec la montée au pouvoir de la bourgeoisie, il se forme lentement une classe cultivée qui fait pénétrer, dans une vie établie sur la religion, les plaisirs artistiques, les spéculations de l'intelligence. La littérature et les arts se préoccupent de beauté, de morale humaine. Mais toutes leurs 40 valeurs reposent sur la religion; et Pascal, Bossuet, Fénélon sont aussi lus et discutés que des écrivains et des orateurs profanes.[14] Et Saint-Vincent de Paul donne aux dames de la cour le sens de leurs responsabilités sociales.[15] Il est vrai que, d'autre part, un mouvement de « libertins »,* de libres-penseurs, d'« esprits forts », 45

* incroyants, athées

Cathédrale de Bourges

commence à se dessiner, sans atteindre toutefois la masse de la
nation.

Au XVIIIème siècle, la situation générale change. Le scepticisme
en matière de religion a fait de gros progrès parmi les classes diri-
5 geantes. Les « philosophes », Voltaire en tête, cherchent une solution humaine aux problèmes sociaux; ils demandent tous la liberté
religieuse, c'est-à-dire la suppression du contrôle légal des individus par l'Eglise. Pour que la religion catholique ne soit plus la
seule religion reconnue par l'Etat, ils s'emploient à discréditer

l'Eglise en en soulignant l'intolérance. Ils ont une influence certaine, non sur la masse, mais sur les intellectuels. Et les chefs révolutionnaires de 1789 engloberont dans une même haine la noblesse et l'Eglise, décrétant la mise hors la loi et la condamnation des prêtres. 5

Dès la fin de la Terreur (juillet 1794), la religion n'est plus persécutée; mais, ni avec Napoléon, ni même sous les Monarchies constitutionnelles qui lui succèdent, ni sous le Second Empire (1852–1870), l'Eglise ne regagne sa puissance temporelle d'autrefois ni son exclusivité.[16] Le pays est catholique, mais la liberté 10 religieuse est conservée à tous. Ce n'est point toutefois une liberté absolue. La nouvelle bourgeoisie, enrichie par le développement de l'industrie et du commerce, qui possède maintenant les postes de commande, est traditionnelle et « bien-pensante ». Elle exige de tous ceux qui veulent réussir un conformisme, extérieur tout 15 au moins, qui s'applique à la religion. D'autre part, cette bourgeoisie riche donne aux biens de ce monde une importance qui entraîne le développement du matérialisme. Les découvertes scientifiques provoquent des attitudes, des philosophies nouvelles, le positivisme et le déterminisme. Et dans bien des esprits, la reli- 20 gion perd son sens profond et se réduit à des pratiques et à une habitude de caractère social.

Au début du XXème siècle, le gouvernement de la Troisième République a promulgué la loi de Séparation des Eglises et de l'Etat, qui retire définitivement à l'Eglise catholique la place privi- 25 légiée qu'elle avait occupée si longtemps.[17] Toutefois, le Haut Episcopat catholique, le Consistoire protestant, et le Grand Rabbin de France, possèdent une grande autorité morale auprès du gouvernement, officiellement laïc, et ils savent à l'occasion influencer les pouvoirs publics. 30

A partir de 1880, l'enseignement public est devenu entièrement laïc, c'est-à-dire neutre en matière de religion. Les familles qui ne pratiquaient que par routine ou par convention se détachent alors beaucoup plus facilement de la religion. C'est ainsi que le nombre des pratiquants catholiques ne dépasse guère actuelle- 35 ment plus de cinq à six millions, selon certaines statistiques catholiques.

Il faut en effet distinguer, parmi les catholiques, au moins deux groupes. D'une part, une masse de tièdes, d'indifférents, de « bienpensants », qui acceptent les coutumes et les traditions, mais dont 40 la foi est douteuse. Leur baptême, leur mariage, leur enterrement, sont religieux; ils baignent passivement dans une vieille culture catholique, et ils en retirent au moins une certaine attitude morale. Ce sont, dans plusieurs régions, les paysans, et une bonne partie de la moyenne et haute bourgeoisie. 45

D'autre part, dans toutes les classes et dans tous les milieux, du monde ouvrier au monde des intellectuels, on peut observer l'activité d'une minorité agissante de catholiques pratiquants et

convaincus. Certaines églises de quartiers ouvriers, dans les grandes villes, témoignent même depuis une vingtaine d'années d'une foi étonnante. Par la qualité tout au moins de la vie et de la pensée religieuses ça et là on peut vraiment parler d'un renouveau catho-
5 lique. De jeunes prêtres, par exemple, ont proposé leur idéal religieux vivant pour combattre l'idéologie communiste; ils s'attachent moins au dogme qu'à l'esprit, et ils accomplissent un travail remarquable.[18] De leur côté, les pasteurs protestants font de même.
10   Les églises que l'on construit de nos jours ont des lignes très modernes, parfois étonnantes d'audace. Certaines, d'ailleurs, ont été dessinées ou décorées par de grands artistes.[19]

Eglise de Ronchamp

Intérieur de la chapelle de Vence

Des écrivains, comme Péguy, Claudel, Bernanos, François Mauriac, Gabriel Marcel, des philosophes, comme Maritain, Mounier, ont offert ou offrent encore aux milieux intellectuels leur interprétation chrétienne des problèmes de notre époque.[20]

Parmi les membres mêmes du clergé, les penseurs, les philoso- 5 phes, les chercheurs scientifiques, jouent un rôle important et respecté dans le monde intellectuel.[21] Outre leur participation à l'enseignement d'une partie de la jeunesse dans les établissements privés,[22] les membres du clergé et des ordres religieux dirigent, complètement ou en partie, des hôpitaux, des hospices de vieil- 10 lards, des écoles pour assistantes sociales. Ils coopèrent souvent avec les pouvoirs publics qui, somme toute, apprécient leurs efforts et les subventionnent souvent. Ceci est particulièrement vrai à l'étranger, dans les pays d'influence française et dans les pays économiquement sous-développés, partout où l'Eglise catholique 15 crée des établissements scolaires et des hôpitaux. Dans le même

Des étudiants en pèlerinage vers Chartres
se reposent à une vingtaine de kilomètres de la cathédrale

esprit, le gouvernement aide les Missions protestantes à travers le
monde.

De grandes manifestations populaires de foi, les pèlerinages,
sont très vivantes en France. Certains pèlerinages continuent la
5 tradition: Sainte Anne d'Auray, et bien d'autres, aux calvaires de
Bretagne; d'autres sont plus récents. Au pèlerinage de Lisieux, en
Normandie, et surtout à celui de Lourdes, dans les Pyrénées, arrivent presque toute l'année, et spécialement au mois d'août, des
trains internationaux de pèlerins, de malades et de brancardiers.
10 Le pèlerinage annuel de Chartres, à l'intention des étudiants, attire de quinze à vingt mille participants qui couvrent ensemble, à
pied, une partie des quatre-vingt kilomètres entre Paris et Chartres; ces étudiants de l'Université de Paris, français et étrangers,
témoignent d'une religion vivante, anti-conformiste, anti-bien-
15 pensante.

Il existe aussi divers Mouvements et Associations de jeunes d'inspiration religieuse (soit catholique, soit protestante, soit israélite).[23]

D'autre part, à côté de la masse de catholiques tièdes et de la minorité de catholiques pratiquants, un million de protestants, et 400,000 israélites pratiquent leur religion en parfaite liberté.[24] Le fait d'avoir été en minorité constante à travers les siècles a considérablement intensifié leur foi; ceci continue d'être vrai à notre époque, bien que toutes persécutions et brimades aient cessé entièrement depuis la Révolution, sauf au moment de l'Affaire Dreyfus.[25]

La plupart des protestants appartiennent à la bourgeoisie; ils résident plutôt, comme les israélites, dans les villes; mais, toutefois, certaines campagnes conservent des groupes protestants importants, remontant aux XVIème et XVIIème siècles, comme l'Alsace, le Midi, la Saintonge. Et dans les milieux de la politique, de la grande industrie, du commerce maritime, des grandes administrations, tout comme dans la vie courante, ils tiennent une place importante sans qu'aucun préjugé ne s'élève contre eux. Protestants et israélites ont, par ailleurs, accepté totalement l'école publique et l'enseignement laïc.[26]

Trois ou quatre cent mille musulmans demeurent aussi en France, la plupart à Paris, où se trouvent une mosquée et un Institut d'études islamiques.

Enfin, la liberté religieuse, telle qu'elle règne en France, permet également, de par son essence, de ne pas croire, de n'appartenir à aucune famille religieuse. Un grand nombre de Français sont incroyants, sceptiques, agnostiques ou athées.[27] Aujourd'hui, l'athée (ce mot n'a pas le sens péjoratif qu'il comporte en anglais), l'agnostique français, se considère comme l'héritier des philosophes du XVIIIème siècle et des révolutionnaires de 1789, pour lesquels, la nation, un idéal social, puis l'amour de l'humanité, devaient se substituer à la morale religieuse et à la conception de la Providence.

L'esprit laïc de notre temps consiste, théoriquement, à séparer les questions religieuses de tout ce qui concerne la vie de l'Etat, en cherchant, par exemple, à obtenir une neutralité religieuse totale et positive dans les établissements d'enseignement publics, ainsi qu'une division nette entre le pouvoir temporel et le pouvoir spirituel des églises. Les sociétés de francs-maçons groupent beaucoup d'adhérents, unis, solidaires. Minoritaires, ils amènent souvent, toutefois, les croyants à préciser et à consolider leurs positions.

En conclusion, on peut dire que si la France n'est plus aussi catholique qu'elle l'était autrefois, elle l'est encore en profondeur. Le Français, croyant ou incroyant, a toujours eu et a toujours l'esprit métaphysique. Pour lui, les différends philosophiques et idéologiques tiennent une place aussi importante que des conflits armés internationaux. Et l'atmosphère dans laquelle baigne la France est encore d'inspiration catholique. Beaucoup de Français qui ont perdu la foi conservent à un haut degré l'attitude morale et le sens des valeurs qui dérivent du catholicisme. C'est dans ce 5 sens relatif que, en la comparant, par exemple, avec les pays anglo-saxons protestants, la France demeure l'un des grands pays catholiques du monde.[28]

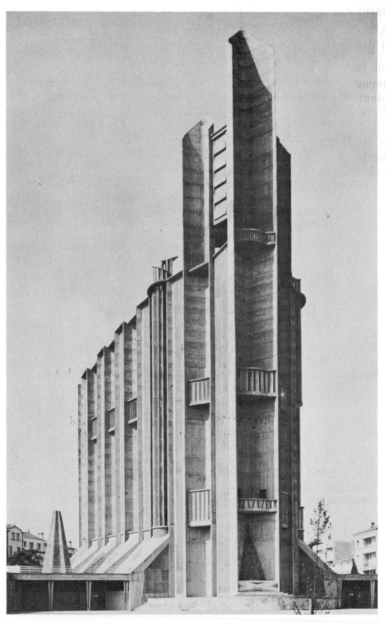

Eglise de Royan

Vocabulaire de Revision et Exercice

Choisir, parmi les catégories suivantes, trois mots ou groupes de mots, et les expliquer à l'aide de deux ou trois phrases complètes.

1. un bourgeois; la noblesse; un ouvrier; un arriviste; un autodidacte; un parvenu
2. un enfant bien élevé; l'obéissance; la dot; faire des courses; les loisirs
3. un immeuble; le béton; une ardoise; une tuile; la chaux; le chaume; se loger; un volet; une persienne
4. le SMIG; le salaire; le traitement; les honoraires; le revenu; les moyens pécuniaires
5. une moto; un camion; un scooter; un moniteur; une monitrice
6. la camaraderie; le tutoiement; le bal; le comportement; les mœurs
7. un païen; un athée; un agnostique; un franc-maçon; un libre-penseur; un bien-pensant; un laïc
8. l'Eglise; le Féodalisme; la Réforme; Luther; Calvin; calviniste; un ordre religieux; un moine; un évêque

Questions

1. Essayez de faire un bref tableau de la classe ouvrière. 2. Enumérez les principaux groupes sociaux et leur composition. 3. Expliquez quelques-unes des conséquences démographiques, morales, et psychologiques des deux guerres mondiales. 4. En général, que pensez-vous personnellement du divorce? 5. Quelle influence la famille française semble-t-elle exercer sur l'enfant? Expliquez. 6. Analysez la crise du logement. 7. En vous référant au texte et aux photographies, indiquez quelques-unes des différences entre les maisons françaises et celles que vous connaissez. 8. Préférez-vous la vie dans une petite ou dans une grande ville américaine? Exposez vos raisons. 9. Qu'est-ce que c'est que le S.M.I.G.? 10. Pour quelles raisons n'est-il pas facile de connaître le revenu exact d'une famille française? 11. Indiquez quelques-unes des distractions des jeunes agriculteurs et des jeunes ouvriers. 12. Quelles sont les ambitions des jeunes gens de la campagne? Pourquoi? Expliquez. 13. En quoi la vie des jeunes élèves diffère-t-elle de celles des jeunes ouvriers et des jeunes cultivateurs? 14. Décrivez la vie des étudiants français. 15. Quelle idée personnelle vous faites-vous de la politique? 16. Pour quelles raisons variées les adolescents français semblent-ils moins préoccupés par les questions d'amour et de mariage que les jeunes américains? 17. Dites tout ce que vous savez des obligations militaires du jeune Français. 18. Qu'est-ce que c'est que la dot? Quels pouvaient être ses buts? Qu'en pensez-vous? 19. Quels étaient les rapports de l'Eglise et de la royauté au Moyen Age? 20. Nommez trois ordres religieux et leur fondateur. 21. Comment se

caractérise la religion de la bourgeoisie au XIXème s. ? 22. Pourquoi peut-on parler d'un renouveau catholique à notre époque? 23. Quelles sont les différentes branches du Scoutisme Français? 24. Faites un résumé de l'Affaire Dreyfus. 25. Qu'est-ce que les prêtres-ouvriers?

Notes

1. Au cours de la Première Guerre mondiale (1914–1918), un million et demi de Français ont été tués.

   La Seconde Guerre mondiale (1939–1944) a causé les pertes en vies humaines suivantes:

militaires tués au cours de la campagne 1939–1940:	92,000
militaires tués sous le drapeau de la France Libre:	53,000
prisonniers morts en captivité:	30,000
fusillés et massacrés en France:	30,000
victimes civiles des opérations militaires:	133,000
exécutions sommaires, avant, pendant, et immédiatement après la Libération	30–40,000
prisonniers morts par suite de captivité	4,000

   Ceci fait un total de 400,000 morts, sur une population totale d'environ 42 millions. Aux Etats-Unis, avec une population de 175 millions, les pertes se sont élevées à 305,000 morts, dont 35,000 en Corée.

   D'autre part, plus d'un million de prisonniers de guerre français ont passé plusieurs années dans les camps allemands; près de 40,000 Français ont été incorporés de force dans l'armée allemande, et 200,000 personnes ont été soit ramassées et embrigadées pour aller travailler en Allemagne soit déportées dans les camps de concentration pour des raisons raciales ou politiques.

2. Aux Etats-Unis, un mariage sur quatre se termine par un divorce; en Grande-Bretagne, un sur treize; en Belgique, un sur seize.

3. A la campagne plus souvent qu'à la ville, les enfants participent aux petits travaux de la maison; ils doivent aider les parents, les frères et les sœurs plus jeunes, faire des courses, etc..., et le plus souvent sans rémunération; dans toute famille on cherche à développer le sens du devoir et de la responsabilité.

4. La situation parisienne est aggravée du fait que, chaque année, un grand nombre de provinciaux cherchent à s'installer dans la capitale, partageant parfois le logement d'un parent déjà installé à Paris.

5. Pendant les cinq années de guerre (1939–1944), un dixième des maisons et bâtiments de toute sorte ont été détruits, sur tout le territoire, par les bombardements, les combats, et les actes de sabotage accomplis par les forces clandestines de la Résistance contre les occupants (ponts coupés, incendies systématiques au moment de l'invasion, etc...)

6. Dans le nord et l'est, par exemple; en Normandie (Le Havre, Caen, Cherbourg); en Bretagne (Saint-Malo, Brest); sur l'Atlantique (Royan).

7. Un professeur de collège ou de lycée, licencié, reçoit de \$100 à \$300 par mois; s'il est certifié ou agrégé, son traitement va de \$150 à \$400.

8. De toutes façons, 60% des fonctionnaires touchent moins de \$125 par mois (traitement de base ne comprenant pas les prestations et allocations de la Sécurité Sociale) et 10% seulement gagnent plus de \$225.

9. Un autre moyen d'estimer le revenu d'une famille est de tenir compte des signes extérieurs de la richesse (ils sont presque toujours en dessous de la réalité en France). L'automobile, le téléphone, la télévision sont quelques-uns de ces signes extérieurs. Or il y avait, en 1961, pour mille Français 125 voitures, 90 abonnés au téléphone, et 30 récepteurs de télévision. En Italie, il y avait: 40 voitures, et 50 abonnés au téléphone. En Grande-Bretagne: 100 voitures, et 200 postes récepteurs de télévision. Aux Etats-Unis: 350 voitures, 400 téléphones, et plus de 300 postes récepteurs de télévision.

10. En 1960, il y avait 250,000 jeunes hommes de vingt ans à se présenter au Conseil de révision; en 1965, il y en aura 400,000.

11. Ces associations se chargent des intérêts matériels et professionnels des étudiants: les Cités et les restaurants universitaires, la Sécurité Sociale, etc. . ., et elles prennent parfois des décisions et des positions importantes concernant la situation politique générale.

12. Le Conseil de révision qui examine chaque année la nouvelle « classe » de jeunes gens en « ajourne » peu à l'année suivante, et en « réforme » encore moins; les étudiants sont presque les seuls à bénéficier, sur leur demande, d'un sursis afin de terminer leurs études; ce sursis est renouvelable jusqu'à l'âge de 25 ans. Toute l'organisation du système militaire est actuellement en transformation.

13. On trouve des moines, dès le IIIème s., à côté du clergé séculier; ce sont les premiers membres des ordres religieux, du clergé régulier. Au VIème s., au monastère du Mont-Cassin, en Italie, Saint Benoît groupe les premiers Bénédictins; et vers 910, à l'abbaye de Cluny, près de Mâcon, en Bourgogne, l'ordre des Bénédictins est réorganisé; plus tard, ce sont les Cisterciens, à Cîteaux, près de Dijon, aux XIème et XIIème s.; saint Bernard fonde l'abbaye de Clairvaux, en Bourgogne également; au début du XIIIème s., poussés par l'idéal de la pauvreté évangélique, des ordres mendiants se créent, comme les Carmes; les Dominicains, fondés à Toulouse, en 1200, par l'Espagnol saint Dominique, rédigent leur règle selon l'esprit de saint Augustin, en 1215; la Compagnie de Jésus enfin (les Jésuites) est fondée à Montmartre, à Paris, par le moine basque espagnol Ignace de Loyola, en 1534.

14. Bossuet (1627–1704), homme d'église, écrivain, orateur sacré, prêcha à Paris et à la cour.
   Fénelon (1651–1715), évêque et écrivain, est l'auteur du *Traité de l'éducation des filles*, *les Aventures de Télémaque*, etc. . .

15. Saint Vincent de Paul (1581–1660) fonda la Société des Filles de la charité et celle des Prêtres de la Mission.

16. L'organisation ecclésiastique de l'Ancien Régime avait été détruite par la Révolution. Le Concordat de 1801 ne chercha pas à reconstituer l'organisation nationale de l'Eglise de France que ni le pape ni Napoléon ne souhaitaient; en effet, une nouvelle église gallicane ne pou-

vait plaire au Saint-Siège, et Napoléon préférait l'émiettement des diocèses à une structure plus puissante. Désormais le gouvernement français nommait les évêques et les archevêques, et il les rémunérait comme des fonctionnaires; le pape leur donnait l'investiture canonique et il cessait toutes revendications à propos de la saisie et de la vente par la Révolution des biens du clergé en France.

17. La loi du 9 décembre 1905, dite loi de Séparation des églises et de l'Etat, considère les églises comme des groupements de droit privé, et elle établit les rapports entre elles et le gouvernement.

18. Le mouvement des prêtres-ouvriers commença en 1942, dans la clandestinité: des prêtres allèrent, en civil, dans les camps de travail obligatoire pour ouvriers français en Allemagne. A partir de 1943 et la création de la Mission de Paris, des prêtres vont travailler, en civil et comme ouvriers, dans les usines de Paris; ils vivent autant que possible la vie des ouvriers, tout en exerçant parmi eux leur vie sacerdotale. En juin 1959, le pape condamna le mouvement, qui, désormais rattaché aux Missions de France, perd son esprit de pionnier.

19. Parmi les plus connus: Matisse, Le Corbusier, et Rouault. Les églises les plus caractéristiques: Vence, entre Nice et Grasse; Ronchamp, près de Belfort; Assy, près de Chamonix.
    Henri Matisse (1869–1954) fut un des chefs du « Fauvisme » au Salon d'automne, en 1905; il simplifie le dessin et exalte la couleur.
    Georges Rouault (1871–1958), peintre expressionniste, peint des sujets religieux, des clowns, des prostituées, des juges.

20. Charles Péguy (1873–1914), chrétien, socialiste, patriote, dirigea les *Cahiers de la Quinzaine*, écrivit le *Mystère de la charité de Jeanne d'Arc*, etc...
    Paul Claudel (1868–1955), poète, auteur dramatique, ambassadeur, écrivit *Cinq grandes Odes, l'Otage, l'Annonce faite à Marie, le Soulier de Satin*, etc...
    Georges Bernanos (1888–1948) est l'auteur du *Journal d'un curé de campagne, Sous le soleil de Satan, la Grande peur des bien-pensants*, etc...
    François Mauriac, né en 1885, romancier, membre de l'Académie Française, et polémiste.
    Gabriel Marcel (né en 1888), auteur de nombreuses pièces à thèses, représente en France l'existentialisme chrétien.
    Jacques Maritain, né en 1882, fut d'abord le champion du bergsonisme, puis du néo-thomisme.
    Emmanuel Mounier (1905–1950), ancien directeur dynamique de la revue *Esprit*, aux tendances catholiques avancées, est l'auteur de *Qu'est-ce que le personnalisme?*

21. Leurs principales publications sont: *les Etudes* (revue mensuelle), *Témoignage chrétien* (hebdomadaire de gauche), *les Informations catholiques internationales, les Cahiers universitaires catholiques*, etc...

22. Ce sont principalement les Frères de la doctrine chrétienne, les Dominicains, les Dominicaines, les Maristes, les Jésuites.

23. C'est, d'une part, la Jeunesse Ouvrière chrétienne (la J.O.C.), la Jeunesse étudiante chrétienne (la J.E.C.), la Jeunesse agricole chrétienne (la J.A.C.), les cercles d'études, les colonies de vacances de

l'Action Catholique, et, d'autre part, le Scoutisme Français, avec ses Scouts de France (catholiques), ses Eclaireurs de France (non confessionnels), ses Eclaireurs Unionistes (en majorité protestants), et ses Eclaireurs Israélites; chacun de ces Mouvements possède sa branche féminine, et l'ensemble du Scoutisme Français groupe environ deux cent mille garçons et filles entre six et vingt ans.

24. Les protestants français sont soit Luthériens soit Calvinistes. Luther (1483–1546) est le réformateur allemand; Calvin (1509–1564), réformateur français, est l'auteur de l'*Institution de la Religion chrétienne*, publiée en latin en 1535 et en français en 1541.

Protestants et israélites, tout comme les catholiques, ont un grand nombre de publications, dont les principales sont: pour les protestants: *Réforme* (hebdomadaire), *la Revue Réformée;* pour les israélites: *l'Arche* (revue illustrée mensuelle), *les Cahiers de l'Alliance israélite universelle* (mensuels), *Evidence* (mensuelle), etc. . . .

25. L'Affaire Dreyfus divisa les Français à la fin du siècle dernier; un capitaine israélite fut accusé d'espionnage, condamné et déporté en 1884 à la Guyane; un second Conseil de guerre le condamna à nouveau à dix ans de réclusion; en 1906 enfin il fut reconnu innocent et réhabilité; il mourut lieutenant-colonel en 1935. L'écrivain Emile Zola (1840–1902), bataillant avec courage et passion en faveur de Dreyfus, écrivit l'article célèbre « J'accuse! La vérité en marche, l'affaire Dreyfus ».

D'autre part, et ce qui prouve que la tolérance a été plus lente à s'imposer en fait qu'en théorie, il faut signaler le mouvement anticlérical et anti-catholique qui accompagna l'application de la loi sur les Congrégations promulguée par le ministère d'Emile Combes, entre 1902 et 1905, et ne cesse vraiment qu'au commencement de la Première Guerre mondiale.

26. Protestants et israélites n'entretiennent qu'un petit nombre d'écoles privées.

27. Sous forme de conférences ils participent parfois à des programmes de la radiodiffusion nationale, le dimanche matin, entre une messe catholique et un service du culte protestant.

28. L'Eglise de France est administrativement divisée en dix-sept provinces, dirigée chacune par un archevêque, et en près de quatre-vingt-dix diocèses, dirigé chacun par un évêque. Depuis 1919, se tient chaque année une Assemblée générale de tous les cardinaux et évêques de France.

*Un coin des jardins
des Champs-Elysées,
près de la Place de la Concorde*

Les loisirs

Les Français ont la réputation de savoir se distraire, s'amuser, jouir de la vie. Ils partagent, bien sûr, les plaisirs de beaucoup d'autres peuples, mais il existe cependant des différences de détails et de proportions.

La promenade — Une des distractions, commune à tous les Français, quel que soit le milieu social, est la simple promenade, à pied, sans but utile et sans hâte. L'infinie variété des paysages s'y prête. Les bords de mer, en plages ou en falaises, sont générale-
5 ment plus accessibles au public qu'aux Etats-Unis; car, dans bien des endroits, la bande de terrain entre la mer et la route qui suit la côte de près appartient à l'Etat (c'est-à-dire à tout le monde), et les villas sont construites de l'autre côté de la route. Les sentiers de montagnes, ceux qui suivent les crêtes, mènent à des
10 « points de vue » que l'on va rituellement admirer. Les chemins sinueux de la campagne, à travers les prés et les bois, aboutissent souvent à une rivière ou une cascade. Les bois abondent, et les forêts, en partie propriétés de l'Etat, sont toujours bien entretenues, les branches mortes coupées et enlevées, les buissons et les
15 plantes au sol nettoyés, pour permettre aux arbres de se développer en hautes futaies. Fréquemment, au bout de ces promenades se trouve un petit café dont les tables, sur la terrasse ou sur la pelouse, sont disposées de manière à bien jouir de cette « vue » qui offre aux promeneurs un plaisir tangible, dont ils commentent
20 les détails, les couleurs, l'éclairage.

Les distances entre les villages sont courtes, et le but de la promenade est souvent d'aller faire une visite à des parents ou à des amis au village voisin, qui offriront le goûter traditionnel. Et même ceux qui ne disposent pas, ce dimanche-là, de beaucoup de
25 temps, iront tout simplement faire un tour au parc municipal ou au Jardin public.

En province, toutes ces promenades sont faciles à faire; mais, dans les grandes villes, en premier lieu à Paris, le même désir de promenade à pied subsiste; on prend alors le train ou l'autobus
30 pour atteindre un point où l'on pourra marcher. Dans les grandes et belles forêts de l'Ile de France, des milliers de promeneurs du dimanche réussissent à trouver une solitude et un calme relatifs.

Le voyage — L'habitude des promenades dénotant un besoin de découvertes, il n'est pas étonnant que de la promenade on passe
35 au voyage. Avec l'extrême développement des moyens de communications, avec l'amélioration récente du niveau de vie, les Français peuvent enfin satisfaire leur grand désir de voyager.

Le dimanche, et déjà dès le samedi après-midi, ils s'évadent, nous venons de le voir, aussi loin que possible, selon le temps qu'il
40 fait, et selon l'argent et les moyens personnels de transports dont ils disposent. Logiquement, leur congé payé, leurs vraies vacances, prennent une importance capitale. Seules les classes les moins fortunées (les familles de manœuvres, les vieillards sans pension suffisante) ne peuvent guère quitter la ville. Même avec un budget
45 modeste, on s'ingénie à trouver une petite pension, une « chambre chez l'habitant », sans confort, mais bon marché. Les frais de transports ne sont pas très élevés, puisque les trajets sont rela-

tivement courts. Les « vacanciers » que les questions d'argent préoccupent moins trouvent des hôtels moyens dans tous les jolis
endroits, près de la mer ou en montagne; ou bien, ils louent une
villa pour l'été, où la famille s'installe pour que les enfants profitent de leurs deux mois de plein air, tandis que le père vient les 5
rejoindre pour ses trois ou quatre semaines de vacances.

D'autres fréquentent les endroits à la mode, comme Saint-
Tropez ou Deauville.* Les Français ont toujours aimé voyager,
contrairement à ce que l'on dit parfois à l'étranger. Et, depuis
la Seconde Guerre mondiale, ils se déplacent encore plus facile- 10
ment qu'autrefois; ils circulent à travers la France; s'ils ne vont
pas se joindre aux foules des plages à la mode, ils s'établissent
dans des régions peu fréquentées (qui deviennent évidemment de
plus en plus rares). En outre, et ceci est vrai de tous les milieux
sociaux, ils vont beaucoup à l'étranger, en Italie, en Espagne, en 15
Grèce, au Portugal, en Yougoslavie (tous pays où la vie est meilleur marché qu'en France), même en Russie, en groupes organisés;
les Etats-Unis seuls nécessitent encore de trop gros frais pour attirer le touriste français moyen.**

Enfin, dans les cas où la famille entière n'a pas les moyens pécu- 20
niaires de voyager, les enfants tout au moins partent au grand
air: deux millions d'entre eux, entre quatre et quatorze ans,
passent plusieurs semaines, chaque été, dans des colonies de vacances,[1] bien encadrés par des moniteurs, des monitrices, des assistantes sociales; ces « colonies », administrées par des usines, des 25
paroisses, des municipalités, etc. . . se trouvent placées sous le
contrôle sanitaire de l'Etat. Plusieurs organismes nationaux de
scoutisme groupent aussi des garçons et des filles, séparément, en
associations confessionnelles et subventionnées par le gouvernement.[2]   30

La bicyclette — La popularité de la bicyclette (du vélo) diminue;
d'abord, parce qu'on peut se payer plus facilement qu'autrefois un
vélo-moteur ou un scooter, puis, parce que la circulation automobile a tellement augmenté que les routes sont devenues dangereuses
pour les cyclistes. Le « vélo » sert tout de même comme moyen de 35
transport économique et pratique pour les petites distances à
parcourir; il sert ainsi pour aller à l'usine ou au bureau, pour aller
faire le marché, pour aller.d'un village à l'autre. Les coureurs
cyclistes enfin, amateurs ou professionnels, attirent toujours des
spectateurs le long des routes et sur les stades.   40

La pêche est une distraction peu coûteuse, et fort répandue,
quand elle se pratique simplement, à la ligne et sans attirail compliqué. Les rivières, les canaux, les lacs, les étangs, sont souvent

---

* Saint-Tropez est sur la Côte d'Azur; Deauville sur la Manche. ** 30,000
touristes français sont venus aux Etats-Unis en 1962.

Scooter sur la Place de l'Etoile

empoissonnés par les Services des Eaux et Forêts. Sur le bord de la mer, la pêche est un peu plus compliquée, mais les estivants adorent prendre quelques crevettes au filet, ramasser des huîtres et des moules non-cultivées, ainsi que d'autres coquillages qui
5 sont relativement abondants sur la plupart des côtes françaises.[3] Par contre, la pêche qui demande un attirail spécial (la pêche au thon, par exemple), est bien moins répandue qu'aux Etats-Unis.

La chasse se pratique énormément dans certaines régions boisées, comme les Ardennes, ou marécageuses, comme la Sologne.* D'ail-
10 leurs, tous les cultivateurs sont un peu chasseurs. Le jour de l'ouverture de la chasse, si le gros gibier est rare, on trouve toujours du petit gibier, des lièvres et des lapins, et les paysans, passionnés de chasse, tirent même les petits oiseaux, ce qui, à la longue, devient désastreux pour l'agriculture.

* au sud d'Orléans, dans la boucle de la Loire

Le jardinage enfin plaît à tous les petits propriétaires; les femmes aiment s'occuper des fleurs, les hommes, du potager et du verger. En province, presque chaque famille possède son jardin (ou bien ambitionne d'en posséder un) à la fois par mesure d'économie et par goût personnel. Dans ces jardins, même minuscules, des fleurs 5 et des plantes, arrangées en bordures et en massifs, encadrent tout un choix de légumes, même s'il n'y a qu'un rang de chaque espèce. La vaste pelouse américaine ou anglaise est rare; au lieu de passer leur dimanche à la tondre, les membres actifs de la famille arrachent plutôt les mauvaises herbes et ratissent leurs allées de gravier 10 ou de petits cailloux. Beaucoup de municipalités réservent des terrains à la sortie de la ville, les découpent en jardins, et là, après le travail de la journée, des ouvriers, des employés, des petits bourgeois, vont se délasser, tout en labourant, sarclant, arrosant leur lopin de terre. 15

Le café — Sans qu'on puisse le qualifier à proprement parler de lieu de divertissement, le café tient une bonne place dans la vie des habitants des villages et des petites villes. C'est un lieu public de rencontres, de rendez-vous d'affaires: on y joue aux cartes, on y échange quelques tournées d'apéritifs ou de digestifs; on y con- 20 clut des marchés. Les hommes, et très souvent les ménages, s'y retrouvent le soir entre amis; on y discute politique (surtout politique locale), et on échange les potins du jour. Le cafetier doit avoir bon caractère, rester « l'ami » de tout le monde et se tenir au courant de tout. 25

A la ville, le café est naturellement fréquenté par des gens qui se connaissent moins bien entre eux; par beau temps, les terrasses sont garnies de clients. Bien des gens, des familles même, préfèrent s'inviter au café plutôt qu'à la maison, en fin de journée, ou bien, le dimanche, après la promenade.[4] Le fait que le logement moyen 30 est souvent peu confortable ou attrayant explique peut-être, en partie tout au moins, le succès du café.

Les foires et les bals — Les gens de la campagne se retrouvent aussi aux grandes foires de bétail, d'instruments, et de machines agricoles, ainsi qu'aux marchés périodiques ambulants de quin- 35 caillerie, de comestibles, de linge, de vêtements, etc... Ces foires et ces marchés permettent à tous ceux qui ne peuvent aller à la ville de trouver sur place ce dont ils ont besoin, de traiter des affaires, et tout simplement, de bavarder ensemble. Des bals s'organisent le soir et se prolongent tard dans la nuit. D'autre 40 part, les cirques, les manèges, les spectacles forains divers passent périodiquement dans les campagnes et dans les petites villes, et transforment provisoirement la place centrale en un véritable parc d'attractions.*

* un « Amusement Park »

Le cinéma, la radio, la télévision — A la campagne comme à la
ville, le cinéma perd un peu de sa popularité de jadis.[5] Les programmes, comme dans tous les pays, varient extrêmement, de la
ville au village. La France, outre les films de grande qualité
5 artistique qui font sa réputation à l'étranger, produit également,
dans des buts commerciaux, des films très libres, pour attirer le
public, et, comme dans tous les pays, une quantité de films de
mauvaise qualité qui sont rarement exportés. Il existe, d'autre
part, une grosse importation de films américains; les meilleurs,
10 qui sont en général bien compris et appréciés, et aussi les « grade
B », surtout des « Westerns », qu'on passe dans les salles de quartier et dans les petites villes et les villages, et qui donnent évidemment aux Français peu cultivés une idée un peu particulière
des Etats-Unis!
15 Chaque famille possède au moins un poste de radio; on écoute
régulièrement le « journal parlé », c'est-à-dire les nouvelles politiques, sociales, et sportives. On y écoute aussi d'autres programmes, mais le poste reste rarement ouvert d'une façon continue;
on écoute un certain programme; ce programme terminé, on ferme
20 le poste.

La R.T.F., la Radiodiffusion-Télévision Française, est un organisme d'Etat, placé sous l'autorité du ministre de l'Information. Aucune publicité (sauf d'une certaine manière, par des
comptes-rendus de livres, de films, de concerts, de pièces de
25 théâtre) n'interrompt le programme. L'Etat, par contre, fait
payer une taxe annuelle sur chaque appareil; c'est une sorte
d'impôt. Il y a actuellement plusieurs chaînes: France I, France II,
France III, qui atteignent, les deux premières, un public populaire, la troisième, des auditeurs plus intellectuels, plus cultivés.[6]
30 Bien entendu, les postes émetteurs des pays voisins de langue
française, avec publicité commerciale, sont écoutés aussi. Ils ne
sont ni meilleurs ni pires que les postes nationaux français, sauf
peut-être au moment d'une crise politique nationale ou internationale, auquel cas leurs nouvelles et commentaires sont libres et
35 indépendants du contrôle gouvernemental français.[7]

Si presque tout le monde possède un poste de radio, la télévision est encore considérée comme un luxe. Il n'y a pas actuellement trois millions de postes récepteurs (de « petits écrans »),
alors qu'il y en a dix en Grande-Bretagne, quatre en Allemagne
40 Fédérale. Le choix offert par les deux postes émetteurs actuels,
et sans publicité commerciale, est très limité, mais le niveau intellectuel, dans l'ensemble, en est pour le moment assez bon.[8]
Toutefois, beaucoup de familles ne sont pas convaincues, pour
la jeunesse, des avantages de l'image sur le livre.

45 *Les jeux et les jouets* des enfants sont semblables à ceux des enfants de tous les pays. Cependant, l'enfant français dispose probablement de moins de jouets que l'enfant américain, par exemple.

Il dispose aussi de moins de loisirs parce que son travail scolaire lui prend beaucoup de temps. Et il préfère probablement les jeux qui ne sont pas trop systématiquement organisés, soit par d'autres enfants soit par les grandes personnes. Il est capable, semble-t-il, de s'amuser seul et longtemps avec des jouets simples, ou même 5 avec des objets ordinaires que son imagination transforme en jouets véritables.

Et, parmi les distractions proposées aux enfants, la lecture de bons livres est toujours encouragée en premier lieu. D'ailleurs le choix de livres pour enfants, à tous les âges, est vaste, et la pré- 10 sentation artistique est d'excellente qualité; ils sont bien faits et attrayants et ils constituent souvent le cadeau principal à l'occasion d'une fête ou d'un anniversaire; les enfants les préfèrent souvent aux jouets, ils se les prêtent, et ils se montent peu à peu une petite bibliothèque. 15

Etalage de librairie, boulevard Saint-Michel

La lecture et la musique — Chez les adultes, deux distractions tiennent une bonne place: la lecture et la musique. Chaque famille possède un petite bibliothèque, quelque instrument de musique, des disques. Modestes collections de vieux livres scolaires, d'illustrés, dans les campagnes, elles sont importantes dans les familles des professions libérales ou encore dans les familles d'artisans et de techniciens. On est surpris de trouver des livres très sérieux, 5 des dictionnaires, des livres d'art, d'histoire, par exemple, dans des foyers par ailleurs fort humbles.

Quant aux jeunes amateurs de musique et de chant, ils se joignent à des chorales et aux « Jeunesses musicales », toutes sérieuses et très dynamiques. Ces groupes se déplacent beaucoup en France 10 et en Europe, et reçoivent en échange des groupes semblables venus de l'étranger.

Les sports — Tous les jeunes gens et un grand nombre de jeunes filles pratiquent un ou plusieurs sports.[9] Chaque usine, chaque établissement scolaire, public ou privé, possède ses associations 15 sportives, mais les garçons et les filles d'âge scolaire n'ont guère le temps, après la dernière classe de la journée, de pratiquer pleinement leur sport favori.

Le sport d'équipe le plus pratiqué est le football association, le ballon rond, à onze joueurs par équipe. On joue aussi beaucoup 20 au basket, au volleyball, et au rugby (selon les règles britanniques).

Dans le sud-ouest, autour de Biarritz, Bayonne, et Saint-Jean-Pied-de-Port, la pelote basque, nous l'avons vu, se pratique sur la place publique qui comporte un fronton. Une forme simplifiée et 25 moins rude de ce jeu se pratique dans les cours de récréation des lycées et des collèges, ainsi que partout où l'on trouve un mur convenable; c'est à peu près le « handball » américain, la balle au mur.

Parmi les sports individuels, et en dehors du cyclisme, *l'escrime* 30 et *l'équitation* sont pratiquées dans les milieux plus aisés. *Le tennis*, presqu'aussi répandu qu'en Grande-Bretagne, a des courts privés et publics partout. *La natation*, et *l'athlétisme* sous toutes ses formes,[10] sont encouragés par les municipalités, qui entretiennent des stades, des piscines, des « plages » sur le bord des rivières. Il 35 faut se souvenir que c'est un Français, le baron de Coubertin, qui a lancé les Jeux Olympiques, en 1896.

Les gens plus mûrs, comme il est normal, préfèrent des divertissements plus paisibles, comme *le jeu de boules*, qui se pratiquait autrefois seulement dans le Midi, et qui maintenant a envahi 40 presque toute la France; ou bien *le billard*, que l'on trouve dans l'arrière-salle de tous les cafés. Tout récemment même, le « bowling » américain a commencé à se répandre et à devenir très vite populaire.[11]

Parmi les autres sports individuels qui passionnent les jeunes 45 gens, *le bateau à voile* est très populaire sur la côte provençale et la côte atlantique; la Bretagne offre des golfes, des îles, des récifs, des marées, qui présentent des dangers passionnants à affronter.

Mont-Blanc: massif et glaciers, au Planpraz (2,000 m)

Des camps de navigation à voile sont à la disposition des jeunes amateurs qui veulent participer à des stages d'entraînement mixtes, sérieux, techniques. Un grand nombre de cours d'eau, reliés par des canaux, permettent de longs et lents voyages en péniche et en canoë. 5

En Méditerranée surtout, *la chasse sous-marine* est particulièrement populaire; l'eau y est limpide, la température agréable, et les « chasseurs » espèrent toujours faire quelque découverte extraordinaire, barque ou galère ancienne chargée de trésors.[12]

La montagne — Les Alpes et les Pyrénées sont fréquentées par 10 *les alpinistes* qui font de l'escalade, du rocher, ou de simples excursions, en été. Elles attirent en hiver des foules de *skieurs*, non seulement des jeunes, mais des gens mûrs qui vont passer des fins de semaine ou toutes leurs vacances (s'ils peuvent les prendre en hiver) dans des stations bien aménagées, avec des remonte-pentes, 15 des téléphériques, et des logements pour toutes les bourses. Un grand nombre de trains de ski, avec des tarifs spéciaux, amènent

Camping

les skieurs, de Paris, par exemple, en quelques heures vers les Alpes ou vers les Vosges; ou en une longue nuit, vers les Pyrénées; la neige, dans ces trois massifs, est toujours excellente; et, pour les bourses mieux garnies, l'avion offre des transports encore plus
5 rapides.

Les amateurs de *spéléologie* et ceux de *vol à voile* sont mi-sportifs mi-scientifiques. Les spéléologues sont déjà descendus jusqu'à trois mille pieds dans les Alpes du Vercors,* et, dans les Alpes comme dans les Pyrénées, ils recherchent les vraies sources et les
10 mouvements des cours d'eau souterrains. Les fanatiques du vol à voile ont des clubs un peu partout; encouragés par l'Etat, ils essaient, sans publicité, divers types de planeurs.

Depuis une vingtaine d'années, *le camping*, mis à la mode peut-être par le Scoutisme (importé en France entre 1911 et 1920), s'est
15 énormément développé, soit en groupes plus ou moins organisés, soit en famille. On compte aujourd'hui plus de cinq millions de

* à l'ouest et au sud-ouest de Grenoble

campeurs sur vingt-cinq millions de gens qui partent chaque année en vacances. Les municipalités et diverses associations ont aménagé à travers toute la France des terrains de camping, dont le confort varie selon la bourse des campeurs. De véritables « villages de tentes » se montent pour l'été, et les gens des villes (petits employés, secrétaires, étudiants, ouvriers) viennent y passer plusieurs semaines, au lieu d'aller à l'hôtel ou dans une pension.

Le Tour de France cycliste (organisé pour la première fois en 1895) occupe une place spéciale malgré les tendances récentes à la commercialisation. C'est la plus grande course annuelle, en juillet. Elle met aux prises, individuellement et par équipes nationales (française, italienne, suisse, espagnole), et par équipes régionales françaises, les meilleurs coureurs cyclistes du monde.

Le départ du Tour de France, à Nogent-sur-Marne

L'itinéraire varie chaque année.[13] La course comprend une vingtaine d'étapes, chacune de 150 à 300 kilomètres. En dehors des
trois ou quatre jours de repos complet, prévu pour tous les coureurs, chaque matin un nouveau départ est donné. Au premier
5 départ, plus de cent coureurs se présentent; à l'arrivée finale, il
ne reste plus qu'une cinquantaine de participants.[14] Le Tour de

La Course du Mans

France cycliste est en effet une longue série d'épreuves d'endu-
rance, de force, d'intelligence, de caractère: il y a les durs pavés du
nord, les routes sèches, le vent, la pluie, et surtout les cols pyré-
10 néens et alpestres, particulièrement dangereux aux descentes.[15]

D'autres courses qui passionnent tout autant un public spécialisé, ce sont *les courses d'automobiles*, comme celles de Reims, du Mans [16], et de Montlhéry (au sud de Paris), ou encore les courses qui prennent la forme de « rallyes » à travers toute une partie de la France (comme, par exemple, le « rallye » Cannes-Chamonix et le rallye de Monte Carlo) par des voitures ordinaires de tourisme, et contre la montre.[17]

Dans un genre moins « sportif », un vaste public, et mondain et prolétaire, s'intéresse aux chevaux et aux *courses de chevaux*. Toutes les grandes villes ont leur champ de courses; ceux de Paris, à Auteuil, à Chantilly, à Longchamp, sont très suivis; ce sont de vrais spectacles de grande allure; et des milliers de « joueurs », spectateurs ou non, y parient, légalement, de petites et de grosses sommes d'argent, selon leur bourse; le pari mutuel a de nombreux adeptes.

Encore moins « sportifs », mais « joueurs » tout de même, sont ceux qui, pour se divertir, fréquentent *les casinos* d'Aix-les-Bains, d'Evian, de Trouville, de Deauville, de Cannes, etc. . ., et jouent à la roulette et au baccarat.

Enfin, une quantité de joueurs beaucoup plus modestes prennent, presque chaque semaine, dans un café-tabac ou à un coin de rue, un billet (ou plutôt un dixième de billet, pour 3 francs) de *la Loterie Nationale*. Quelques-uns, bien sûr, gagnent un jour ou l'autre une somme d'argent respectable, mais l'Etat est toujours infailliblement le plus gros gagnant; la Loterie Nationale n'est en fait qu'un impôt supplémentaire payé volontairement.

Les fêtes

L'institution du « week-end » est devenue dans les pays anglo-saxons, ainsi que dans l'Europe du nord, une vraie petite « fête » régulière, attendue, une partie importante de l'existence. Il n'en va pas encore de même en France et dans les pays latins.

En France, quelques maisons de commerce ferment à midi le samedi: elles font « la semaine anglaise ». Beaucoup de bureaux et quelques grandes administrations en font autant. Mais les écoliers et les étudiants travaillent le samedi toute la journée (les écoles, nous le savons, ont congé le jeudi). La plupart des magasins d'alimentation restent même ouverts le dimanche matin, et ferment le lundi, de même que les Grands Magasins. Le repos hebdomadaire se distribue donc de façon irrégulière.

Tout calendrier indique pour chaque jour de l'année le nom du saint que l'Eglise catholique honore ce jour-là, et toute personne portant le prénom qui figure ce jour-là au calendrier célèbre sa « fête »; et ceci en plus de la fête d'anniversaire de naissance. « C'est ma fête » signifie aussi bien la fête de mon saint-patron que mon anniversaire de naissance. Les fleuristes, dans leur devanture, affichent souvent le prénom du lendemain afin d'encourager les amis à envoyer des fleurs à la personne de ce nom qu'ils connaissent.

Le Premier de l'An, et non pas le jour de Noël, est l'occasion
5 pour les grandes personnes d'échanger des vœux de bonne année, et des cadeaux (que l'on nomme « étrennes »). C'est ce jour-là, et non pas à Noël, que les parents donnent des cadeaux à leurs enfants, et que l'on envoie des cartes de « bons vœux » aux amis, accompagnées de cadeaux pour régler des dettes d'amitié ou
10 d'obligations sociales. Et dans les provinces qui conservent les traditions, on doit faire des visites à tous les membres plus âgés de la famille, pour leur souhaiter « bonne année et bonne santé ». C'est aussi le jour où l'on distribue les étrennes, sous forme de petites sommes d'argent, au facteur, au concierge,
15 aux boueux, et aux domestiques (si l'on en a !).

Le Jour des Rois, fête de l'Epiphanie, le six janvier, est l'occasion, en famille, ou pour des groupes d'enfants, de se partager une galette où l'on a dissimulé une fève (une sorte de haricot). Celui ou celle qui « tire » la fève est déclaré roi ou reine ; le roi se
20 choisit une reine dans l'assemblée, la reine se choisit un roi ; tout le monde s'écrie : « vive le roi », ou « vive la reine ».[18]

Le Mardi-Gras, juste avant le Carême, est encore célébré par des défilés de chars symboliques, décorés et fleuris, dans les villes de la Côte d'Azur, à Nice, à Cannes ; mais les traditions du Car-
25 naval se perdent dans le reste de la France.

Le premier avril, les enfants s'amusent à se jouer des tours et des farces ; ils s'écrivent des lettres mystérieuses, ils se font peur, ils changent leurs meubles de place ; lorsque l'un d'eux revient d'une course chimérique que ses camarades l'ont envoyé faire,
30 ceux-ci l'accueillent en criant : « poisson d'avril », ce qui revient à dire : « tu es un petit sot ; on s'est moqué de toi ; on t'a eu ! »[19]

A *Pâques*, les établissements scolaires publics et libres accordent au moins deux semaines de vacances.[20]

Le premier mai est un jour de fête légale ; c'est, en France, la
35 Fête du Travail, que marquent des défilés d'ouvriers et des discours politiques.[21] Mais ce jour-là surtout, des milliers de citadins partent tôt le matin rechercher à la campagne des fleurs de muguet. Traditionnellement, les muguets portent bonheur à ceux qui en mettent à la boutonnière ou qui en décorent leur foyer. Tous les
40 fleuristes en vendent, et on en offre à ses amies et à ses connaissances pour leur assurer une année de bonheur.[22]

Le second dimanche de mai, on observe *la Fête de Jeanne d'Arc* par des cérémonies religieuses et par des défilés officiels. Chaque ville possède une statue de Jeanne d'Arc ; de grandes gerbes de

Char du Mardi-Gras, à Nice

fleurs la recouvrent à cette occasion, et des sociétés mi-religieuses mi-patriotiques viennent y déposer des couronnes commémoratives.[23]

A *la Fête-Dieu* (Corpus Christi), le jeudi qui suit l'octave de la Pentecôte, des processions s'organisent dans les villages et les petites villes où la vie religieuse demeure vivace; les murs et les fenêtres des maisons sont décorés de fleurs et de beau linge blanc, et la procession va de reposoir en reposoir.*

* petit autel en plein air recouvert de fleurs

Le 14 juillet, anniversaire de la prise de la Bastille, en 1789, est l'occasion de grands défilés militaires. Celui de Paris, sur les Champs-Elysées, entre l'Arc de Triomphe et la Place de la Concorde, est particulièrement impressionnant. Ces défilés attirent
5 partout de grandes foules. Et le soir du 13 et du 14, les places publiques se transforment en bals populaires, avec de petits orchestres, après que des feux d'artifice ont illuminé la ville. Les feux d'artifice ont été de tout temps fort appréciés en France.[24] L'imagination, la recherche, le goût qu'on y trouve en font réelle-
10 ment un art mineur.*

Le 15 août, fête catholique de l'Assomption, est aussi une fête légale; elle tombe au milieu des chaleurs de l'été, et toute la France profite de ce congé (qui se rattache souvent en « pont »** au weekend) pour fuir la ville; les encombrements sur les routes rappellent
15 ceux du « Labor Day » américain.

Le premier novembre est aussi jour de fête légale: c'est la fête catholique de *la Toussaint*.[25] Le lendemain, *le Jour des Morts* (qui évoque le « Memorial Day » américain), toutes les familles vont
20 au cimetière faire une visite aux tombes de leurs parents et amis décédés.

L'Armistice de la Grande Guerre, la Première Guerre mondiale (1914–1918), se commémore légalement le 11 novembre.

Noël enfin, la dernière fête légale et religieuse de l'année a ses rites bien français. La messe de minuit rassemble les familles
25 catholiques; elle attire aussi par snobisme de grandes foules. Très souvent, un réveillon la suit: c'est un repas plus ou moins copieux et soigné selon les bourses. Il y a quelques arbres de Noël, mais moins qu'aux Etats-Unis, car la tradition du sapin vient des pays du nord. Noël est surtout la fête des enfants qui, avant de se
30 coucher, placent leurs chaussures devant la cheminée par où le Père Noël descendra pendant la nuit déposer les cadeaux demandés; et le matin (ou parfois même au retour de la messe de minuit, les enfants ayant été réveillés) on explore dans la joie les petits paquets qui s'entassent sur les chaussures. Noël demeure
35 une fête religieuse et familiale; beaucoup de familles, par exemple, disposent sur une table la « crèche » avec de petits personnages au réalisme folklorique (comme les « santons » de Provence)[26] devant laquelle les enfants se réunissent le soir pour se recueillir.[27]

* se dit de certains métiers d'art   ** Il y a « pont », « on fait le pont » lorsque la fête tombant le vendredi ou le mardi on a congé également soit le samedi soit le lundi.

La nourriture de chaque jour, de même que les bons repas des grandes occasions, tiennent une place importante dans la vie des Français. Ils aiment une cuisine soignée et variée; la question des vitamines les tourmente peu; ils aiment « ce qui est bon », et, pour eux, déjeuner et dîner peuvent et doivent être de vrais plaisirs. 5 Toutes les occasions sont bonnes: le dimanche, les jours de fêtes, les anniversaires, etc...; tout est prétexte à un petit festin, bien préparé, bien apprécié, qui suit un développement rituel, et dont on parle longtemps avant et longtemps après.

Ces remarques s'appliquent à tous les milieux sociaux. La table 10 absorbe une part relativement élevée du budget des familles modestes et pauvres. Et lorsque le budget ne se prête absolument pas aux nourritures facilement délicieuses, la maîtresse de maison fait tout de même de son mieux avec les aliments dont elle dispose, cherchant toujours la variété, même dans la simplicité. 15

Comptoir des viandes dans un supermarché

C'est un art modeste, mais méritoire, de préparer des mets à la fois savoureux et économiques. La ménagère utilise alors les légumes et les fruits de saison, bien meilleur marché que les primeurs; elle achète peu de conserves ou de mets déjà pré-
5 parés. Elle fabrique elle-même ses pâtisseries et ses desserts. Et elle ne jette jamais les restes: ou bien elle s'ingénie à les res-servir avec une présentation toute différente, ou elle les utilise dans la composition d'un nouveau plat.

Au total, la cuisine des petites gens, des ouvriers et des paysans,
10 ressemble peu à celle des restaurants, même très simples. La soupe, nourrissante et abondante, reste la base du dîner, le repas du soir. Les féculents, pommes de terre, nouilles ou riz, préparés avec beaucoup de goût et présentés sous des formes variées sont offerts en grandes quantités aux deux repas; les légumes verts, dont la
15 préparation est également soignée, sont servis généreusement et à part. Mais, la quantité et la qualité de la viande, beaucoup plus chère, surtout dans les morceaux de luxe (les rôtis, les grillades), varient considérablement selon les ménages. La viande est fré-quemment remplacée par les œufs ou le fromage.[28] La salade
20 (l'escarole, la laitue), servie à l'huile et au vinaigre, n'est pas tou-jours offerte à chaque repas. Et, pour dessert, on présente très fréquemment non pas un plat préparé, mais des fruits frais, des fruits de saison.

Dans les familles à budget moyen, apparaissent, plus fréquem-
25 ment au repas de midi, les hors-d'œuvre; et puis, presque toujours, viande ou poisson, et le café à la fin du repas. Le menu du soir est plus léger que celui du déjeuner.

Toutefois, quel que soit le milieu social, l'invité ne peut jamais juger de la cuisine habituelle de la famille. Par un mouvement de
30 vanité un peu naïve, la maîtresse de maison, dès qu'il s'agit de recevoir, augmente considérablement la qualité des aliments, le soin et l'imagination qu'elle porte à chaque plat. Elle sort son beau service, sa verrerie, son argenterie, son linge de table. Elle cherche ainsi à « faire honneur » à son invité, et elle se trouve
35 récompensée de ses efforts quand elle voit son hôte en apprécier et en commenter sobrement les résultats en connaisseur. Mais cette gentillesse n'est pas sans inconvénients. Une invitation coûte trop cher, en argent et en efforts, pour que la famille française amène facilement et spontanément n'importe quel ami à partager
40 son repas, et la vie sociale en est souvent diminuée. Pour com-penser cela on s'invite plus aisément à un thé, ou, pour les enfants à un goûter, qui consistent, les uns et les autres, en boissons simples (thé, café, chocolat, sirops, limonades), et quelques gâteaux. Ou bien, les amis viennent simplement passer la soirée après le
45 dîner, ce qui n'implique pas de préparatifs spéciaux.

Le vin, ou bien la bière, ou plus rarement le cidre, sont presque toujours servis aux repas; leur consommation en est fort variable. Dans les familles non pas misérables mais pauvres, il se peut que

Dîner familial

LA BOUTEILLE D'OR

Le Couvert 2.50

Belons la 1/2 dz 8.50   Potage aux Légumes 2,50
Claires Spéciales la 1/2 dz 4.75   Gratinée à l'oignon 4,50
Escargots de Bourgogne 7,50   Consommé de Volaille 3,00

~ Hors-d'œuvre ~

Pamplemousse   3.00   Harengs de la Baltique 3,50
Salade de tomates   3.00   Filet de Harengs p. à l'Huile 2,50
Salade de Concombres   3.00   Œuf mayonnaise   3,00
Salade niçoise   4.50   Pâté de Canard Maison 7,00
Cœurs de palmier   4.50   Saucisson sec   5,00
Fond d'Artichaut   4.00   Foie de Canard entier 11,00

~ Les Œufs ~

Omelette aux Fines Herbes 3,50 Omelette au fromage   3,50

~ Les Poissons ~

Bouquet d'Éperlans 6.00   Saumon grillé Béarnaise 9.00
Moules marinière 4,00   Truite au Bleu ou Marinière 8,00
Cigalons grillés Beurre fondu 7.00 Truite aux Amandes 9.00
Scampi fritti   7.50   Rouget grillé B. d'Anchois 9.00
Coquilles St Jacques 8.00   Sole Meunière   8.25

~ Les Spécialités ~

Poularde en fricassée 8,00 Le Caneton à l'orange 9.00
Rognons de Veau Lanceau 11,00 Boudin Normande   6,00

~ Grillades ~

La côte de Bœuf grillée 2 pers 19,00 Le 1/4 Poulet Rôti au cresson 7,00
Chateaubriant grillé   9.50   Steack au poivre   9.75
Les 2 côtes d'Agneau Vuppie 8,50 Entrecôte grillé   8.00
Rognons de Mouton grillés 7,50 Andouillette grillée, Foie de Volaille 6,00

~ Légumes ~
Haricots verts frais 3,00 Petits pois 2,50, Salade de Saison 2,50

~ Le Plateau de fromages 2.50 ~

~ Desserts ~
La Dame Blanche   4.00   Les Pâtisseries Bouteille d'or 3,50
Ile flottante 4,00   Crème caramel 3,00 Glace Vanille 3,00
Parfait café 3,00   Ananas au Kirsch 4,50
La corbeille de fruits 3,50
Café express 1.00

le vin (de qualité très ordinaire, et donc très bon marché) soit bu en quantité excessive; dans certains milieux plus riches et attachés aux valeurs matérielles de la vie, ce serait du vin de cru que l'on boirait exagérément; dans la majorité des familles, le vin est consommé avec la plus grande modération. On en donne 5 toutefois aux enfants: quelques gouttes dans chaque verre en font de l'eau rougie.

Cette question du vin est importante: qu'il en boive peu, beaucoup, ou trop, chaque Français s'estime compétent en la matière, et il décide avec soin et méthode du vin qui doit accompagner 10 chaque plat, ou tout au moins le plat principal. Bien entendu, la viande rouge (les grillades, les rôtis) demande du vin rouge, convenablement chambré.[29] Le poisson et les crustacés exigent du vin blanc sec; le vin doux ou demi-sec ne convient que pour les entremets (les plats sucrés servis après les fromages et avant les fruits), 15 les desserts. Les fromages doivent être accompagnés d'un vin un peu corsé*(comme les vins de Bourgogne ou des Côtes du Rhône). Si le vrai gourmet sert plusieurs vins au repas, il commence par un vin léger (un bordeaux, par exemple) pour terminer par des vins plus lourds. Mais surtout, il choisit soigneusement les meil- 20 leures années de production; il y a en effet de grandes différences entre les bonnes et les moins bonnes années, et ces variations diffèrent également selon les crus.[30]

La plupart des vins dits « ordinaires » sont des mélanges anonymes, certains assez médiocres, servis dans les restaurants 25 en « carafe » ou en « carafon »; ils viennent généralement du Languedoc, du Sud-Ouest, de l'Algérie.

Les alcools les plus connus portent le nom de leur lieu d'origine.[31] Les liqueurs, moins fortes que les alcools, se boivent avec le café qui termine un grand repas; c'est, par exemple, un Coin- 30 treau, une Marie-Brizard, une Bénédictine, une Chartreuse, etc. . .

Les apéritifs, comme le Cinzano, le Dubonnet, le Pernod, le Byrrh, etc. . . semblent perdre un peu de leur ancienne popularité. Depuis la dernière guerre, les boissons non-alcooliques sont devenues très populaires; ce qu'on boit normalement de plus en plus 35 quand on se retrouve au café, chez des amis, ce sont des limonades, des orangeades, en petites bouteilles, du coca-cola (moins apprécié toutefois qu'aux Etats-Unis), des citrons pressés, des jus de fruits (dont le prix est encore relativement élevé), ou du lait parfumé d'un sirop. 40

L'eau de table est bien plus saine que ne le prétendent de mauvaises langues. Toutefois, les estomacs délicats, les malades du foie, s'offrent le luxe d'eaux minérales en bouteilles: eaux de Vichy, de Badoit, de Saint-Yorre, etc. . .**. Peu de gens, en tout cas, ne boivent que de l'eau ordinaire aux repas, et encore moins boivent 45

* full-bodied ** La plupart de ces eaux minérales viennent du Massif Central.

du lait (les jeunes enfants exceptés). Boire du vin, en petites quantités et coupé d'eau ou non, fait partie des manières traditionnelles de la table.

Voici quelques autres manières de table, généralement jugées 5 importantes, qui classent les invités parmi les gens bien élevés et . . . les autres. Il est de bon ton de poser ses deux poignets sur la table; dès leur plus jeune âge, les enfants doivent prendre l'habitude de se tenir bien droits leur chaise; il est permis de s'aider d'un morceau de pain pour pousser les aliments sur la fourchette; 10 il faut éviter de prendre un os avec ses doigts; on n'aide pas les dames à s'asseoir, comme aux Etats-Unis, et on ne fume pas à table, ou tout au moins avant le café (que la maîtresse de maison ne sert qu'après le dessert).

L'art du bien manger se pratique partout en France. Il existe 15 tout de même certaines régions et certaines villes qui se piquent, avec raison, d'offrir des menus particulièrement soignés: le Périgord, les Landes, Lyon, Dijon, Paris, etc. . . De véritables itinéraires gastronomiques sont proposés à ceux qui partent en vacances.[32]

20 La réputation du « cordon bleu » et du « chef » français est mondiale. Toutes les grandes villes du globe possèdent leurs grands restaurants français, authentiques ou non. Air France et la « Transat » * savent tirer parti de l'attrait qu'exerce la cuisine française sur le voyageur. Bien des menus, rédigés en langues 25 étrangères, empruntent des termes culinaires français pour donner un certain cachet à la fois mystérieux et de bon augure aux plats qu'ils offrent. Il entre là, certes, un peu de snobisme, mais aussi beaucoup d'admiration pour la cuisine française de qualité.

Le tourisme

Les touristes français sont en France, naturellement, les plus 30 nombreux. Il faut distinguer parmi eux plusieurs catégories; beaucoup d'estivants, de « congés payés » ne font que déplacer leur ménage et leurs habitudes hors de la ville, sur une plage ou dans un village de montagne. D'autres recherchent des sites historiques, artistiques, ou même établissent un itinéraire compliqué qui les 35 mène d'une spécialité gastronomique à une autre.

Les régions les plus touristiques sont la Bretagne, la côte atlantique et le littoral méditerranéen. Viennent ensuite les régions montagneuses: les Alpes, les Pyrénées, les Vosges, le Jura, le Massif Central. Paris, par contre, attire beaucoup de provinciaux 40 tout le long de l'année, et la plupart des étrangers qui traversent la France en été s'arrêtent au moins quelques jours dans la capitale.

* la Compagnie Générale Transatlantique, la « French Line »

Quant aux étrangers, leur chiffre s'élève à près de cinq millions par an. Ils se répartissent généralement de la façon suivante:

Deux cyclistes étrangers
demandant leur route à Mulhouse

17% de Britanniques, 31% de Belges, Hollandais et Luxembourgeois, 10% d'Allemands, et 12% d'Américains du nord. Ils circulent tous un peu partout, et la plupart d'entre eux séjournent 5 quelque temps sur la Riviera française ainsi qu'à Paris.

Il peut être intéressant de remarquer que certains coins de France ne voient passer que très peu d'Américains; car ils semblent craindre d'explorer les parties du pays qui ne se trouvent pas sur les grands itinéraires préparés par les agences de tourisme inter
5 national, et évitent par exemple, les petites villes du Centre, de la Normandie, et du Sud-Ouest.

L'industrie hôtelière, en progrès dans l'ensemble, n'a peut-être pas encore atteint en province le niveau souhaitable.[33] Et les exigences et les habitudes américaines ne sont pas toujours satis
10 faites par le confort et les services que l'on trouve aujourd'hui dans bien des hôtels moyens.

Les transports publics sont bons. La Société Nationale des Chemins de Fer Français,[34] avec ses Michelines * et ses trains rapides, est connue pour la ponctualité et la rapidité de son ser
15 vice; ses voitures sont suffisamment confortables; le système des « Pullman » y est inconnu, mais la 1ère classe en tient lieu; le confort de la 2de classe lui est à peine inférieur, mais les voyageurs y sont plus serrés qu'en 1ère. Les wagons-lits et surtout les couchettes rudimentaires dans les voitures ordinaires ne coûtent
20 relativement pas cher; et enfin, la cuisine des wagons-restaurants est fort acceptable.[35]

Les grandes lignes sont électrifiées, ou bien des locomotives à Diesel remplacent de plus en plus les locomotives chauffées au charbon. Chaque voiture possède un couloir latéral, sur lequel
25 ouvrent les portes des dix compartiments, chaque compartiment comprenant six ou huit places respectivement en 1ère et en 2de classes. Enfin, la climatisation n'étant généralement ni nécessaire ni à la mode, les voyageurs peuvent ouvrir à leur gré la plupart des vitres-fenêtres.

30 Le réseau routier comprend de bonnes routes nationales, assez directes et moyennement rapides, et d'excellentes routes secondaires, pittoresques, moins rapides; mais toutes sont extrêmement bien entretenues; la signalisation y est fort bien faite et uniforme; et, sur la majorité de ces routes, la limitation de vitesse est à peu
35 près inexistante, sauf dans la traversée des villes et des villages.

Des cars Citroën et des cars Renault (correspondant à peu près au « Greyhound » américain), ainsi que bien d'autres cars appartenant à de petites compagnies privées, sillonnent les routes et offrent, tout comme les chemins de fer le font d'ailleurs, des billets
40 circulaires fort avantageux.

Plusieurs grandes villes possèdent naturellement leur aérodrome, et les communications aériennes intérieures sont assez satisfaisantes. Cependant, étant donné les distances relativement courtes à parcourir et le confort et la rapidité des trains, il vaut souvent

* train composé d'une ou deux voitures, automotrices, qui à l'origine étaient montées sur pneumatiques (pneus Michelin); aujourd'hui on les appelle plutôt « autorails ».

mieux prendre les rapides Paris-Lille ou Paris-Strasbourg ou Paris-Lyon ou même Paris-Bordeaux, plutôt que d'ajouter au trajet d'avion le temps nécessaire pour aller de la ville de départ à l'aérodrome, puis de l'autre aérodrome à la ville d'arrivée.[36]

Quel que soit le moyen de transport choisi, le voyageur ne peut s'empêcher d'être frappé par l'abondance et la clarté des plans, des cartes, des diagrammes, des horaires mis partout à sa disposition, et dans les gares et dans les voitures. Il peut également profiter des Syndicats d'Initiative que l'on trouve jusque dans la plus petite ville; dans ces modestes bureaux de tourisme, désintéressés, les employés sont généralement très au courant de la situation locale et indiquent les excursions réalisables, les hôtels disponibles, etc...

Vocabulaire de Revision et Exercice

Choisir, parmi les catégories suivantes, trois mots ou groupes de mots, et les expliquer à l'aide de deux ou trois phrases complètes.

1. la promenade; faire un tour; s'évader; le jardinage; le réveillon
2. le Journal parlé; un écran; un pari; une équipe; une course; la Loterie Nationale; une quincaillerie
3. l'équitation; l'escrime; la natation; l'athlétisme; un défilé; les Jeux Olympiques
4. la chasse sous-marine; la spéléologie; le Tour de France cycliste; la pêche; la chasse; le scoutisme
5. un apéritif; une grillade; un rôti; un mets; un entremets; un alcool; une liqueur
6. le 1er avril; le 1er mai; un jour férié; le 14 juillet; le feu d'artifice; la Toussaint
7. la semaine anglaise; les étrennes; le muguet; une boutonnière; un ménage

Questions

1. Aimez-vous la promenade à pied telle qu'elle est décrite ici ? Pourquoi ? 2. Quelles promenades faites-vous vous-même ? Expliquez. 3. Enumérez les différentes raisons pour lesquelles on peut aimer voyager. 4. Où les Français vont-ils passer leurs vacances ? 5. Que fait-on des enfants pendant les vacances ? Expliquez. 6. Expliquez l'importance de la bicyclette. 7. Expliquez en quoi consiste le Tour de France cycliste. 8. Essayez d'énumérer les raisons pour lesquelles les Français aiment le jardinage. 9. Quelles fonctions le café joue-t-il au village ? à la ville ? 10. Que fait-on dans une foire ? 11. Pesez, aussi objectivement que possible, les avantages et les désavantages d'une Radiodiffusion-Télévision contrôlée par l'Etat. 12. Qu'aimez-vous mieux pratiquer, les sports individuels ou les sports d'équipe ? 13. Nommez cinq sports individuels, et dites brièvement en quoi chacun d'eux consiste. 14. Qu'entend-on par « athlétisme » ? 15. Décrivez un sport individuel de votre choix. 16. Que pensez-vous du pari mutuel ? de la Loterie Nationale ? Présentez objectivement vos arguments pour et contre. 17. Comparez les coutumes françaises et américaines se rapportant au Premier de l'An et à Noël. 18. Quels sont les deux aspects que prend le premier mai en France ? 19. Indiquez quelques-unes des caractéristiques de la cuisine française qui vous frappent le plus. 20. Pour quelles raisons un étranger peut-il difficilement juger de la cuisine habituelle dans une famille française ? 21. Que boit-on à table ? Commentez. 22. Nommez et localisez une demi-douzaine de vins français. 23. Nommez et localisez trois alcools; nommez trois liqueurs. 24. Indiquez quelques-unes des manières de table considérées comme importantes par les maîtresses de maison. 25. Que

peut-on appeler « itinéraire gastronomique » ? 26. Combien
d'étrangers viennent en France chaque année ? Où vont-ils ?
27. Dites tout ce que vous savez de la S.N.C.F. et de ses trains.
28. Dites tout ce que vous savez des routes françaises. 29. Combien de temps faut-il pour aller par train de Paris à quatre autres
grandes villes ? 30. Nommez une dizaine de fromages.

Notes

1. Ce sont, pour la plupart, des camps rudimentaires organisés sans
aucune intention de profit.

2. Il y a environ 125,000 Scouts de France, catholiques; 12,000 Eclaireurs
Unionistes, de direction protestante; 15,000 Eclaireurs de France,
neutres; 1,000 Eclaireurs Israélites; auxquels il faut ajouter les Guides
et les Eclaireuses des branches féminines (50–60,000). Dans chacun de
ces Mouvements, les principes et les méthodes sont franco-britanniques, et assez différents de ceux pratiqués aux Etats-Unis par les
« Boy Scouts of America ».

3. Les huîtres et les moules de meilleure qualité sont « cultivées » dans
des « parcs », et les propriétaires de ces « parcs » n'aiment guère les
gens qui viennent les piller.

4. Bien qu'une bonne partie de la clientèle des cafés ne consomme guère
de boissons alcooliques, ou très peu, il y a tout de même trop de cafés.

5. Il y a moins de 6,000 salles de cinéma en France, dont 500 à Paris; et
il y a moins de 300 millions de spectateurs par an.

6. France I donne des actualités en direct, des chansons et de la musique
faciles et populaires. Les programmes de France II sont de qualité un
peu supérieure. France III donne des conférences, de la grande musique, conduit des enquêtes, et peut passer des journées entières sur
un sujet historique ou culturel (une journée sur la Grèce antique, une
autre sur Byzance); le dimanche matin, France III peut offrir à ses
auditeurs, successivement, une messe catholique, un service protestant, et une allocution par un franc-maçon. Des programmes en
modulation de fréquence sont de très grande qualité. Et enfin, des
programmes éducatifs spéciaux s'adressent aux enfants hospitalisés ou
malades à la maison, et leur donnent des programmes scolaires
officiels.

7. Ce sont des postes émetteurs situés au Luxembourg, dans la principauté d'Andorre, à Monte-Carlo, etc. . . qui diffusent en langue
française. On peut capter également les programmes réguliers d'Angleterre, d'Italie, et d'Espagne.

8. Techniquement parlant, c'est-à-dire selon le nombre de lignes utilisées
pour obtenir l'image, la télévision française passe pour supérieure à la
télévision américaine.

9. Quoique les sports individuels soient probablement plus populaires,
il y a environ 60,000 clubs sportifs et plus de trois millions de membres
inscrits.

10. L'athlétisme comprend les courses de 100 et de 400 mètres, les courses
de fond, de demi-fond, les courses-relais, les sauts en hauteur, en
longueur, à la perche, le lancer du poids, du javelot, du disque, etc. . .

11. Parmi les autres sports importés, le golf se répand de plus en plus dans les milieux aisés.

12. Dans le Midi aussi, ainsi que dans le Sud-Ouest, on organise des courses de taureaux (avec mise à mort, principalement à Bayonne, à Dax, et à Toulouse). Moins dangereuses sont les « courses landaises », où des jeunes gens doivent arrêter de jeunes vaches sauvages qu'on a lâchées dans les rues barricadées de la petite ville et auxquelles ils doivent arracher une cocarde fixée entre les cornes de l'animal.

13. Le départ se donne dans une grande ville de la région parisienne, et l'arrivée a toujours lieu au Parc des Princes, l'un des grands stades de Paris.

14. Chaque étape, chaque contrôle en cours de route, a son vainqueur, ses prix et ses primes. Le temps mis à parcourir chaque étape s'additionne pour chaque coureur, et le « maillot jaune » est porté par le coureur qui a réussi le meilleur temps. Tous les coureurs qui restent en course au moins quelques jours gagnent quelque chose, et le vainqueur final retire de sa victoire plusieurs millions (d'anciens francs) bien gagnés.

15. Une foule de journalistes et de reporters pour la radio, la télévision, suivent de très près, entre les voitures officielles de la course et les voitures de secours et de réparations. Ce tout constitue une caravane invraisemblable de vrais sportifs et de camions publicitaires, qui va de ville en ville, pendant un mois, et passionne les populations tout le long de l'itinéraire.

16. Le Mans, entre la Normandie et la Touraine, est une ville connue par sa cathédrale du XIIème s., son circuit automobile, et ses industries (constructions mécaniques, textiles, alimentaires).

17. Les premières rappellent les courses de Cincinnati, Ohio, mais les « rallyes » présentent une certaine originalité.

18. En janvier également, le 21, la Saint Charlemagne se célèbre encore parfois dans les lycées; les premiers élèves de chaque classe sont invités à dîner avec quelques professeurs; on boit une coupe de champagne et on écoute des discours sur les études, sur Charlemagne (qui n'est point un saint liturgique) et l'intérêt légendaire qu'il a montré aux écoles et aux élèves pauvres.

19. L'origine de ces plaisanteries remonte au règne de Charles IX (1560–1574), pendant lequel le 1er avril devint le 1er janvier; il en résulta de nombreux malentendus; le poisson est, d'autre part, le signe correspondant du Zodiac.

20. A l'occasion de Noël, les écoles donnent à peu près trois semaines de congé; l'été, les « grandes vacances » durent au moins deux mois et demi.

21. Ces défilés sont de moins en moins populaires.

22. Il ne faut point voir là de superstition, mais une simple tradition charmante. Dans certains bureaux, par exemple, les secrétaires trouvent sur leur table, en arrivant le matin, plusieurs petits bouquets de muguet, déposés là par les hommes du même bureau; les secrétaires moins jeunes ou moins jolies, de peur de ne pas trouver de muguet, se hâtent d'arriver avant l'ouverture pour en déposer elles-mêmes sur leur table.

23. Le jeudi de l'Ascension (quarante jours après Pâques) est un jour férié légal; il en est de même du dimanche et du lundi de la Pentecôte (le septième dimanche après Pâques).

24. Ils l'étaient déjà sous Louis XIV au palais de Versailles.

25. Cette fête permet à l'Eglise catholique d'honorer tous les saints qui ne peuvent figurer au calendrier liturgique.

26. C'est le nom donné, en Provence, aux petits personnages bibliques en argile qui ornent les « crèches » dans les familles et dans les églises.

27. Le « Thanksgiving Day » américain n'a évidemment point sa contre-partie en France; on le traduit d'habitude: la « Journée d'Actions de Grâce ».

28. Il en existe plusieurs centaines d'espèces, selon le lait utilisé (laits de vache, de brebis, de chèvre), et la recette séculaire suivie pour la pré-paration. Certains fromages fermentés ont une pâte molle (comme le Brie, le Camembert, le Rivarot, le Pont-L'Evêque, etc...); d'autres ont une pâte pressée (le Cantal, le Reblochon); d'autres encore ont une pâte pressée cuite (le Gruyère); certains sont des fromages frais (le fromage à la crème, le Petit Suisse, la crème Chantilly); les roque-forts comprennent le Bleu d'Auvergne et le Saint-Marcellin (faits avec du lait de brebis); le lait de chèvre donne enfin, parmi bien d'autres, le Chabichou, le Sainte-Maure, etc...

29. Chambré, c'est-à-dire servi à la température de la chambre, de la salle-à-manger; les bordeaux préfèrent une vingtaine de centigrades (environ 68 degrés F); les bourgognes doivent être servis un peu plus frais.

30. Voici quelques-uns des principaux vins que l'on peut trouver sur une carte des vins dans un restaurant moyen: des bordeaux rouges (le Saint-Emilion, le Saint-Estèphe, etc...), des bordeaux blancs (le Graves, le Sauternes, etc...), des bourgognes rouges (le Chambertin, le Nuits-Saint-Georges, le beaujolais etc...), des bourgognes blancs (le Chablis, le Pouilly-Fuissé, etc...), des vins blancs d'Alsace et de la Moselle, des vins blancs de la Loire (le Muscadet, le Vouvray sec, demi-sec, et doux), des vins rosés de la vallée du Rhône (les Côtes du Rhône, etc...); des champagnes secs et des champagnes mousseux (ceux-ci pour les grandes occasions seulement).

31. Ce sont: le cognac, produit tout autour de la ville de Cognac, en Charente, entre Angoulême et Saintes; l'armagnac, de la région du même nom, au pied des Pyrénées; le calvados, en Normandie, autour de Caen (département du Calvados).

32. Voici, par exemple, quelques-uns des plats que l'on peut déguster au cours d'un circuit à travers les anciennes provinces: en Bretagne, le homard à l'armoricaine; en Normandie, les filets de sole normande, et le carré d'agneau de pré-salé; en Alsace, le filet de bœuf en gelée stras-bourgeoise, et le saumon du Rhin braisé au Riesling; dans l'ouest et le sud-ouest, les filets de sole rochelaise, le poulet sauté aux cèpes à la bordelaise, les tournedos grillés béarnais, les côtes de veau sautées basquaises, la pipérade; au Centre, le filet de bœuf limousin, le coq au vin et les filets de truite d'Auvergne; dans la région lyonnaise, la volaille à la crème, les quenelles de brochet lyonnaises, le canneton au vieux vin de Bourgogne; dans le Midi, les filets de rougets sautés à la

Provençale, le poulet de grain sauté à la Niçoise, la bouillabaisse, etc. . .

33. La France dispose tout de même de plus de 450,000 lits d'hôtel (contre moins de 300,000 en Grande-Bretagne, moins de 200,000 en Italie, et 100,000 en Suisse).

34. Société nationalisée, ses recettes atteignent 98% des dépenses pour le trafic des marchandises, 97,5% pour les voyageurs, et 78,7% seulement pour les trains de banlieue de la région parisienne.

35. Toutefois, en 2de classe, beaucoup de voyageurs emportent de la maison un repas froid ou tout au moins un solide casse-croûte, et ils ne vont pas au wagon-restaurant.

36. Durée du trajet et nombre de trains par jour entre Paris et quelques grandes villes: Paris-Bordeaux, 5 heures, sept trains par jour; Paris-Lyon, 4–5 heures, onze trains par jour; Paris-Marseille, 7–9 heures, neuf trains; Paris-Lille, 2 heures, douze trains; Paris-Toulouse, 8 heures, six trains; Paris-Le Havre, 2–3 heures, cinq trains. La S.N.C.F. se vante avec raison d'une ponctualité à 97%, pour les trains de voyageurs, et de 95%, pour les trains de marchandises. Plus de 20% de ses lignes sont électrifiées, et celles-ci transportent 70% du trafic.

17

L'AGRICULTURE

C'est d'un avion, ou mieux, d'un hélicoptère, ou bien sur des photos aériennes, qu'il faut voir la terre de France. Le sol est découpé en petites parcelles rectangulaires serrées, bien délimitées, bien marquées, bordées de haies vives, de rideaux d'arbres, de cours d'eau, de bois et de forêts. Les différentes couleurs indiquent 5 la variété des cultures, et tout ce découpage donne l'impression d'un jardin fort soigné, parfaitement entretenu.

Cette variété des cultures tient au moins à deux raisons: le morcellement traditionnel des propriétés, d'une part, et le fait que les périodes géologiques successives ont toutes laissé leur marque, 10 et que l'on rencontre fréquemment, sur une superficie relativement limitée, des sortes de terrains appartenant à plusieurs époques géologiques. En outre, ouverte sur trois mers, avec trois grands massifs montagneux, recevant de directions différentes des vents humides, des vents froids, des vents chauds, la France 15 présente une gamme de climats qui, sans être extrêmes, sont très variés.[1]

45 millions d'hectares * sont productifs, sur une superficie totale de 55 millions d'hectares; ceci représente une proportion beaucoup plus élevée que celle de la majorité des autres pays; 20 cinq millions sont occupés par les villes, les routes, etc. . ., et cinq millions sont nettement inutilisables: ce sont les montagnes, les lacs, etc. . .; mais il n'y a pas de désert, pas de vastes étendues stériles. Près de la moitié des terres utilisables sont labourées et donnent des céréales, des cultures maraîchères, des fruits et de 25 la vigne. L'autre moitié se partage entre les forêts et les bois, d'une part, et les herbages destinés à l'élevage, d'autre part.

La France est toutefois trop souvent considérée comme un pays essentiellement agricole. On ne tient pas assez compte de son essor industriel extraordinaire des vingt dernières années. 30 Aujourd'hui en effet, sur une population active totale de plus de 19 millions de personnes,[2] la population agricole active n'en comprend qu'un peu plus de quatre millions, dont un tiers de femmes. La mécanisation de l'agriculture, les gros progrès techniques de l'irrigation, de l'alternance des cultures, et une meilleure utilisa- 35 tion des engrais, produisent un rendement extrêmement plus élevé avec une main-d'œuvre beaucoup plus réduite qu'autrefois.[3]

* environ 135 millions d'« acres »

A la variété de la campagne française, à la variété de son sol et de son climat, correspond une grande diversité de cultures et de produits agricoles.

Dans le Midi, ce sont des champs d'oliviers, de maïs, de fleurs,
5 des cultures intensives de légumes et de fruits. Les grands vignobles, ceux qui produisent les meilleurs vins, se trouvent dans le Bordelais, la Champagne, la Bourgogne, la vallée de la Loire; le Languedoc donne surtout des vins ordinaires en grandes quantités. Au total, les vignes ne couvrent pas énormément de terrain
10 (3% seulement du territoire), mais la France demeure tout de même le plus grand producteur de vins du monde.

En Normandie, ce sont des prés pour l'élevage et des pommiers; avec les pommes on fait du cidre, et du calvados, alcool du même genre que le cognac et l'armagnac. Dans le nord et le nord-est,
15 ce sont des champs de blé et betteraves fourragères, pour l'élevage, de betteraves industrielles, pour la fabrication du sucre et celle de l'alcool brut, et des champs de houblon, pour la fabrication de la bière.

Cultures en terrasses, en Provence

Il y a peu de maïs, mais on récolte beaucoup d'autres céréales, surtout du blé,* ainsi que du foin; le blé se trouve un peu partout, et occupe de grandes étendues en Beauce, entre Paris et Orléans, ainsi que dans les plaines du nord et de l'Ile de France; le foin constitue un fourrage moins riche que le maïs, mais il 5 présente le grand avantage de ne pas épuiser le sol, d'empêcher l'érosion, qui, par conséquent, n'existe presque pas en France.

Ce qui frappe dans l'agriculture française, c'est que dans presque toutes les régions se trouvent plusieurs cultures, même là où l'une d'entre elles l'emporte vraiment sur les autres. Même la petite ex- 10 ploitation, celle de moins de dix hectares, ne dépend pas souvent d'un seul produit. Comme le climat et le sol le permettent, le cultivateur, instinctivement, par tradition et par un vieux besoin de sécurité, fait pousser un peu de tout afin d'éviter le risque des mauvaises années, des mauvaises récoltes. Il possède toujours son 15 jardin potager, son verger; et, pour sa consommation personnelle, et pour la vente, il élève quelques volailles, quelques moutons, quelques vaches, des porcs, un ou deux chevaux. Il se trouve ainsi protégé contre les fluctuations du marché international et contre les intempéries. Si le rendement de certains de ses produits 20 vient à baisser excessivement, pour une raison ou pour une autre, il se rabat sur ses autres produits; il se sent ainsi mieux protégé en cas de désastre, en cas de guerre, et plus simplement en cas de gelée ou de grande sécheresse.

Les principales zones de monoculture se rencontrent dans la 25 Beauce (pour le blé), dans le Languedoc (pour la vigne), et dans une partie de l'Ile de France, de la Picardie, de la Champagne (pour la betterave et pour le blé).[4]

Les cultures maraîchères sont particulièrement prospères dans le Roussillon, près des Pyrénées et en bordure de la Méditerranée, 30 en Provence, dans les vallées de la Loire et de la Garonne, et en Bretagne. La moitié de la production des pommes de terre va à l'élevage des porcs; le reste suffit à la consommation. La France produit assez de légumes et de fruits pour pouvoir en exporter une partie, surtout des primeurs. 35

Le blé, malgré la forte consommation sur place — le Français mange relativement beaucoup de pain — s'exporte assez régulière-ment.[5] La culture du riz enfin, culture récemment acclimatée en Camargue, suffit désormais à la consommation du pays.[6]

Une caractéristique intéressante de l'agriculture française d'au- 40 jourd'hui est le développement que prend la production de la viande de boucherie; la prospérité générale permet en effet de manger mieux que naguère. Il en résulte une expansion de l'élevage et une plus grande culture des plantes fourragères et des herbages. L'élevage des porcs, surtout dans l'ouest, donne un million de 45 tonnes de viande par an. Dans les Causses, les Alpes du sud, et

* le blé (ou froment) = *wheat*

dans toutes les zones pauvres, dix millions de moutons fournissent de la viande et de la laine. Quant au nombre des bovins (les veaux, les vaches, les bœufs), il s'élève à 18 millions de têtes, tandis qu'on

Roquefort, dans l'Aveyron

trouve ici, comme dans tous les pays évolués, de moins en moins
5 de chevaux (à peine deux millions), par suite de la mécanisation des exploitations agricoles.

Bien que des quantités de lait soient produites, on en boit assez peu; c'est probablement parce qu'au pays de Pasteur [7] ni la pasteurisation ni la réfrigération ne sont encore répandues par-
10 tout. Par contre, le lait passe plutôt en beurre et surtout en fromages, dont les Français mangent énormément. Chaque région a ses spécialités et ses procédés de fabrication particuliers. Et malgré une industrialisation qui tend à en réduire le nombre et peut-être

la qualité, on compte encore plus de deux cents fromages nettement différenciés.

Près de 20% du territoire est recouvert de bois et de forêts.[8] Bien entendu, les régions montagneuses (le Massif Central, les Vosges, le Jura, les Pyrénées, les Alpes) sont particulièrement 5 boisées; mais on trouve de très belles forêts en Ile de France, par exemple. D'autre part, depuis une centaine d'années, l'Etat encourage le reboisement un peu partout: dans les Landes, en Bretagne, en Champagne, sur le plateau du Limousin, dans la Basse Provence, dans les lieux secs et menacés d'érosion, ou bien là où 10 la population abandonne la terre.

Le morcellement des terres

Plus de la moitié des exploitations agricoles ont encore moins de dix hectares. Or, il est reconnu qu'en France il en faut aujourd'hui une trentaine pour vivre convenablement.

L'origine de cette petite propriété remonte à la Révolution Fran- 15 çaise de 1789 qui a aboli le droit d'aînesse et a requis un partage égal des terres paternelles entre tous les enfants. En quelques générations, chaque héritage s'est tellement divisé que les familles qui tenaient à rester sur leurs terres n'ont plus possédé que des champs insuffisants à assurer leur subsistance. En outre, au mo- 20 ment de la division, chaque héritier reçoit souvent des terrains éloignés les uns des autres, ce qui crée au bout de plusieurs générations le problème du morcellement. Le cultivateur se voit contraint à de longs déplacements pour aller d'un champ à l'autre. Et, de plus, l'utilisation efficace et pratique des machines agricoles 25 est rendue par là à peu près impossible.

L'Etat s'efforce donc depuis plusieurs années, par le « remembrement », d'apporter une solution à ce problème du morcellement des terres. Le « remembrement » consiste à faciliter les échanges à l'amiable entre propriétaires de petites exploitations dispersées, 30 jusqu'à ce qu'enfin chaque propriétaire possède des champs contigus; mais les progrès sont lents; les cultivateurs admettent depuis peu les avantages de la modernisation de leur équipement, mais se méfient encore de ces échanges de parcelles, soit qu'ils aient peur de se tromper sur leur valeur, soit qu'ils tiennent beau- 35 coup, sentimentalement, à certains morceaux de terre qui appartiennent à la famille depuis plusieurs générations.

On estime cependant que beaucoup de ces trop petites propriétés vont disparaître d'elles-mêmes, lentement. En effet, les cultivateurs qui ne possèdent qu'une dizaine d'hectares trouvent la 40 vie beaucoup trop difficile, et ils finissent par vendre à des voisins plus riches, plus ambitieux, plus forts. Ceux-ci arrivent ainsi à disposer d'une quarantaine d'hectares; une catégorie d'exploitations moyennes est ainsi en train de se constituer naturellement, ce qui contribue au bien général du pays.[9] Car seules aujourd'hui sont rentables les grandes et les moyennes exploitations qui peuvent, avec une main-d'œuvre réduite au minimum, travailler avec les machines agricoles de notre temps.

5 Pour l'équipement moderne agricole, l'Etat joue aussi un rôle important. Il développe et multiplie les centres d'enseignement agricole, des démonstrations de l'utilisation des engrais, du choix des graines, des plants, de la rotation des cultures. Il subventionne des établissements de crédit, des coopératives agricoles, 10 viticoles, et des coopératives de consommateurs. Ces coopératives disposent de machines, de moissonneuses-lieuses, de batteuses, de gros tracteurs, etc..., qui se louent à des prix raisonnables.

L'Electricité de France termine l'électrification des campagnes; elle y installe le « courant-force », permettant ainsi l'équipement 15 moderne de beaucoup de fermes.

L'Etat aide à la modernisation des petites communes: la distribution de l'eau courante, le tout-à-l'égout, des piscines municipales, de meilleurs transports publics entre les petites localités et une meilleure organisation des marchés. Il applique 20 cette politique d'encouragements concrets à de nouvelles cultures, comme celle du riz, et celles des arbres fruitiers, des cultures maraîchères, ou du blé, en remplacement de vignes de qualité inférieure ou de rendement médiocre.[10]

Parmi les résultats déjà acquis, on compte aujourd'hui vingt 25 fois plus de tracteurs qu'il n'y en avait il y a sept ans,[11] et on constate que les engrais chimiques sont mieux connus et beaucoup plus utilisés que jadis.

La transformation entière d'un pays ne peut se réaliser très vite. La culture artisanale et routinière du XIXème siècle se 30 rencontre encore dans les zones pauvres naturellement, et dans celles où les communications et les transports demeurent difficiles (comme le Massif Central et certaines parties des Alpes et des Pyrénées).

Il peut être intéressant de rappeler qu'aux XVIIème et 35 XVIIIème siècles, l'agriculture française était la première du monde occidental. Puis, au XIXème siècle, des pays neufs et puissants se sont dressés. Et, pour se protéger, la France s'est cru obligée d'élever ses frontières douanières, derrière lesquelles le paysan français s'est retranché dans une routine ancestrale.

40 Aujourd'hui, il se rend compte qu'il ne peut plus vivre artificiellement protégé. Le Marché Commun lui a définitivement ouvert les yeux, et il sait qu'il doit désormais lutter avec les cultivateurs et producteurs hollandais, belges, italiens, toutes les frontières douanières étant en voie de disparition entre les pays 45 du Marché Commun.[12] Il comprend surtout que pour atteindre à un standard de vie convenable, il doit de toute nécessité exporter, car le seul marché français ne peut plus lui suffire.[13]

Tracteurs

La pêche — Dans la mer du Nord, dans la Manche, et dans l'Atlantique, la pêche est importante.[14] Le nombre de pêcheurs a diminué de plus de moitié pendant les cinquante dernières années, mais la production totale a augmenté, grâce aux moyens modernes utilisés, et la France se place, pour la pêche, au quatrième rang 5 européen, après la Grande-Bretagne, la Norvège et l'Allemagne; dans le monde, elle détient le huitième rang.

Les grands ports de pêche sont dans l'ordre d'importance suivant: Boulogne, Lorient, La Rochelle, Dieppe, Fécamp, Arcachon, Dunkerque. Ces ports possèdent des installations frigorifi- 10 ques, des usines pour conserver le poisson, et des gares maritimes d'où partent régulièrement des trains de marée qui vont distribuer le poisson frais à travers une bonne partie du pays. Malgré cela, la France n'arrive qu'au douzième rang de consommation mondiale, avec onze kilos par an et par habitant; elle précède tout de même les Etats-Unis.

VOCABULAIRE DE REVISION ET EXERCICE

Choisir, parmi les catégories suivantes, trois mots ou groupes de mots, et les expliquer à l'aide de deux ou trois phrases complètes.

1. une période géologique; le morcellement; le remembrement; le Marché Commun; Louis Pasteur
2. le potager; le verger; un herbage; la prairie; un hectare; labourer
3. une frontière douanière; le IVème Plan; un marché agricole; subventionner; reboiser
4. les bovins; les céréales; l'avoine; le maïs; une culture artisanale
5. les primeurs; la vigne; le foin; les cultures maraîchères; les produits laitiers; le poisson; le crustacé

QUESTIONS

1. Comment la terre de France se présente-t-elle, vue d'un avion ou d'un hélicoptère? 2. Comment s'explique la variété des cultures? 3. Nommez quelques types de terrains. 4. Nommez les cultures importantes, et situez-les. 5. Commentez l'évolution de la population rurale et celle de la population agricole active par rapport à la population française totale, au cours du dernier siècle. 6. Où sont situés les grands vignobles français? 7. Où sont les zones de monoculture? Qu'y produit-on? 8. Indiquez les différentes raisons pour lesquelles l'agriculteur cultive un peu de tout et fait même souvent un peu d'élevage. 9. Où trouve-t-on des cultures maraîchères intensives? 10. Que savez-vous de l'élevage en France des bœufs, des vaches, des moutons, des porcs, des chevaux? 11. Expliquez les origines du morcellement des terres. 12. En quoi consiste le « remembrement »? Quels avantages et quelles difficultés présente-t-il? 13. Combien faut-il approximativement d'hectares, en France, pour qu'une exploitation agricole soit considérée comme rentable? Pourquoi? 14. Quels moyens divers l'Etat emploie-t-il pour aider l'agriculteur à améliorer ses conditions de vie? 15. Quels sont les buts généraux du IVème Plan touchant l'agriculture? 16. Quels effets le Marché Commun a-t-il sur le cultivateur? 17. Quels sont les principaux ports de pêche? Situez-les.

Pêcheurs bretons

Notes

1. Les statistiques officielles dénombrent plusieurs centaines de régions agricoles, différentes les unes des autres par le rendement, l'équipement, et les procédés locaux de culture. En quelques heures, on peut traverser, par exemple, en train ou en voiture, des vergers, des pâturages, des bocages, des vignes, des champs de blé, d'avoine, de betteraves fourragères et industrielles, ou bien des oliveraies, des cultures maraîchères, des champs de fleurs, des bois, etc. . .

2. Sur 19,210,000 personnes formant la population active en France, en 1961, on comptait près de sept millions de travailleurs en usines, environ cinq millions dans le commerce et les transports, et trois millions dans les professions libérales et les services publics. Et, d'autre part, sur un total de 13 millions de salariés, on ne comptait qu'un million de salariés (ou ouvriers) agricoles.

3. Il y a environ un siècle, l'agriculture française occupait exactement deux fois plus de gens qu'aujourd'hui. En 1954 encore, la population agricole active était de cinq millions; on prévoit qu'en 1965, elle sera de 4,100,000, et qu'en 1975, elle ne dépassera pas 3,300,000. Alors qu'en France la population agricole active représente à peu près 20% de la population active totale, en Italie, elle est de 34%, en Allemagne et aux Pays-Bas, de 16%, et aux Etats-Unis, de 8%.

4. Le blé compte pour 8% des recettes; le vin, pour un peu plus de 10%; les produits laitiers — le beurre et les fromages — pour près de 20%; les volailles et les œufs, 11%; les pommes de terre et les fruits, 3% chacun.

5. Cette exportation se monte chaque année à deux ou trois millions de tonnes (une tonne pèse 1,000 kilos, soit 2,200 « pounds »). En 1962, près de 14 millions de tonnes de blé (45% de plus qu'en 1961) ont été récoltées. Les vignobles ont donné, cette même année, plus de 73 millions d'hectolitres de vin.

6. La production du riz y dépasse 125 millions de quintaux (un quintal pèse 100 kilos).

7. Louis Pasteur (1822–1895), né dans une petite ville du Jura, créa la microbiologie et découvrit les vaccins.

8. En Finlande et en Suède, les bois et les forêts recouvrent plus de 50% du pays; en Grande-Bretagne, 5%.

9. Il n'y a guère plus de 1,000 exploitations agricoles de 500 hectares, soit environ 1,250 « acres ».

10. Grâce à un ensemble de barrages et de canaux, le Bas-Rhône et le Languedoc possèderont bientôt 170,000 hectares de cultures intensives variées, des vergers, des céréales, etc. . ., au lieu de vignes au rendement insuffisant.

11. Il y a aujourd'hui plus de 600,000 tracteurs au lieu de 30,000 en 1955.

12. C'est en janvier 1962 qu'ont été signés à Bruxelles des accords, quasi révolutionnaires, entre les six membres actuels du Marché Commun (la France, l'Allemagne Fédérale, la Belgique, les Pays Bas, le Luxembourg, l'Italie); ces accords permettront au Conseil des ministres européens de fixer, par exemple, le prix du blé, en 1969, pour tous les pays membres.

13. Le IVème Plan (1962–1965) envisage d'augmenter la production de la viande de bœuf, des fruits et des légumes, en vue de l'exportation; il prévoit une meilleure organisation des marchés intérieurs, une amélioration sensible des conditions de vie à la campagne, et trois fois plus d'établissements d'enseignement agricole.

14. La pêche rapporte environ 400,000 tonnes de poissons variés, 15,000 tonnes de crustacés, et on ramasse 80,000 tonnes de coquillages. Le littoral méditerranéen ne possède pas de grand port de pêche (8% seulement du tonnage brut). Les Japonais, par contre, qui ont pêché plus de six millions et demi de tonnes de poisson en 1961 (soit le sixième des prises mondiales), ont une flotte de pêche qui comprend le tiers des bateaux de pêche du monde entier.

Raffinerie de pétrole, à Berre, près de Marseille

18

L'INDUSTRIE

La planification

La France a été envahie deux fois en vingt-cinq ans, en 1914
et en 1940; elle a servi ainsi deux fois de champ de bataille. De
plus, entre 1940 et 1944, une bonne partie de l'équipement industriel a été enlevé par les Allemands; le reste, n'ayant pu être
renouvelé à cause de la guerre, était donc périmé. A la Libération,   5
en 1944, la production française atteignait à peine la moitié de
celle de 1938. Tout devait être reconstruit. Or, à partir de 1950,

cinq ans après la fin des hostilités, les conditions générales de vie étaient redevenues presque normales. Entre 1950 et 1957, la production nationale a encore remonté de moitié. Et depuis, elle s'accroît annuellement de 4 à 5%.[1]

5 A quoi tient ce relèvement rapide et continu? Il peut se ramener à quatre causes principales: d'abord, l'aide considérable fournie au départ par le Plan Marshall;[2] puis, les efforts systématiques de l'Etat pour aider à reconstituer ou moderniser l'équipement industriel et agricole; ensuite, un très sensible réveil de l'esprit 10 d'entreprise chez les industriels eux-mêmes; et enfin, comme partout ailleurs dans le monde, une forte remontée de la natalité.

Le Plan Marshall, avec un total de près de quinze milliards de dollars de dons et de prêts, distribués entre 1948 et 1953 à seize pays européens, a aidé d'abord à financer une bonne partie des 15 investissements du gouvernement français.[3] Ces investissements ont été attribués principalement à l'extraction du charbon et à la production de l'électricité.

L'Etat a, d'autre part, nationalisé, c'est-à-dire pris en charge, plusieurs industries de base: l'exploitation des mines de charbon, 20 la production et la distribution de l'énergie électrique, les usines automobiles Renault, plus quelques grandes banques. Aujourd'hui, un tiers des industries et toutes les grandes compagnies d'assurances sont nationalisées; elles conservent toutefois leur initiative et une certaine autonomie dans l'administration de leurs affaires.

25 A la Libération, avec le changement de gouvernement, il a été possible d'instaurer une politique économique dirigée. L'atmosphère y était favorable dans les milieux parlementaires. Pour relever le pays, de vastes capitaux étaient indispensables. Les entreprises privées n'auraient pas pu, seules, courir les risques 30 nécessaires, et prendre les grandes mesures d'ensemble. La situation était si nouvelle que l'expérience traditionnelle ne suffisait plus. Il fallait se grouper, accepter d'entrer, ensemble, dans une colossale entreprise nationale qui disposait des pouvoirs de l'Etat, et où tous les éléments de la société seraient représentés.[4]

35 Un Premier Plan de modernisation et d'équipement des industries de base a porté sur les charbonnages, l'électricité, l'acier, le ciment, les machines agricoles et les transports. Ce Premier Plan fixait les buts à atteindre entre 1946 et 1952–1953, et prévoyait d'importantes subventions, des facilités de crédit et des 40 dégrèvements d'impôts aux industriels. Tous les buts ont été atteints.[5] Un Second Plan, couvrant les années 1954–1957, a cherché à améliorer les industries de transformation, l'agriculture, les textiles, le bâtiment. Le Troisième Plan (1958–1961) comportait une expansion économique importante; il a rencontré quel- 45 ques difficultés; mais, bien que la production ait été inférieure aux prévisions, les buts principaux ont été atteints grâce à la dévaluation de la fin de 1958, qui a provoqué une amélioration de la situation financière.

Un Quatrième Plan a été lancé à partir du 1er janvier 1962. Il a pour but d'accroître la production industrielle de 3 à 6%; il accorde la priorité aux investissements favorisant le développement des produits finis en vue de l'exportation; il tend aussi, constatant une diminution de la population agricole, à augmenter 5 le nombre des travailleurs dans le secteur commercial et dans le secteur industriel.[6] Il cherche enfin, et c'est là son originalité par rapport aux Plans précédents, à contribuer au développement de l'urbanisme (en aidant à la modernisation des villes et des villages), et à faciliter l'exécution de diverses réformes scolaires et 10 universitaires. Ce Quatrième Plan, en portant ses efforts sur la santé publique (par la création d'hôpitaux), sur l'enseignement, sur l'urbanisme, et en essayant d'atténuer les injustices sociales, tend donc à procurer à tous un genre de vie intelligemment meilleur plutôt qu'une élévation purement matérielle du niveau 15 de vie.

L'Etat intervient aussi dans les questions de reconversion industrielles et agricoles, en aidant, par exemple, les directions d'usines qui en manifestent le désir, à s'adapter à une production différente.

Dans certaines régions à faible rendement économique on dresse 20 un inventaire du potentiel humain et matériel pour permettre aux industries locales actuelles de se développer dans une direction plus favorable; de nouvelles entreprises peuvent ainsi mieux utiliser les conditions particulières de la région. La France enfin dispose d'une main-d'œuvre abondante; [7] en 1975, la population 25 active atteindra le chiffre de vingt millions, et elle sera la plus jeune de l'Europe.

Les ressources du sous-sol

Les bassins houillers du Nord, qui traversent une crise très sérieuse, fournissent encore à peu près la moitié de la production totale de charbon. Ceux du Massif Central (près de Saint-Etienne), 30 et ceux de Lorraine, se partagent le reste de la production française (qui dépasse 60 millions de tonnes), mais demeure légèrement en dessous des besoins. Les principaux gisements de minerai de fer se trouvent en Lorraine, à proximité de mines de charbon. Avec près de 60 millions de tonnes de minerai de fer, dont elle exporte 35 un bon tiers, la France tient le premier rang en Europe.[8] Il en est de même pour l'extraction de la bauxite, dont les gisements sont situés surtout dans le Midi; et ce minerai d'aluminium s'exporte vers la Grande-Bretagne et vers l'Allemagne.[9] Pour la potasse, que l'on extrait en Alsace, près de Mulhouse, la France se place 40 immédiatement après les Etats-Unis et l'Allemagne. Elle est aussi le premier producteur européen de soufre, depuis la découverte, récente, d'un procédé nouveau pour séparer le soufre du gaz naturel de Lacq, aux pieds des Pyrénées.[10]

Il y a une dizaine d'années, des gisements de pétrole ont été découverts dans le Sud-Ouest. Ils ne suffisent point, de loin, à la consommation toujours croissante, mais, grâce au pétrole saharien, la situation générale sera relativement bonne.[11] De grandes quan-
5 tités de pétrole brut venant du Moyen-Orient et d'Amérique sont raffinées sur les estuaires de la Seine, de la Loire, et sur l'étang de Berre, à côté de Marseille; un quart de l'essence ainsi obtenue est exportée.[12] Depuis peu, le gaz naturel, en pipelines qui partent des Pyrénées, se distribue jusque dans le nord de la France.

Centre de production de plutonium, à Marcoule

Quelques gisements d'uranium ont été récemment découverts dans le Massif Central et en Vendée. Le Commissariat à l'énergie atomique continue la prospection; il dispose d'installations expérimentales à Saclay et à Orsay, au sud de Paris, dans la vallée du Rhône (à Marcoule et à Pierrelatte), à Grenoble, et près de 5 Chinon, dans la vallée de la Loire.

En Lorraine, dans le Jura, et dans les Pyrénées, on extrait du sel gemme. Les anciens marais salants de l'Atlantique et de la Méditerranée demeurent pittoresques, mais ils ne sont plus rentables, et par conséquent leur exploitation est progressivement 10 abandonnée.

Les eaux minérales du Massif Central, des Vosges, des Alpes, donnent lieu à une industrie et à un commerce intérieur importants; en outre, il s'en exporte plus de 72 millions de bouteilles par an.[13]

L'électricité et les industries de transformation

L'Electricité de France, société nationalisée, cherche depuis la 15 Libération à satisfaire aux besoins toujours croissants des consommateurs. La France produit aujourd'hui environ 80 milliards de kilowattsheures (les Etats-Unis en produisent plus de dix fois autant).

La métallurgie lourde se situe principalement en Lorraine, près 20 du minerai de fer, et dans le Nord, près des mines de charbon. L'électrométallurgie et la métallurgie de l'aluminium sont installées dans les Pyrénées et dans les Alpes.

Les industries métallurgiques de transformation, et la fabrication des machines-outils, se trouvent dispersées un peu partout, 25 autour de Paris et des autres grandes villes. Les principaux chantiers de constructions navales sont établis sur les estuaires de la Seine et de la Loire, et à côté de Marseille; ils reçoivent tous des commandes de l'étranger.

Plus d'un million de véhicules automobiles sortent chaque année 30 des usines francaises (un million et demi en 1962), dont la plupart sont situées dans la banlieue parisienne et dans la région lyonnaise. La moitié de ces voitures s'exportent à l'étranger et dans les anciens pays de la Communauté Française. Actuellement un tiers des ménages français ont leur auto. Et on prévoit 35 pour 1970 plus de huit millions de voitures de tourisme en circulation.[14]

La construction aéronautique est très avancée; les ateliers de Paris, Toulouse, Marseille, vendent même à plusieurs pays étrangers des avions de chasse, et des « Caravelles ».[15]   40

Les industries chimiques, en pleine expansion, animent une demi-douzaine de centres: dans le Nord (on tire de la houille beaucoup de produits variés); près de Paris (où l'on fabrique, entre autres, des parfums synthétiques, des produits pharmaceutiques);

en haut, *Montage des « Caravelles », à Toulouse*
à droite, *Fabrication de gants de qualité*

dans l'Est (des engrais); à Lyon; autour de Marseille; dans les
Alpes, principalement à Grenoble; à Lacq et à Parentis, dans
le Sud-Ouest. Le caoutchouc synthétique a ses usines dans le
Massif Central: les usines Michelin, depuis longtemps à Clermont-
5 Ferrand. Dans· l'industrie électronique, les machines Bull, par
exemple, font une concurrence sérieuse aux machines « I.B.M. ».
L'industrie des textiles, naturels, artificiels ou synthétiques,
c'est-à-dire la transformation de la laine, du coton, du lin, de la
soie, et la fabrication des rayonnes, nylons, textrons, etc. . . . est
10 active. Il en va de même de l'industrie des matières plastiques;
les objets en matière plastique se fabriquent un peu partout, dans
de petites usines très modernes. La majorité des matières premières
sont importées, mais les industries lainière et cotonnière viennent
chacune au troisième rang mondial, et celles du lin, au second

rang. La soie n'est plus le domaine unique de Lyon, où se fabriquait jadis la soie naturelle, grâce aux vers à soie et aux feuilles de mûriers de la vallée du Rhône. La soie naturelle est désormais importée du Japon et d'Italie, où la main-d'œuvre est meilleur marché. La soie artificielle vient aujourd'hui soit de Lyon soit de 5 Paris, mais tous les tissus de Lyon conservent leur réputation de haute qualité. La laine se travaille traditionnellement dans le Nord et le Nord-Est, en Normandie, et un peu dans le Midi.[16] Les filatures de coton sont en Alsace et en Normandie; le lin s'y trouve aussi, et dans le Nord, et dans l'Ouest (à la fin du printemps, 10 on en peut voir les champs en fleurs, d'un gris-bleu doux). La bonneterie, les dentelles mécaniques, la confection, ont leurs centres spécialisés, comme, par exemple, Troyes, Calais, Paris. Tous ces produits finis comptent dans l'exportation.

Les articles de cuir, la maroquinerie, souvent articles de luxe, 15 viennent de Paris, de Limoges, de Lyon, de Toulouse; les gants, de Grenoble.

Certains sables servent à la fabrication du verre et donnent naissance aux industries de la verrerie et de la cristallerie. On les trouve près de Paris, dans le Nord, dans les Vosges (à Baccarat),

Fabrication du verre (usine de Saint-Gobain)

et à Saint-Gobain, près de Soissons. La plupart de ces industries
5 datent du XVIIème siècle, mais elles ont pris à notre époque, et grâce en partie à l'exportation, un grand développement. Des terrains argileux en Bourgogne, en Alsace, dans le Nord, et près de Lyon, ont suscité une industrie de la céramique. Les belles porce-

laines de Limoges et de Strasbourg sont connues dans le monde entier. Et depuis peu, se développe à travers toute la France un artisanat de céramiques d'art, l'œuvre d'artistes indépendants et de valeur.

Dans la vallée du Rhône, autour de Paris, de Boulogne, de 5 Grenoble, et en Lorraine, on utilise le calcaire pour la fabrication du ciment. Quant à la pierre à bâtir, elle est exploitée partout; elle varie selon les régions, et elle contribue à donner son caractère spécial au style architectural de chaque province.

L'industrie du bois, dans les Landes et dans les Vosges (les 10 bois de construction, les bois déroulés, etc...), celle du papier de luxe, dans les Vosges également (à Epinal), se logent naturellement au milieu ou à proximité des forêts. Le papier de journal, par contre, se fabrique principalement sur les rives de la Seine, en aval de Paris, c'est-à-dire là où sont débarqués les bois importés, 15 meilleur marché, de Scandinavie et du Canada.

Les industries alimentaires prospèrent autour de Paris (minoteries, fabriques de pâtes alimentaires, biscuiteries, etc...). Dans le nord, la betterave sucrière fournit de grandes quantités de sucre; autour de Nantes et de Marseille, ce sont des raffineries 20 de sucre de canne importé. Les ports de la Manche et de l'Atlantique ont des conserveries de poissons et quelques entrepôts frigorifiques. Et, par tout le pays sont éparpillées de petites usines où l'on prépare des conserves en tout genre, de fruits, de légumes, de viande, etc... 25

Bien que l'industrie du bâtiment construise en moyenne trois cent mille logements par an depuis une quinzaine d'années, cela ne suffit point, car il faut en même temps rattraper le retard créé par une vingtaine d'années d'inaction, et satisfaire aux besoins d'une population en forte croissance, à laquelle sont venus s'ajouter 30 récemment beaucoup d'Européens et d'Arabes d'Afrique du Nord. L'ensemble des quatre mille entreprises de la construction et du bâtiment est souvent désigné sous le nom de Travaux Publics; ils travaillent également à l'étranger; une cinquantaine de pays sont parmi leurs clients, et, en une dizaine d'années, ces entreprises 35 variées, subventionnées ou non par le gouvernement, ont obtenu près de quatre cents marchés ou contrats hors de France.

Quelques records

Voici, à titre d'exemples, quelques récents records techniques français obtenus en France et à l'étranger, avant 1960:

A Marcoule, en Provence, a été créée la première (en date) 40 source d'énergie atomique à fins pacifiques.

Le train électrique le plus rapide du monde (207 « mph ») a été expérimenté avec succès; et, entre Paris et Lyon, circulent régulièrement des trains à la vitesse moyenne de 80 « mph ».

La première usine marémotrice (pour utiliser la force motrice des marées et la transformer en énergie électrique) est en construction en Bretagne, à Dinan, sur l'estuaire de la Rance.

Le phare le plus puissant du monde se dresse sur l'île d'Ouessant, 5 à la pointe occidentale de la Bretagne.

Le dôme (en béton précontraint) le plus vaste du monde, recouvrant 22,000 mètres carrés, se trouve au Rond-Point de la Défense, à Paris, et forme la partie principale du Centre national des industries et des techniques.

10 Le plus grand barrage hydro-électrique du monde construit en terre se trouve à Serre-Ponçon, dans les Alpes.

Le barrage de Donzère-Mondragon, sur le Rhône, constitue la plus puissante centrale électrique européenne.

Le plus grand port pétrolier d'Europe est celui de Berre-Lavéra, 15 sur l'étang de Berre, à côté de Marseille.

A Carling, dans l'Est, la plus grande centrale thermique d'Europe produit plus de 2 millions de kwh.

A Tancarville, sur la Seine, près du Havre, le plus grand pont suspendu de l'Europe continentale mesure près d'un « mile » de 20 long.

A l'Aiguille du Midi, dans les Alpes, près de Chamonix, le plus grand téléphérique d'Europe monte à 3,843 mètres, avant de redescendre en Italie.

La première centrale du monde à utiliser l'énergie thermique 25 de la mer a été construite à Abidjan, dans la République de la Côte d'Ivoire, en Afrique occidentale.

La cheminée la plus haute du monde (100 mètres) se trouve à la centrale atomique de Marcoule.

D'autre part, à l'étranger, des ingénieurs et des constructeurs 30 français ont été invités à diriger ou à accomplir les grands travaux publics suivants:

l'aciérie la plus élevée du monde (2,800 mètres), à Paz-del-Rio, dans les Andes, en Colombie;

le téléphérique de Mérida, au Vénézuéla, le plus élevé (4,800 35 mètres), et le plus long du monde (13 km), avec une section de trois kilomètres entre les pylones;

le plus long tunnel sous-marin pour voitures, à la Havane;

la plus grande arche en béton pour le viaduc du port de Caracas;

le plus grand barrage d'Afrique, à Bin-el-Ouidane, au Maroc;

40 le plus long pont du monde en béton précontraint (38 km), unissant les deux rives du lac Pontchartrain, en Louisiane, en collaboration avec les Etats-Unis;

plusieurs des plus grands pétroliers du monde (quelques-uns commandés par les Etats-Unis);

Barrage de Donzère-Mondragon, sur le Rhône

le plus puissant four rotatif à ciment du monde, à Cobourg, en
Belgique;

le pipeline transiranien, à travers les terrains les plus élevés du
monde.

Les échanges

A l'étranger, la France achète du combustible (du charbon, du 5
pétrole, du bois), et aux anciens pays de la Communauté Française,
des fruits, des légumes, du café, du thé, du cacao.

Elle importe et elle exporte des boissons, des minerais à demi
finis, et des produits chimiques.

Elle importe, pour les raffiner et les exporter ensuite, des pro- 10
duits pétroliers.

Elle importe des produits métallurgiques, qu'elle transforme en
matériel de transports, en machines agricoles et industrielles, et
en appareils de toutes sortes, dont une partie importante (sous
forme de matériel électrique et ferroviaire, d'ameublement, 15
etc. . .) repart à l'étranger.

Elle importe de la laine et du coton bruts, qu'elle transforme en textiles variés, et pour son usage et pour l'exportation.

Ses exportations en blé, en bauxite, en fer, en acier brut, atteignent des chiffres appréciables, et celles des parfums, des vins,
5 des articles de luxe,[17] de même que les recettes du tourisme étranger (exportation déguisée), ne sont pas négligeables.[18]

Au total, la balance commerciale est légèrement favorable depuis 1958; ces dernières années, l'excédent des exportations sur les importations oscillait entre un et deux milliards de francs par
10 an (c'est-à-dire entre 200 et 400 millions de dollars). Les principaux échanges se font plutôt avec les anciens pays de la Communauté Française et ceux du Marché Commun qu'avec les pays des zones dollar ou sterling.[19]

Le Marché Commun

Le Marché Commun cherche à constituer graduellement, sur
15 une période de cinq à dix ans, une union douanière entre les pays membres, supprimant les droits de douane entre eux, et maintenant des tarifs extérieurs relativement élevés avec les pays non-membres. Le Marché Commun fixe donc des règles communes portant sur la production, les tarifs extérieurs, les lois du travail,
20 et les échanges agricoles et industriels; il vise à faciliter la circulation des individus, des professions et des métiers, et des capitaux, entre les pays membres. Des concentrations industrielles s'organisent; la main-d'œuvre se déplacera plus facilement d'un pays à l'autre, et un marché de près de deux cent millions de consom-
25 mateurs est en train de se former.[20] Le niveau de vie de tous doit lentement en être relevé, en particulier celui des régions actuellement moins favorisées (comme, par exemple, l'Italie du Sud). Le caractère quasi révolutionnaire de cette énorme entreprise économique et sociale est évident; elle était imprévisible il y a
30 cinquante ans.[21] Et elle demeure toujours ouverte à tout autre pays européen en mesure d'accepter les clauses des différents traités qui lient entre eux les six premiers membres de la Communauté européenne.[22]

L'ouvrier

Sur une population active totale d'environ 19 millions de per-
35 sonnes (dont un tiers de femmes), il y a actuellement plus de six millions de salariés en usine. Chez les artisans (guère moins nombreux qu'il y a un siècle ou même cinquante ans), les petits métiers ne sont plus les mêmes par suite des conditions modernes de la vie économique: beaucoup d'entre eux ont disparu; de nouveaux se

sont créés dans les domaines de l'électricité, l'électronique, la fabrication des pièces détachées, la carrosserie automobile, le garage, l'équipement sanitaire, par exemple. Avec quatre ou cinq aides (les compagnons d'autrefois), et un apprenti, les artisans travaillent en atelier, reçoivent des commandes pour des firmes 5 plus ou moins grosses dont, en quelque sorte, ils dépendent. Mais, dans l'ensemble, la production en série transforme évidemment la mentalité de l'ouvrier d'aujourd'hui: pour toujours accroître le taux de sa productivité, il lui faut sans cesse pousser sa spécialisation et s'y perfectionner davantage. L'Etat l'y encourage et offre, 10 surtout aux jeunes, un enseignement technique très poussé. Des firmes également organisent des cours spéciaux de réentraînement, des stages, etc. . . afin d'accélérer ce que l'on appelle la promotion ouvrière, ou la promotion du travail, qui intéresse non seulement la formation technique proprement dite, mais toute la personnalité 15 de l'individu.[23]

La semaine normale de travail est de quarante heures, mais dans la plupart des industries, beaucoup d'ouvriers font des heures supplémentaires rémunérées.[24] Ces suppléments permettent aux ouvriers, que la chance et leur spécialité favorisent, d'améliorer 20 nettement leur niveau de vie.

Dans l'ensemble toutefois, l'écart des salaires reste encore très grand entre les différents niveaux, de l'employeur au simple manœuvre, et beaucoup d'ouvriers vivent dans des logements médiocres, insuffisants et insalubres; les conditions matérielles 25 de leur travail sont parfois malsaines. D'autre part, même si dans la plupart des cas leur formation technique est bonne, leur formation générale, politique et sociale, est incomplète et insuffisante; une des conséquences en est la persistance d'un sentiment étroit de classe. La classe ouvrière, à laquelle les écoles publiques et 30 privées ont ouvert l'intelligence, l'esprit et le jugement, ne reçoit pas l'orientation nécessaire pour participer pleinement et intelligemment à la vie politique, économique, et sociale du pays; elle se trouve en quelque sorte tenue à l'écart de la nation par les circonstances; elle en souffre moralement et matériellement (et le 35 reste du pays en souffre aussi), et, elle ne peut guère espérer dans un proche avenir accéder vraiment à un sort meilleur.[25] Et pourtant le chômage est à peu près inconnu depuis cinq ou six ans. La misère noire est rare. La gêne, le sentiment d'injustice sont, par contre, fréquents et justifiés. 40

Les syndicats

De même que les « Unions » aux Etats-Unis, les syndicats français groupent à peine un tiers des travailleurs. D'autre part les comités d'ouvriers (ou comités d'entreprise), ne sont autorisés que dans les firmes et les usines employant plus de cinquante

Tôliers

personnes. Ceci revient à dire que les petites exploitations (celles de moins de cinquante personnes) sont encore sous l'influence directe du patron ou du directeur, et ce sont, de beaucoup, les plus nombreuses. Seules, les entreprises moyennes (de cinquante à deux
5 cent cinquante ouvriers), et les grandes entreprises (celles de plus de deux cents personnes), peuvent avoir des comités d'entreprise et conclure des conventions collectives, c'est-à-dire pratiquer le « collective bargaining ».

En théorie tout au moins, la législation sociale est assez avancée pour prévoir, au fur et à mesure des besoins, ce que les conventions collectives pourraient faire accorder aux ouvriers en fait d'avantages matériels. Dans l'état actuel des choses, les conventions collectives se contentent donc de compléter les lois; 5 mais de toutes façons les lois sociales touchent et protègent tous les travailleurs, qu'ils soient syndiqués ou non.

Les dernières Constitutions de 1946 et de 1958 confirment le droit de grève, droit reconnu pour la première fois en France, par les lois de 1881 et de 1884.[26] 10

L'arbitrage, à l'américaine, avec un arbitre dont la décision est impérative, n'est pas accepté. Depuis 1955, un « médiateur » peut être choisi par l'une des parties ou par le gouvernement; c'est généralement un magistrat, un haut fonctionnaire, ou un professeur d'université; ses conclusions n'ont que la valeur de simples 15 recommandations, mais, pour faire pression sur les deux parties en cause, le gouvernement peut menacer de rendre publiques ces recommandations. Ces démarches présentent un caractère très délicat, car, si, d'une part, le gouvernement cherche à tout prix à éviter les grèves, les travailleurs français, d'autre part, y compris 20 les fonctionnaires, tiennent passionnément à leur droit d'arrêter le travail afin d'obtenir ce qui leur paraît essentiel à l'amélioration de leur sort.

En plus des revendications sociales et professionnelles, communes à tous les syndicats du monde occidental, les syndicats 25 français s'efforcent de participer toujours davantage à l'élaboration des Plans économiques que le gouvernement formule périodiquement par l'intermédiaire du Commissariat au Plan. C'est à cet effet qu'ils sont représentés dans plusieurs organismes nationaux, comme, par exemple, le Conseil économique et social.[27] 30

Vocabulaire de Revision et Exercice

Choisir, parmi les catégories suivantes, trois mots ou groupes de mots, et les expliquer à l'aide de deux ou trois phrases complètes.

1. le relèvement économique; l'équipement industriel; un investissement; une industrie nationalisée; le Plan Marshall
2. un gisement; un bassin houiller; la bauxite; le sel gemme; un marais salant
3. rentable; un phare; une usine marémotrice; une aciérie; un artisan
4. la bonneterie; une dentelle; la maroquinerie; la verrerie; la cristallerie; la céramique
5. un chantier de constructions navales; l'essence; une conserverie de poissons; une union douanière; le niveau de vie
6. le chômage; la grève; un syndicat; le droit de grève; une convention collective; un délai

Questions

1. Citez quelques-unes des conséquences économiques de la Seconde Guerre mondiale.   2. Quelle était la production nationale française en 1944?   3. Dans quelle proportion la production nationale augmente-t-elle chaque année depuis 1957?   4. Qu'est-ce que le Plan Marshall?   5. Essayez d'expliquer en quoi consiste le Premier Plan de 1946.   6. Quels sont les objectifs du Quatrième Plan de 1962?   7. Quelles sont les principales ressources du sous-sol français? Situez-les.   8. Où sont situées les raffineries de pétrole?   9. Dites ce que vous savez des eaux minérales françaises.   10. Quels sont les centres d'énergie atomique? Situez-les.   11. Comparez la production française totale d'électricité à celle des Etats-Unis.   12. Nommez cinq marques d'autos européennes, dont trois françaises.   13. Nommez trois industries textiles, situez-les, et indiquez leurs caractéristiques propres.   14. Où l'industrie alimentaire prospère-t-elle particulièrement?   15. Qu'est-ce que la France doit importer?   16. Nommez une demi-douzaine de produits exportés.   17. Quels pays font actuellement partie du Marché Commun?   18. Faites un bref historique du Marché Commun.   19. Quels sont les grands objectifs du Marché Commun?   20. Comment vous apparaît la condition de l'ouvrier français? Expliquez.   21. Que pensez-vous personnellement du droit de grève, pour les travailleurs en général? pour les fonctionnaires? Quelles sont vos raisons?   22. Nommez trois confédérations syndicales françaises.

1. Entre 1956 et 1960, la production européenne totale a monté de 80% (celle des Etats-Unis, de 45%); la production européenne de l'acier a monté de 107% (celle des Etats-Unis, de 2%); la production européenne de l'électricité, de 121% (celle des Etats-Unis, de 2%). Mais la disproportion énorme de ces chiffres indique surtout combien le niveau de l'Europe était bas à la fin de la guerre, tandis que celui des Etats-Unis était élevé, et aussi que la reconversion américaine de l'industrie de guerre à l'industrie de paix s'était opérée rapidement, à l'arrêt des hostilités.

   En Europe, la production industrielle de la Grande-Bretagne représente 31% de la production européenne totale; son taux de croissance est de 2%; pour l'Allemagne Fédérale, les chiffres correspondants sont: 23%, et 3%; pour la France: 15%, et 5%.

2. C'est en 1948 que les Etats-Unis adoptèrent le Plan Marshall pour les seize pays européens suivants: l'Autriche, la Belgique, le Danemark, la France, la Grèce, l'Irlande, l'Islande, l'Italie, le Luxembourg, la Norvège, les Pays-Bas, le Portugal, le Royaume-Uni, la Suède, la Suisse, et la Turquie.

   Entre 1948 et 1953, ils donnèrent (sous diverses formes) ou prêtèrent à la France environ trois milliards de dollars (dont 225 millions de prêts), ce qui correspond à peu près à 20% de l'aide totale à l'Europe; la part de la Grande-Bretagne a été de 25%; l'Allemagne Fédérale et l'Italie ont reçu chacune un peu plus et un peu moins, respectivement, d'un milliard et demi de dollars.

3. Jusqu'à 60%, en 1948; 80% en 1949; 50% en 1950.

4. C'est le Gouvernement Provisoire de la République, sous le général de Gaulle, qui fit dresser par des commissions d'experts, dans le cadre du Commissariat Général à la Productivité, les premiers inventaires et le Premier Plan d'équipement et de modernisation des industries de base.

5. Par rapport à 1946, la production du charbon a été accrue de plus de 15%; celle de l'électricité, de 75%; celle de l'acier, de 140%; et celle du ciment, de 150%.

6. L'agriculture perd annuellement 70,000 travailleurs.

7. La main-d'œuvre est abondante parce que la population active actuelle, qui ne suffirait pas à assurer le renouveau de l'industrie, est complétée par l'arrivée de quantité de travailleurs des pays d'Europe où le salaire est inférieur aux salaires français. Ils viennent généralement sur contrat (pour la construction d'usines, l'exploitation de mines, etc...), soit en amenant avec eux leur famille, soit seuls, et alors ils envoient de l'argent chez eux, au pays. Ils restent libres de se faire naturaliser ou non; les uns désirent rester, les autres rentrent après avoir amassé quelques économies.

8. La France occupe le troisième rang mondial de la production du fer (9%), l'URSS, la seconde (15%), et les Etats-Unis, la première (50%).

9. Vers 1930, la France était le premier producteur du monde. Aujourd'hui, la production mondiale de la bauxite se partage ainsi:

Etats-Unis, 50%; Canada, 20%; URSS, plus de 10%; France, environ 5%.

10. En 1960, la production française totale de soufre brut était de 790,000 tonnes.

11. En 1962, la production française totale du pétrole atteignait 24 millions et demi de tonnes, dont 20 millions et demi en provenance du Sahara.

12. 40 millions de tonnes de pétrole sont ainsi raffinées chaque année.

13. Les Français aiment bien boire l'eau minérale qui leur convient, qui convient à leurs repas; ils en font une grande consommation. Sept firmes importantes se partagent cette petite industrie d'un milliard de bouteilles en 1961: Perrier, Contrexéville, Evian, Vittel, Vichy, Saint-Yorre, et Badoit. Les sources d'Evian et de Vittel donnent des eaux plates; les eaux Perrier sont gazeuses.

14. Malgré l'automation, qui est très poussée, l'industrie automobile française emploie plus de 600,000 ouvriers; en 1960, la production automobile européenne se présentait ainsi: en Allemagne, un million et demi; en France, un peu plus d'un million; en Italie, 600,000. Les principales marques sont: Volkswagen (725,000); Fiat (500,000); Renault (490,000); Opel (290,000); Citroën (230,000); Simca (205,000); Peugeot (175,000), etc. . .

15. En 1961, la compagnie Sud-Aviation de Toulouse avait plus de cent « Caravelles » à livrer à treize pays étrangers.

16. Dans le nord, à Roubaix et à Tourcoing; dans le nord-est, à Sedan; en Normandie, à Elbeuf et à Louviers; dans le Midi, à Mazamet.

17. En 1961, l'exportation des parfums, de la bijouterie, de la dentelle, de la cristallerie et de la verrerie, de la maroquinerie, etc. . . rapporta environ $350,000,000; celle des vins, en 1960, un peu plus de $100,000,000.

18. En 1960, le gain net du tourisme étranger en France s'est élevé à plus de 130 millions de dollars; mais l'Espagne et l'Italie dépassent chacune largement ce chiffre.

19. En 1961, les importations ont atteint six milliards et demi de dollars (en produits de consommation, charbon, articles de ménage, appareils et machines électriques, principalement), et les exportations ont rapporté environ sept milliards de dollars (en produits agricoles, en automobiles, en carburants, en articles de luxe, etc. . .).

20. Situation comparée des pays membres du Marché Commun (France, Allemagne Fédérale, Belgique, Luxembourg, Pays-Bas, Italie) et des Etats-Unis:

	LES SIX	LES ETATS-UNIS
population totale (en millions)	172	185
population active (en millions)	74	71
revenu national brut (en millions de $)	163	482
production d'acier (en millions de tonnes)	73	90
production de charbon (en millions de tonnes)	240	388
production d'électricité (en milliards de kwh)	268	842

21. Sept pays non-membres du Marché Commun (Autriche, Danemark, Grande-Bretagne, Norvège, Portugal, Suède, Suisse) forment eux-

mêmes une Association de Libre Echange qui englobe 90 millions de personnes.

22. La Grèce s'est jointe, comme membre associé, à la Communauté économique européenne en juillet 1961.

23. L'on a constaté que les ouvrières sont beaucoup plus adaptables que les ouvriers.

24. Les huit premières heures supplémentaires hebdomadaires sont payées 25% en plus, et à partir de la neuvième heure, 50% en plus.

25. Sauf peut-être toutefois si, d'une part, les réformes en cours de l'enseignement, et, d'autre part, le Marché Commun, atteignent leurs buts.

26. Napoléon III, en 1862, avait reconnu la liberté de la grève, mais c'est la loi du 30 juin 1881 sur le droit de réunion, et celle du 21 mars 1884, relative aux syndicats professionnels, qui ont accordé le droit de grève; aux Etats-Unis il date de 1914 (le « Clayton Act », section 6).

27. Actuellement, avec des idéologies différentes mais travaillant souvent ensemble pour les mêmes causes, les syndicats sont groupés en plusieurs Confédérations: la Confédération Générale du Travail, la C.G.T., le syndicat le plus nombreux et le mieux discipliné; la Confédération Générale du Travail-Force Ouvrière, la C.G.T.-F.O.; la Confédération Française des Travailleurs Chrétiens, la C.F.T.C.; la Confédération Autonome du Travail; et la Confédération des Cadres qui groupe les contremaîtres, les ingénieurs subalternes, les gérants, les représentants). Le patronat, d'autre part, a, lui aussi, ses propres syndicats, parmi lesquels celui des Jeunes Patrons est particulièrement actif et influent.

Bibliographie sommaire

In Search of France, Harvard U. Press, 1963 (Stanley Hoffman: "Paradoxes of the French Community"; Ch. P. Kindleberger: "The Postwar resurgence of the French economy"; Laurence Wylie: "Social change at the grass-roots"; Jessie R. Pitts: "Continuity and Change in bourgeois France"; Jean-Baptiste Duroselle: "Changes in French policy since 1945"; François Goguel: "Six authors in search of a national character").

La France de demain (8 vols.), Presses Universitaires de France, 1959–1960.

La France au XXème siècle, Robert Lacour-Gayet, Dryden Press et Hachette, 1954.

Histoire de la civilisation française, G. Duby et R. Mandrou, (2 vols.), A. Colin, 1958.

La France d'aujourd'hui, Hatier, 1960.

Modern France, E. Earle ed., Princeton U. Press, 1951.

France, D. W. Brogan, LIFE World Library, Time Inc., 1960.

The culture of France in our time, Julian Park, Cornell U. Press, 1954.

France, Albert Guérard, U. of Michigan Press, 1959.

La Ve République, Maurice Duverger, Presses Universitaires de France, 1959.

France under the Fourth Republic, F. Goguel, Cornell U. Press, 1952.

La Troisième République, J. Bainville, Fayard, 1935.

Le IVe Plan (numéro spécial), la Documentation française illustrée, 1962.

La politique sociale de la France, la Documentation française, 1960.

L'Economie française, la Documentation française, 1959.

France (en français et en anglais), la Documentation française, 1961.

Sources

Les Cahiers français, revue mensuelle de l'activité politique, économique, sociale, et culturelle de la France, la Documentation française.

Tendances, cahiers de documentation, revue bimestrielle, Association pour la diffusion de la pensée française.

Entreprise (hebdomadaire), Société d'études et de publications économiques.

Education in France and *French News* (four annual issues), the French Cultural Services, New York.

France Actuelle, A semi-monthly REPORT on MODERN FRANCE, Washington, D.C.

Le Français dans le Monde, revue de l'enseignement du français hors de France (huit numéros par an), Hachette et Larousse.

The National Information Bureau of the American Association of Teachers of French (for books and subscriptions to be ordered from France), New York.

The French Cultural Services and *French Press and Information*, New York.

TABLE DES ILLUSTRATIONS

120–121. Lapie-Photothèque Française; 122. Henle (Monkmeyer); 123. Lapie-Photothèque Française; 124. Lapie-Photothèque Française; 128. Extrait de la Documentation Photographique n° 5–223— "Les Transports en France," editée par la Documentation Française; 130. Courtesy of French Embassy Press and Information Division; 131. R. Fleury, Photo Aérienne—Fiennes Pdc France; 132. Engelhard (Monkmeyer); 136–137. Wes Kemp; 141. Wes Kemp; 142. Documentation française (Photo I. P. N.—Allard); 144. Jacques Verroust; 146. Courtesy of French Government Tourist Office; 149. Courtesy of French Cultural Services; 150. Wes Kemp; 160. Photo Documentation française; 161. Wide World Photos; 163. Documentation française (l'Agence France Presse de Paris); 165. Jacques Verroust; 167. Courtesy of French Embassy Press and Information Division; 177. Wes Kemp; 178. Wes Kemp; 179. Wes Kemp; 182. Jacques Verroust; 184. Wes Kemp; 188. Courtesy of French Cultural Services; 190. Wes Kemp; 191. Courtesy of French Government Tourist Office; 192. Courtesy of French Cultural Services; 194. Courtesy of French Cultural Services; 200. Wes Kemp; 204. Monkmeyer; 207. Martin Adler; 209. Courtesy of Air France; 210. Jacques Verroust; 211. Courtesy of French Embassy Press and Information Division; 212. Wes Kemp; 215. Courtesy of French Government Tourist Office; 217. Wes Kemp; 219. Aigner (Monkmeyer); 223. Aigner (Monkmeyer); 232. Luten (Monkmeyer); 234. Courtesy of French Government Tourist Office; 237. Jacques Verroust; 239. Daniell (Photo Researchers); 242–243. Lapie-Photothèque Française; 248. Documentation française (Photo Informations Aéronautiques); 249. Monier (Photo Researchers); 250. Courtesy of French Embassy Press and Information Division; 252. Documentation française (photo Jahan—C. E. A.); 253. Lapie-Photothèque Française; 256. Henle (Photo Researchers).

Vocabulaire

The following items are not listed: pronouns, days and months, names of countries, obvious cognates, and words clearly explained in the text and without exact equivalent translation. Adverbs are only listed where they are irregular or differ in meaning from the adjectives they are derived from.

A

abandonner to give up, abandon

abondamment plentifully, abundantly, profusely

abonder to abound, be plentiful

abonné *m.* subscriber

abord: d'—, first, at first

abordable accessible

aboutir to end at, lead into

abriter to protect, shelter; **s'—,** to take refuge *or* shelter

absolu: majorité —e half the votes plus one

acacia *m.* acacia; locust (tree)

accéder to reach, have access to

accès *m.* access, admission

accidentellement accidently

accomplir to achieve

accord *m.* agreement

accorder to grant; **s'—,** to agree

accrochage *m.* small car accident

s'accroître to increase

achat *m.* purchase; **faire des —s** to go shopping

acheter to buy

achever to finish

acier *m.* steel

aciérie *f.* steel factory

acquérir to acquire

acquis acquired, obtained

s'acquitter to fulfill, discharge (a duty)

actif: population *f.* **—ve** working population

actualités *f.pl.* news events

actuel present

actuellement now, presently, at the present time

s'additionner to add up

adhérent *m.* member

adhésion *f.* membership, participation

admettre to admit

administrativement administratively

aérer to air, ventilate

aérien aerial

aérodrome *m.* airport

aérogare *f.* air terminal

aéroport *m.* airport

affaire *f.* business matter; **les —s** business; **les grandes —s** big business

affairé busy

affermir to strengthen

affiche *f.* poster

afficher to post

affluence *f.:* **heure** *f.* **d'—,** rush hour

affluent *m.* tributary

afin (de, que) in order to, that

affronter to face

agence *f.* agency

agglomération *f.* built-up area

aggraver to worsen

agir to act; **s'— (de)** to be a question (of)

agissant active, dynamic

agneau *m.* lamb

agréable pleasant

agricole agricultural

agriculteur *m.* farmer

aider to aid, help, assist

aiguille *f.* needle; peak

aile *f.* wing

ailleurs elsewhere; **d'**—, besides; **par** —, in other respects
aimer to like, love
aîné elder
aînesse *f.* primogeniture; **droit** *m.* **d'**—, law of primogeniture
ainsi thus; — **que** as well as
air *m.*: **le grand** —, the open air, the fresh air
aisé easy; well-to-do
ajonc *m.* furze, gorse
ajourner to put off, postpone
ajouter to add
alcool *m.* alcohol
aliment *m.* food
alimentaire: **produit** *m.* —, food product; **industrie** *f.* —, food-industry
alimentation *f.* food, nourishment
alimenter to feed
alléchant tempting
allée *f.* path, avenue, driveway
allemand German
aller to go; be (health); **en** — **de même** to be true *or* the same
aller et retour both ways: **billet** *m.* **d'**—, return-trip ticket
alliage *m.* alloy
allié allied
allocation *f.* allowance
allumer to turn on (light)
allumette *f.* match
allure *f.* aspect; ways, behaviour; style
alluvions *f.pl.* alluvia
alpestre alpine
alpinisme *m.* mountain-climbing
alternance *f.* rotation
amasser to pile up
ambiance *f.* atmosphere, climate
ambitionner to aspire, be eager
ambulant itinerant
amélioration *f.* improvement
améliorer to improve, better; **s'**—, to get better, improve
aménagement *m.* fitting up, equipping; arrangement, facility
aménager to equip, outfit
amener to bring; lead
ameublement *m.* furniture, furnishings

ami, e *m./f.* friend
amiable: à l'—, amicably
amical friendly
s'amincir to become thin; narrow
amitié *f.* friendship
amont: en —, upstream
amour *m.* love
amoureux loving; —, *m.* lover, sweetheart
s'amuser to have fun, be amused, enjoy oneself
an *m.* year
analyse *f.* analysis
ancien old; former; antique
anglais English
animé lively
animer to stir up, enliven
année *f.* year
annoncer to announce
annuel yearly; **bi-** —, twice a year
apercevoir to perceive, see
apéritif *m. alcoholic drink before meal (not necessarily mixed)*
appareil *m.* appliance, set
appartement *m.* apartment
appartenir to belong
appel *m.*: **faire** —, to appeal; **Cour** *f.* **d'Appel** Court of Appeal
s'appeler to be called *or* named
appétissant tempting, appetizing
appliquer, **s'**—, to apply
appoint *m.* money to make both ends meet
apporter to bring
apprendre to learn; teach
apprenti, e *m./f.* apprentice
apprentissage *m.* apprenticeship
s'approvisionner to get one's supplies
appui *m.* support
appuyer to press, push; **s'**—, to lean
après after; **d'**—, according to
après-midi *m.* afternoon
arbitrage *m.* arbitration
arbitre *m.* arbitrator
arbre *m.* tree; — **fruitier** fruit-tree
arc *m.* arch; —-**boutant** flying buttress; — **plein cintre** semi-circular arch
archevêque *m.* archbishop

ardoise *f.* slate

arène *f.* arena

argent *m.* money; silver

argenterie *f.* silverware

argile *f.* clay

argileux: terre argileuse soil *or* earth of clay

armagnac *m.* brandy (from **Armagnac**)

armée *f.* army

arracher to pull, grab, tear

arrêt *m.* stop, break

arrêté decided; arrived at

arrêter to stop; **s'—,** to stop, pause; remain

arrière rear; **—-garde** *f.* rear guard; **—-pays** *m.* hinterland; **— -petit-fils** *m.* great-grandson; **en —,** behind

arrivée *f.* arrival

arriver to happen; come; succeed

arrondissement *m.* *administrative division;* zone

arroser to irrigate; water; *fam.* to add some brandy (in coffee)

artère *f.* main thoroughfare

artichaut *m.* artichoke

artificiel artificial

artisanal pertaining to a craft

artisanat *m.* craftsmanship

ascendant upward

s'assagir to quiet down, calm down

assainir to make healthier *or* more sanitary

s'asseoir to sit down

assez enough; rather, pretty

assidûment assiduously

assiéger to besiege

assimiler to assimilate

Assises *f.pl.*: **Cour** *f.* **d'—,** Assize Court

assistance *f.* help; public

assistante *f.*: **— sociale** social worker

assister to attend (a lecture, a game), watch; help, assist

associé, e *m./f.* associate

assumer to take over

assurance *f.* insurance

assurer to assure; insure

atelier *m.* workshop; studio; small factory

athée atheistic; **—,** *m./f.* atheist

athlétisme *m.* track, track sports

atroce cruel, atrocious

atteindre to reach

atteinte *f.* reach; **porter —,** to attack, hurt

attendre to wait for

attention *f.*: **— à la ligne** watch your waistline

atténuer to diminish, lessen, make smaller

atterrir to land

attirail *m.* gear, outfit; **— de pêche** fishing tackle

attirer to draw, attract

attitré regular, recognized

attroupement *m.* assembly, grouping of people

aucun no; none

audacieux bold

au-delà beyond

au-dessus above

auditeur, trice *m./f.* listener

augmenter to increase; enlarge

augure *m.* omen

aujourd'hui today; now; presently

aumône *f.* alms

auparavant before, previously

aussi also; too; **— ... que** as ... as

autant as much, as many; **d'— que** especially as; **d'— mieux** all the more

auteur *m./f.* author; **— dramatique** playwright

automotrice: voiture *f.* **—,** self-propelling car

autoriser to allow, authorize

autoroute *f.* parkway, turnpike

autour around

autre other; different

autrefois formerly

autrichien Austrian

aval: en —, downstream

avaler to swallow

avance *f.*: **à l'—,** in advance

avancé advanced; **les études** *f. pl.* **—es** higher studies

avancement *m.* promotion

avancer to present; advance

avant before

avantage *m.* advantage, profit
avantageux profitable, advantageous
avec with
avenant pleasing
avènement *m.* advent
avenir *m.* future
aventureux adventurous

avion *m.* airplane; — **de chasse** fighter plane
avis *m.* opinion; **changer d'—,** to change one's mind
avoine *f.* oats
avoir: **on t'a eu** (*fam.*) we got you
avouer to confess
axe *m.* axis

B

baccalauréat *m. examination at the end of the* lycée *studies*
bachelier, ère *m./f. student who has passed the two parts of the* baccalauréat
badaud, e *m./f.* gaper, idler
bagage *m.* luggage, baggage
baguette *f. long hard roll of bread*
baigner to bathe
baiser *m.* kiss
baisser to diminish, lower, come down
bal *m.* ball, dance
balayer to sweep
ballon *m.* round shaped summit (*Vosges*); — **rond** soccer
balustrade *f.* handrail, railing
bancaire pertaining to a bank; banking
bande *f.* band; strip (of land); gang; — **magnétique** magnetic *or* recording tape
banlieue *f.* suburbs, outskirts; **train** *m.* **de —,** commuters' train
banque *f.* bank
baptême *m.* baptism
baptiser to baptize
barrage *m.* obstacle; dam
bas low; inferior
base *f.* basis; **de —,** basic
bassin *m.* basin; — **houiller** coal basin
bataille *f.* battle
batailler to fight
bateau *m.* boat, ship
bâti built, erected
bâtiment *m.* building; building trade
battant *m.* leaf (of a double window)
batteuse *f.* threshing machine

battre to beat; **se —,** to fight, battle
bavarder to chatter, carry a conversation
beau handsome, beautiful; good-looking
beaucoup much; many
beau-père *m.* father-in-law
beffroi *m.* belfry
bénéfice *m.* benefit, profit
bénéficier to benefit; enjoy
berceau *m.* cradle
berger, ère *m./f.* shepherd, shepherdess
besogne *f.* task, chore
besogneux needy
besoin *m.* need; **avoir —,** to need
bétail *m.* cattle
bête *f.* animal
béton *m.* concrete; — **précontraint** prestressed concrete
betterave *f.* beet; — **fourragère** fodder beet; — **sucrière** sugar beet
betteravier *m.* beet producer
beurre *m.* butter
bi–: —**quotidien** twice a day; —**mensuel** twice a month
bibliothèque *f.* library
bicyclette *f.* bicycle
bien well; very; — **des** many; — **que** although; —, *m.* well-being; welfare; property; qualities; wealth; —s property
bienfaisance *f.*: **société** *f.* **de —,** benevolent *or* charitable society
bien pensant, e *m./f. conformist Christian without deep convictions*
bientôt soon
bière *f.* beer
bijouterie *f.* jewelry; jewelry store

bilingue bilingual

billet *m.* ticket; — **aller et retour** round-trip ticket; — **circulaire** discount tourist ticket

biscuiterie *f.* biscuit factory

blague *f.* joke; à la —, jokingly

blanc white; **houille blanche** hydroelectric power

blanchir to whiten; — à la chaux to whitewash

blé *m.* wheat

bleu blue

bloquer to block; freeze (rents)

blouson *m.* leather jacket

bocage *m.* grove, wooded section

bœuf *m.* ox; beef

bois *m.* wood, forest; lumber; — **déroulé** plywood

boisé wooded

boisson *f.* drink, beverage

boîte *f.* box, case; — **de nuit** night club

bol *m.* bowl

bombardement *m.* bombing

bonheur *m.* happiness, good fortune; **porter** —, to bring luck

bonne *f.* maid

bonneterie *f.* hosiery trade

bord *m.* edge; shore

bordé bordered, lined

bordelais *from or of* **Bordeaux**

bordure *f.* edge; border; **en** —, bordering

botte *f.* boot

boucherie *f.* meat store

boucle *f.* bend, curve

boueux *m.* sanitation employee

bouillabaisse *f. dish of Mediterranean fishes*

boulanger, ère *m./f.* baker, baker's wife

boulangerie *f.* bakery

boule *f. ball for game of* **boules**

bouleversement *m.* disorder, confusion, upheaval

bouquiniste *m./f.* secondhand bookseller

bourgeois, e *m./f.* middle-class man *or* woman; **petit** —, man of the lower middle class

bourse *f.* purse, pocketbook; scholarship

Bourse *f.* Stock Exchange

bout *m.* end, extremity; **au** — **de** after

bouteille *f.* bottle

boutique *f.* shop

bouton *m.* button

boutonnière *f.* buttonhole

brancardier *m.* stretcher-bearer

bras *m.* arm; — **dessus** — **dessous** arm in arm

brebis *f.* ewe (sheep)

bref brief, short

breton *from or of Brittany*

brevet *m. a diploma obtainable at age* 15–16

brièvement briefly

brimade *f.* vexing and useless measure, hazing

brique *f.* brick

briquet *m.* cigarette lighter

briser to break

britannique British

brochage *m.* stitching (books)

brochet *m.* pike (*fish*)

broderie *f.* embroidery

brouillard *m.* fog

bruit *m.* noise

brûler to burn

brut raw (material)

bruyant noisy

bruyère *f.* heather

buis *m.* boxwood

buisson *m.* bush

bulletin *m.* school report (grades); catalogue; brochure

bureau *m.* office; desk

but *m.* goal, aim

butte *f.* small hill, knoll

C

çà: — **et là** here and there

cabinet *m.* doctor's office; council of ministers

cacao *m.* cocoa

cacher to hide, conceal

cachet *m.* stamp; elegance; prestige

cadeau *m.* present, gift

cadre *m.* setting; framework, structure; middle-rank executive; —s staff; **faire partie des —s, être dans les —s,** to belong (school system, army, etc. . .)

cafetier *m.* owner *or* manager of a café

cahier *m.* notebook

caillou *m.* pebble, stone

caisse *f.*:—**d'épargne** savings bank

calcaire: **terre** *f.* —, chalky soil; **pierre** *f.* —, limestone

calcul *m.* arithmetic

calculer to count, figure; **machine** *f.* à —, adding machine

calendrier *m.* calendar

calvados *m.* brandy (Normandy)

calvaire *m. granite monuments (in Brittany) representing scenes of Mount Calvary*

camarade *m./f.* schoolmate; fellow worker

camaraderie *f.* good fellowship

camelot *m.* peddler

camion *m.* truck

campagne *f.* country, countryside; campaign

canaliser to open a canal, make into a canal

canne *f.*: **sucre** *m.* **de** —, cane sugar

canneton *m.* duckling

canton *m. administrative division of a* **département**

canut *m.* silk weaver (**Lyon**)

caoutchouc *m.* rubber

capter to pick up, collect, seize

car *m.* bus (intercity)

caractère *m.*: **avoir bon** —, to be good-natured; — **d'imprimerie** type (printing)

carafe *f.* decanter

carafon *m.* small decanter

carburant *m.* motor fuel

Carême *m.* Lent

carré square; —, *m.* **d'agneau** *a special cut of roast-lamb*

carrefour *m.* crossroads; intersection

carrière *f.* career

carrousel *m.* tournament on horseback; merry-go-round

carte *f.* card; map; — **postale** post card; — **des vins** list of wines

carthaginois *from Carthage (North Africa)*

carton *m.* cardboard

cas *m.* case; **en tout** —, at any rate

Cassation *f.*: **Cour** *f.* **de** —, Supreme Court of Appeals

casse-croûte *m.* snack, very light meal

casser to break, annul

catalaunique: **champs** *m.pl.* —s Catalaunian fields (**Champagne**)

Cathares *m.pl. heretic sect*

cause *f.*: à — **de** because, on account of; **en** —, concerned

cave *f.* cellar

caverne *f.* cave

céder to yield

célèbre famous

célébrer to celebrate

cellule *f.* cell

celte Celtic

censé supposed to

censure *f.* censorship

centaine *f.* about one hundred

centenaire a hundred years old

centime *m. one hundredth of one* **franc** *(coin worth about $\frac{1}{5}$ of a cent)*

centrale *f.* powerhouse; — **thermique** powerhouse generated by heat (coal)

cèpe *m.* mushroom

cependant however

céramique *f.* ceramics

cercle *m.* club; circle

céréale *f.* cereal, grain

cerise *f.* cherry

certainement certainly, undoubtedly

certes indeed; certainly

certifié, e *m./f. holder of a* **certificat**

cesse *f.*: **sans** —, continuously

cesser to stop

c'est-à-dire that is to say, namely

chacun each one

chaîne *f.* chain; station (radio); — **de montage** assembly line; — **de montagnes** mountain range

chaire *f.* professorship; chair
chaise *f.* chair
chaland *m.* barge
chaleur *f.* heat; **bouche** *f.* **de —,** hot-air vent
chambré at room temperature
champ *m.* field; **— de courses** race track
champenois *from or of the* **Champagne**
chance *f.* luck; chance; **courir sa —,** to take one's chance
changement *m.* change
chanson *f.* song
chant *m.* singing; song
chantier *m.* yard; working area; **— de constructions navales** shipbuilding yard
chapeau *m.* hat
chapelain *m.* chaplain
chaque each
char *m.* float
charbon *m.* coal
charbonnages *m.pl.* coal industries
charbonnier pertaining to coal trade
charcuterie *f.* ready-cooked meat (mostly pork); delicatessen store
charge *f.* load; expense; **prendre en —,** to take over; **être à la —,** to be dependent
chargé: être — de to be entrusted with *or* responsible for; **—,** *m.* **de cours** *holder of a rank in the higher education system,* lecturer
charger to load; **se —,** to take care
charme *m.* yoke tree (European)
charrette *f.* cart, wagon, chariot
chartreuse *f.* "liqueur"
chartreux *m.* *a religious order of monks* (*Saint Bruno*)
chasse *f.* hunting; **pavillon** *m.* **de —,** hunting lodge; **— sous-marine** skin diving
chasseur *m.* hunter
chat *m.* cat
château *m.* castle
chauffage *m.* heating, heating system
chauffer to heat
chaume *m.* thatch (roof)

chaussée *f.* road, pavement, highway
chaussure *f.* shoe, footwear
chaux *f.* lime; **pierre** *f.* **à —,** limestone
chef *m.* chief, head
chef-lieu *m.* *city in each* **département** *where the* **préfet** *resides*
chemin *m.* road, way; **— de fer** railroad
cheminée *f.* chimney; fireplace
chêne *m.* oak tree
chèque *m.*: **— bancaire, — postal** check (through a bank, through the Post-Office)
chercher to look for; try; search
chercheur *m.* researcher
cheval *m.* horse; **à —,** on horseback, astride; **course** *f.* **de chevaux** horse race
chevaleresque chivalrous
chevalerie *f.* chivalry, knighthood
cheveux *m.pl.* hair
chèvre *f.* goat
chicane *f.* chicanery, quibbling
chien *m.* dog
chiffre *m.* figure, number
chiffré numbered
chimérique fantastic
chimie *f.* chemistry
chimique chemical
chirurgien *m.* surgeon
choisir to choose
choix *m.* choice
chômage *m.* unemployment
se choquer to get *or* be shocked
chose *f.* thing; **leçon** *f.* **de —s** practical science
chou *m.* cabbage
chrétien Christian
chrétienté *f.* Christendom
chute *f.* fall
cidre *m.* cider (alcoholic drink)
ciel *m.* sky
ciment *m.* cement
cimetière *m.* cemetery
ciné *m.* (*short for* **cinéma**)
cinéma *m.* movie-house; cinema (industry)
cinquantaine *f.* about fifty
cintre *m.* arch; **arc** *m.* **plein —,** semicircular arch

circulaire: billet *m.* —, discount tourist ticket
circulation *f.* traffic
circuler to run; flow; move
cirque *m.* circus; cirque (*geol.*)
citadin *m.* city dweller
citer to quote, cite, mention
citoyen *m.* citizen
citron *m.* lemon; — pressé lemon squash
citronnier *m.* lemon tree
civisme *m.* civics
clair clear; distinct; light
classer to classify
clé (clef) *f.* key; nom-—, *m.* key word
client *m.* customer
climatisation *f.* air conditioning
clochard *m.* hobo
clocher *m.* church tower
cloisonner to partition
clouté: passage *m.* —, crossing for pedestrians
cobaye *m.* guinea pig
cocarde *f.* cockade, rosette
cœur *m.* heart; center; hub
cognac *m.* brandy (Cognac)
coiffe *f.* coif, headdress; hairdo
coin *m.* corner; small place
col *m.* mountain pass
collaborer to collaborate, cooperate
collectionner to collect
colline *f.* hill
colon *m.* settler; colonist
colonie *f.*: — de vacances summer camp for young people
colonne *f.* column
combat *m.* battle, fight
combattant *m.*: ancien —, war veteran
combattre to fight (against)
combien how; how much, how many
comble full to capacity
combustible *m.* fuel
comestibles *m.pl.* edibles; food
comme as; like; since
commencer to begin, start
commenter to explain, analyze, comment (upon)
commerçant commercial; —, *m.* merchant

commuer to change into, commute (law)
communal *belonging to the commune*
communale *f. public school (first grades)*
commune *f. smallest administrative division*
communément usually
communiquer to communicate
compenser to compensate
compléter to supplement
compliqué complex, complicated
complot *m.* plot
comporter to include; se —, to behave
composition *f.* test; essay
comprendre to understand; include
compris: y —, included
comptabilité *f.* accounting
compte *m.* account; se rendre —, to realize; tenir — de to take into account; en fin de —, finally; à son —, on one's own
compter to count, figure, calculate; account; expect
compte-rendu *m.* account, analysis
compteur *m.* meter
comptoir *m.* business establishment
comté *m.* county
se concentrer to concentrate, be concentrated
concentriquement concentrically
conclure to conclude; — un marché to strike a bargain
concours *m.* competitive examination; competition; assistance, cooperation
concurrence *f.* competition, rivalry
condamner to condemn
conducteur *m.* driver
conduire to drive; lead; se —, to behave
conduite *f.* conduct, behavior
confection *f.* ready-to-wear clothing
conférence *f.* lecture; maître *m.* de —s *a professorial rank at the university level*

confessionnel denominational
confiance *f.* confidence, trust
confier to confide; entrust
confluent *m.* confluence (of two rivers)
confondre to mistake, confuse
congé *m.* vacation; — **payé** paid vacation; *fam.* "paid vacationist"
connaissance *f.* knowledge
connaître to know, be acquainted with
conquérant *m.* conqueror
conquérir to conquer
conquête *f.* conquest
conseil *m.* council; — **de guerre** court-martial; — **de révision** military draftboard
conseiller to advise, counsel; —, *m.* adviser, counsellor
conséquent: par —, consequently
conservateur conservative
conserve *f.* preserve; canned food
conserver to preserve, keep
conserverie *f.* canning factory, packing house
consolider to strengthen
consommateur *m.* consumer
consommation *f.* consumption; drink
consommer to consume
constamment constantly
constater to notice, verify, observe
construire to build
conte *m.* short story
contenir to contain, hold, include
se contenter (de) to be satisfied (with)
contigü adjoining, adjacent
continu constant, continuous
contraindre to force
contraire *m.* contrary, opposite; **au —,** on the contrary
contrairement (à) in spite (of); contrary (to)
contravention *f.* minor infraction of the law; summons
contre against; — **la montre** against the clock; **par —,** on the other hand
contrebalancer to offset
contrefort *m.* buttress

contremaître *m.* foreman
contrepartie *f.* counterpart
contrevent *m.* wooden shutter
convaincre to convince
convenable decent, proper
convenir to be proper, be agreeable, fit, suit
convention *f.* agreement; convention
copain *m.* chum
copie *f.* paper (school work)
copieux copious, abundant
coq *m.* rooster
coquillage *m.* shellfish
cordier, ère *m./f.* ropemaker
cordon *m.*: — **bleu** first-rate cook
corne *f.* horn
coron *m.* miners' quarter
corps *m.* body; — **enseignant** teaching staff
correctionnel: tribunal *m.* —, *court of summary jurisdiction*
correspondance *f.* transfer, transfer station (subway, railroads)
corriger to correct
corsaire *m.* privateer
corsé full-bodied (wine)
côte *f.* coast, shore; rib
côté *m.* side; **de son —,** for his part; **à — de** near
coteau *m.* hill
côtier coastal
coton *m.* cotton
cotonnier: industrie *f.* —**ère** cotton manufacturing industry
se coucher to go to bed
couchette *f.* berth
couler to flow; pass; run
couleur *f.* color
couloir *m.* passage, corridor, aisle
coup *m.*: — **d'œil** glance
coupe *f.* cup
couper to cut; dilute
coupeur, euse *m./f.* cutter (of clothes)
coupole *f.* dome, cupola
cour *f.* court; courtyard
couramment generally, usually; easily, fluently
courant *m.* current; — **force** heavy-duty circuit, power circuit

courant common, usual; **eau —e** *f.* running water
coureur *m.* racer (bicycle, car)
courir to run; — **sa chance** to take one's chance
couronne *f.* crown; wreath
couronner to crown
cours *m.* course; **au — de** during, in the course of; — **d'eau** river; — **inférieur** lower course (of a river); — **moyen** middle course; — **supérieur** upper course
course *f.* race; errand; **faire des —s** to go shopping; **champ** *m.* **de —s** race track; — **cycliste** bicycle race; — **-relais** relay race
court short, brief
courtois courtly; polite
coût *m.* cost
couteau *m.* knife
coutellerie *f.* cutlery (trade, factory)
coûter to cost
coûteux costly, expensive
coutume *f.* custom, habit
couture *f.* sewing, needlework
couvrir to cover
craie *f.* chalk
craindre to fear, be afraid of
crainte *f.* fear
crayeux made of chalk
crèche *f.* manger
créer to create; form; found
crème *f.* cream

crêpe *f.* pancake
crête *f.* crest, top
creuser to dig
creux hollow
crevette *f.* shrimp
crise *f.* crisis
cristallerie *f.* crystal (trade, factory)
critique *f.* criticism
critiquer to criticize
croire to believe
croisade *f.* crusade
croissance *f.* growth
croissant *m.* *horseshoe-shaped roll*
croissant increasing, growing
croître to grow
croix *f.* cross
croyance *f.* belief
cru *m.* vintage
crustacé *m.* crustacean, shellfish
cuir *m.* leather
cuire to cook
cuisine *f.* cooking
cuit cooked
cultivateur *m.* farmer
cultivé cultivated; cultured
culture *f.* culture; agriculture; crop; — **maraîchère** truck gardening
cumul *m.*: — **de fonctions** plurality of positions
cure *f.*: **faire une —,** to take a cure
curé *m.* parish priest

D

danse *f.* dance, dancing
dater to go back, date
davantage more
débarquement *m.* landing
débarquer to land, arrive, disembark
déboucher to open (on)
début *m.* beginning
débuter to start, begin
décerner to grant
décès *m.* death
déclin *m.*: **en —,** on the way down *or* out
décoller to take off (plane)
décolorer to bleach (hair)

déconsidérer to discredit
découler to spring, be a consequence, follow (from)
découpage *m.* cutting up, division
découper to cut up
décourager to discourage
découverte *f.* discovery
découvrir to discover; uncover
décret *m.* decree
décréter to decree
décrire to describe
dédaigner to scorn
dédié dedicated
défaire to undo
défaite *f.* defeat

défenseur *m.* supporter
défiler to parade; **défilé** *m.* parade
dégager to free, liberate, disengage
degré *m.* degree
dégrèvement *m.* reduction
déguisé hidden; disguised
déguster to taste, sample
dehors outside; **en — de** beside
déjà already
déjeuner to have lunch *or* breakfast; **—, *m.*** lunch; **petit —,** breakfast
délabré dilapidated, decrepit
se délasser to relax
délit *m.* misdemeanor
demande *f.* application; demand
démarche *f.* step
demeurer to live, dwell; remain
demi half; **à —,** halfway, half
démission *f.* resignation
démographique *pertaining to population*
démolir to demolish, wreck
dénombrer to number, count
dénoter to show, mark
denrée *f.* food, food product; commodity
dentelé dented
dentelle *f.* lace
départ *m.* departure; **au —,** at the beginning *or* start
département *m.* *administrative division*
dépasser to pass; exceed
dépendre (de) to depend (on)
dépens *m.pl.*: **aux —,** at the expense
dépeuplé depopulated
dépit *m.*: **en — de** in spite of
déplacement *m.* small trip; moving around
se déplacer to move; travel; change one's place *or* residence
dépliant *m.* folder
déposer to place
dépourvu deprived, destitute
depuis since; from
député *m.* *member of the* **Assemblée Nationale**
dernier last
déroulé: bois —, plywood
se dérouler to unfold, develop

dérouté confused
dès from; **— que** as soon as; **— lors** hence, consequently
désagréablement unpleasantly
descendre to go down; land; stay (at hotel, a friend's house)
descente *f.* downhill, slope
désigner to nominate; designate; mark
désintéressé having no monetary interest at stake
désir *m.* wish, desire
désolidariser to loosen the ties
désormais henceforth, hereafter
dessein *m.* pattern, design
desservir to link; serve; ply between
dessin *m.* drawing; plan; design
dessinateur *m.* draftsman; designer
dessiner to plan, draw, sketch, design; **se —,** to take shape
dessous under; **en —,** under
destiner to intend, reserve
détaché: pièce —e part (machine)
détacher to detach
détail *m.*: **vente** *f.* **au —,** retail sale
détaillant *m.* retailer
se détendre to relax
détenir to hold
détour *m.* roundabout way
se détourner to turn away
détroit *m.* straights; **le — du Pas-de-Calais** Dover Straights
détruire to destroy
dette *f.* debt
deux: tous —, both
devant in front of; before
devanture *f.* shopwindow
dévaster to devastate
devenir to become
devise *f.* motto; currency
devoir must, to be about to; **—,** *m.* duty; written home-work
dictée *f.* dictation
Dieu *m.* God
différencier to differentiate
différend *m.* difference
différer to be different
difficile difficult; particular
difficilement uneasily

diffuser to broadcast

digestif *m.* **liqueur** *that aids in digestion*

diminution *f.* decrease, reduction

dîner to have dinner

diplôme *m.* degree, diploma

diplômé graduated

dire to say, tell, recite; **vouloir —,** to mean; **le qu'en dira-t-on?** what will people say?

direct: en —, live (radio)

directement directly

directeur, trice *m./f.* head *or* director *or* principal (boys' school, girls' school)

directeur (*adj.*) guiding (principle)

dirigé: activités *f.pl.* **—es** supervised activities

dirigeant leading

diriger to head, lead, direct; turn, bend

discerner to distinguish

discipline *f.* subject matter

discordant clashing, not harmonious

discours *m.* speech

discuter to dispute; discuss; **se —,** to be discussed

disparaître to disappear, vanish

dispersé scattered

disponible available

disque *m.* disk; discus; record

dissimuler to hide, conceal

dissoudre to dissolve

distinguer to discern, distinguish; make a distinction

distraction *f.* amusement

se distraire to enjoy oneself, have fun

distribuer to distribute, deliver, hand out

divers different, various

se divertir to have fun

divertissement *m.* amusement, entertainment

diviser to divide

dizaine *f.* about ten

docteur *m.* *holder of a* **doctorat ès lettres, ès sciences,** *etc...*

docteur, doctoresse *m./f.* doctor, physician

doctorat *m.* doctorate (a university degree)

doigt *m.* finger

doit: comme il se —, as must be

domanial: forêt —e State forest

domestique domesticated; **animal** *m.* **—,** pet; **—,** *m./f.* servant

domicile *m.*: **visite** *f.* **à —,** doctor's house call

dominer to dominate

don *m.* gift, present

donc then, consequently, thus

donner to give; present; **étant donné** given

doré golden, gilded

dorénavant from now on, henceforth

dot *f.* dowry

douane *f.* customhouse; customs; **droit** *m.* **de —,** custom duty

douanier: tarif —, customs rate; **union** *f.* **—ère** customs union

douceur *f.* gentleness; sweetness

doué gifted; endowed

doute *m.* doubt; uncertainty; **sans —,** undoubtedly

douteux doubtful; suspicious

douzaine *f.* dozen

dramatique: auteur *m.* **—,** playwright

drap *m.* cloth; bed sheet

drapeau *m.* flag

dresser to erect; set, set up, draw up; raise up, mount, stand; **se —,** to rise

droit straight; **tout —,** straight ahead; **—,** *m.* right; **— d'aînesse** law of primogeniture; **avoir —,** to be entitled; **Faculté de Droit** Law School; **faire son —,** to study law; **de plein —,** by right; **— privé** civil right

droite *f.* right; **à —,** on *or* to the right

duc *m.* duke

duché *m.* duchy, dukedom

dur hard; difficult; a great deal

durable lasting

durcir to harden

durée *f.* duration, length

durer to last

E

eau *f.* water; **ville d'**—, spa; **vin coupé d'**—, wine and water; **les grandes** —**x** fountains in action (Versailles); **ligne** *f.* **de partage des** —**x** watershed

écart *m.* distance; difference; **à l'**—, aside, outside

échange *m.* exchange; **en** —, as a compensation

échapper to escape

échéant: **le cas** —, should the occasion arise

échelle *f.* scale; ladder

échelon *m.* echelon, rank

échouer to fail

éclairage *m.* lighting, light, illumination

éclairer to enlight, enlighten; light up; illuminate; **s'**—, to light; brighten up

économie *f.* thrift; economy; — **dirigée** managed *or* controlled economy; — **politique** economics

s'écouler to flow, pass, run, elapse

écouter to listen to

écouteur *m.*: — **individuel** earphones

écran *m.* screen

écraser to crush; run over (car)

écrire to write

écrivain *m.* writer

édit *m.* edict

éditeur *m.* publisher

édition *f.* publishing; edition

effacé retiring, unobtrusive

effectif efficient; —, *m.* number of students, enrollment

effectuer to execute; carry out; accomplish; **s'**—, to take place

effet *m.*: **en** —, indeed; **à cet** —, for this purpose; **faire l'**—, to give the impression

efficace efficient

efficacité *f.* efficiency

s'efforcer to strive, endeavor, try

égalité *f.* equality

égard *m.* consideration, respect; viewpoint; **à tous (les)** —**s** in all respects

égayer to brighten up, cheer up

église *f.* church

s'égrener to scatter

élargir to broaden; increase; **s'**—, to widen

électeur *m.* voter; somebody eligible to vote

élevage *m.* breeding (horses, cattle)

élève *m./f.* pupil

élevé raised; brought up; high

élever to raise; **s'**—, to rise

élire to elect; choose

éloigner to postpone; differ; keep away

émaner to come (from)

émaux *m.pl.* enamels

embellir to beautify, embellish

embouchure *f.* mouth *or* opening (of a river)

embrasser to kiss; embrace

embrigader to enroll

émetteur *m.*: **poste** *m.* —, radio-broadcasting station

émeute *f.* riot

émiettement *m.* scattering, weakening

s'emparer to take possession, seize

empêcher to hinder, prevent; **s'**— **de** to refrain from

emplacement *m.* site, location

emploi *m.* use; job; — **du temps** schedule, timetable

employer to use, utilize, employ

employeur *m.* employer

empoissonner to stock (rivers, lakes) with fish

emporter to carry along; — **sur** to outweigh

émulation *f.* competition

en in; — **rien** not at all

encadré set in between; supervised

enceinte *f.* surrounding wall

encercler to encircle; circle

enchère *f.*: **vente** *f.* **aux** —**s** auction sale

encombrant cumbersome

encombrement *m.* traffic jam

encombrer to crowd

encore still; yet; again

endroit *m.* place, location

enfance *f.* childhood
enfant *m.* child
enfer *m.* hell
enfilade *f.* succession
enfin finally; after all
engagement *m.* promise
engin *m.* contrivance, machine, vehicle
englober to include, comprise
engrais *m.* fertilizer
enlever to take away, kidnap
enluminure *f.* illumination (of manuscripts)
enneigé snow-covered
ennui *m.* trouble, problem; boredom
énorme huge
enquête *f.* inquiry, investigation
enregistrer to record
enseignement *m.* teaching; system of education
enseigner to teach
ensemble together; —, *m.* whole, unit, entirety; **dans l'**—, altogether
ensoleillé sunny
ensuite then, next
entailler to notch, cut
s'entasser to pile up
entendu agreed, understood; **bien** , of course
enterrement *m.* burial
enterrer to bury
entier entire, whole
entourer to surround
entraîner to train, coach, form; bring along
entre between; among
entrée *f.* entrance; admission
entremêlé intermingled, intermixed
entremets *m.* sweet dish (dessert)
entrepôt *m.* warehouse; — **frigorifique** cold storage
entreprise *f.* enterprise, firm, business; undertaking
entrer to enter, go in
entretenir to keep up, maintain; carry, entertain
entretien *m.* upkeep; conversation
énumérer to enumerate
envahir to invade

envenimer to envenom, poison
envers toward
enviable desirable
envier to envy
environ about, approximately
environnant surrounding
environs *m.pl.* surroundings, neighborhood
envisager to plan, envisage, imagine
envoyer to send
épais thick
épargne *f.*: **caisse** *f.* **d'**—, savings bank
éparpillé scattered
éphémère short-lived
épicerie *f.* grocery
épine *f.* thorn
épiscopat *m.* the bishops, episcopacy
épopée *f.* epic
époque *f.* era
épouser to marry; — **la forme** to take the exact shape
épreuve *f.* test
éprouver to feel
équipe *f.* team
équitation *f.* horseback riding
escalade *f.* climbing
escalader to climb
escalier *m.* staircase; flight of steps
esclavage *m.* slavery
escrime *f.* fencing
espagnol Spanish
espèce *f.* kind, species
espérer to hope
espionnage *m.* spying
esprit *m.* mind; intelligence; spirit; — **-fort** freethinker
essai *m.* attempt, trial, try; essay
essayer to try, try out
essence *f.* gasoline; species, variety
essor *m.* rise; soaring up; — **démographique** population explosion
estime: **à l'**—, by guesswork
estimer to think; esteem, deem
estivant *m.* summer vacationist
estomac *m.* stomach
estuaire *m.* estuary
établi recognized; established, based, founded
s'établir to form; get started; settle

établissement *m.* institution, school; settling down

étage *m.* floor; premier —, second floor

s'étager to rise, be in tiers *or* terraces, one above the other

étalage *m.* window display

étalé displayed

s'étaler to spread

étang *m.* pond

étape *f.* stopping place; link *or* distance between two stops (race)

état *m.* state; — civil vital statistics

Etat *m.* State, Central Government

été *m.* summer

éteindre to put out (light, fire)

s'étendre to stretch; lie

étendue *f.* area, sweep, stretch

étiquette *f.* label

étoile *f.* star

étonnant astonishing

étonnement *m.* astonishment

étonner to astonish, surprise; s'—, to wonder, be astonished

étranger foreign; à l'—, abroad; —, *m.* foreigner; stranger

être to be, exist; —, *m.* being

étrennes *f.pl.* New Year's gift

étroit narrow

étude *f.* study; faire des —s to study, attend school

étudiant, e *m./f.* university student

s'évader to escape

évangélique according to the Gospel

évasion *f.* escape

évêché *m.* bishop's house

évêque *m.* bishop

évidemment obviously

éviter to avoid

évolué well developed, advanced

évoluer to evolve, change

évoquer to suggest, evoke

exagérément excessively

excédent *m.* surplus; excess

exécution *f.* carrying out, execution

exemplaire *m.* copy

exercer to exercise; carry out; s'—, to apply

exercice *m.* exercise, drill; en —, on the active list

exigence *f.* demand

exiger to demand

exode *m.* exodus

expérience *f.* experiment

expliquer to explain

exploitation *f.*: — agricole farm; — industrielle plant, factory

exposant *m.* exhibitor

exposition *f.* exhibit

exprimer to express

exquis exquisite

extérieur outer, external

extérieurement outwardly

externe *m./f.* day-student; — surveillé supervised day-student

extraire to extract

F

fabrication *f.* manufacturing

fabrique *f.* small factory

fabriquer to manufacture

face *f.*: en — de opposite, across from

se fâcher to get angry

facile easy

faciliter to make easier

façon *f.* manner; way; sans —s informally

façonner to make, finish, fashion

facteur *m.* mail carrier; factor

facultatif optional

faculté *f.* aptitude; Faculté de Droit Law School

faible weak

faiblesse *f.* weakness

faire to do, make, form

fait *m.* fact; — divers news item; en —, as a matter of fact, indeed; en — de as

falaise *f.* cliff

falloir to be necessary *or* proper *or* expedient; must

familial: allocations *f. pl.* —es family allowances (Social Security)

familier familiar

famille *f.* family

fantaisie *f.*: bijouterie *f.* de —, costume jewelry

fantaisiste fanciful, whimsical, imaginative
farce *f.* practical joke
farine *f.* flour
fasciner to fascinate
fatigant tiring
faubourg *m.* suburb; section of town
faut: il —, it is necessary
faute *f.: —* **de** for lack of
fauteuil *m.* seat; armchair
faux false, erroneous
favorisé privileged
favoriser to encourage, promote; favor
féculent *m.* starchy food
femme *f.* woman, lady; wife
fenêtre *f.* window; **— à guillotine** sash window
féodalité *f.* feudality, feudalism
fer *m.* iron; **chemin** *m.* **de —,** railroad
férié: jour *m.* **—,** feast day, legal holiday
ferme *f.* farm
fermer to close, shut
fermeture *f.* closing
ferré: voie *f.* **—e** railroad track
ferroviaire: réseau *m.* **—,** railroad network
fête *f.* festivity, feast; anniversary
feu *m.* traffic light; fire; **— d'artifice** fireworks
feuille *f.* sheet (of paper), page; leaf (of tree)
fève *f.* Lima bean
fictif fictitious
fidèle faithful
fier proud
fierté *f.* pride
filature *f.* mill (textiles)
file *f.* row; line (of cars)
filet *m.* net
fille *f.* daughter; **jeune —,** girl
fils *m.* son; **petit- —,** grandson; **arrière-petit- —,** great-grand-son
fin *f.* end; **en — de compte** finally
finalement finally
financement *m.* financing
financier financial
finir to finish, end

firme *f.* firm, business concern
fixe set, stated
fixer to set, determine
flammand Flemish
flanc *m.* flank, slope
flâner to walk idly around, stroll about
flânerie *f.* stroll
fleur *f.* flower
fleurir to flourish; bloom; prosper; cover with flowers
fleuriste *m./f.* florist
fleuve *m.* main river
flotte *f.* fleet, navy
flotter to float, stay afloat
fluvial *pertaining to a river*
foi *f.* faith
foie *m.* liver
foin *m.* hay
foire *f.* fair, market
fois *f.* time; **une —,** once; **deux —,** twice; **à la —,** at the same time; together
fonction *f.* function; position; **en — de** in terms of
fonctionnaire *m./f.* civil servant; officer, official
fonctionnement *m.* working, running
fonctionner to work, run
fond *m.* bottom; **au —,** fundamentally; **course** *f.* **de —,** long-distance race; **course de demi- —,** 400 yards-race
fondation *f.* creation, foundation
fonder to found; **se —,** to be based
fontaine *f.* fountain
fonte *f.* cast iron
forain traveling (show), itinerant (merchant)
forêt *f.* forest; **— domaniale** State forest
formation *f.* training, preparation
forme *f.* shape, form; **sous — de** in the guise of
former to train
formuler to formulate
fort strong; very, much; quite
fortuné well-off, rich
fossé *m.* ditch; separation
fougère *f.* fern

fouiller to search, look around for, browse
foule f. crowd
four m. oven; — **rotatif** rotary kiln
fourchette f. fork
fourneau m. range; oven; **haut —,** blast furnace
fourni well-stocked
fournir to give, produce, furnish
fourrage m. fodder
fourrager: plante f. **—ère** fodder plant
foyer m. home
fraîcheur f. freshness; newness
frais cool; fresh
frais m.pl. expenses; — **de scolarité** tuition fees
franc frank, clear-cut
franc m. *coin worth about 20 cents*
français French
Français m. Frenchman; **—e** French woman
franchir to pass over
franc-maçonnerie f. Freemasonry

frapper to strike, hit
fréquemment frequently
fréquence f.: **modulation** f. **de —,** high-frequency modulation
fréquentation f. association, company
fréquenter to attend, go to; meet, see, visit
frère m. brother
frigorifique: entrepôt m. **—,** cold storage
froid cold
fromage m. cheese
froment m. wheat
frontière f. frontier, border
fronton m. high wall (**pelote basque**)
fruitier: arbre m. **—,** fruit-tree
fuir to flee
fumer to smoke
fur: au — et à mesure as; gradually
fusiller to shoot
futaie f. forest; **haute —,** open forest

G

gagnant m. winner
gagner to win; earn; gain; reach
galère f. slave ship, galley
galet m. pebble
galette f. cake
gamme f. gamut; range
gant m. glove
garanti guaranteed
garçon m. boy; waiter
garderie f. day nursery
gare f. railroad station
garni full; well-lined (purse)
gauche f. left; à —, on *or* to the left
gaulois Gallic; **Gaulois** m. Gaul
gaz m. gas
gazeux gaseous, fizzy, sparkling
gelée f. frost
gêne f. want, financial strain
gêner to hinder, impede, inconvenience
genêt m. gorse
genre m. type, sort

gens m./f.pl. people; **jeunes —,** young men, young people; **de vieilles —,** f.pl., **des — vieux** m.pl. old people
gentillesse f. kindness
gentiment nicely, with kindness
gérant m. manager
gerbe f. sheaf, bunch
gérer to administer, manage
geste m. gesture
gestion f. administration
gibier m. game
gisement m. deposit, bed (*geol.*)
glace f. ice cream; mirror
glisser to slip, glide, slide
golf m.: **terrain** m. **de —,** golf course
golfe m. gulf
goudron m. tar
gourmand fond of sweet things
gourmet m. epicure, gourmet
goût m. taste
goûter to taste; **—,** m. snack, light meal

goutte *f.* drop
grâce à thanks to
graduellement little by little
graine *f.* seed
grand big; great; main; large
grandir to grow
gratte-ciel *m.* skyscraper
gratuit free (of charge)
gratuité *f.* gratuitousness
gravier *m.* gravel
gré *m.* will; pleasure, liking
grec Greek
grenier *m.* attic, garret
grève *f.* strike; le droit de —, the right to strike
grillade *f.* broiled meat

grillé toasted (bread)
gris gray
gros large; fat; en —, roughly; —, *m.* bulk, main part
grossesse *f.* pregnancy
grossiste *m.* wholesaler
grotte *f.* cave, grotto
grouper to group; number; se —, to gather, form a group
gruyère *m.* *Swiss cheese*
guérison *f.* cure, recovery
guerre *f.* war
guise *f.* way, manner, fashion; en — de by way of, instead of
gymnase *m.* gymnasium, gym hall

H

habile clever
s'habiller to dress
habitant *m.* inhabitant; native
habitation *f.* dwelling; housing
habiter to live, dwell, inhabit
habitude *f.* habit
habitué accustomed, used; —, *m.* regular customer
s'habituer to get used
haie *f.* hedge; — vive live hedge
haine *f.* hatred
halles *f.pl.* covered market
haricot *m.* bean
hasard *m.* chance
hâte *f.* haste, hurry
se hâter to hasten, hurry
haut high; tall; en —, on, on top
hauteur *f.* height; saut *m.* en —, high jump
haut-fourneau *m.* blast furnace
hebdomadaire weekly; —, *m.* weekly newspaper, magazine
hectolitre *m.* 100 litres
herbage *m.* grassland, pasture
herbe *f.* grass; mauvaise —, weed
héritage *m.* inheritance
héritier, ère *m./f.* heir, heiress
héros, héroïne hero, heroine
heure *f.* hour; time; de bonne —, early
heureusement fortunately, happily
heurt *m.* shock, blow, clash, accident

histoire *f.* history; story
historique historical; —, *m.* historical account
hiver *m.* winter, wintertime
hollandais Dutch
homard *m.* lobster
homme *m.* man
honoraires *m.pl.* fees, honorarium
horaire hourly; —, *m.* timetable, schedule; program
horloge *f.* large clock
horlogerie *f.* clock and watch making
hors outside; — -la-loi *m.* outcast, outlaw
hospice *m.* hospital; old peoples home
hospitalier hospitable; centre —, medical center
hôte, hôtesse *m./f.* host, hostess; guest
hôtel *m.* hotel; mansion; — de ville town hall
hôtelier: industrie *f.* —ère hotel industry
hôtellerie *f.* hotel industry *or* trade
houblon *m.* hops
houille *f.* coal; — blanche hydroelectric power
houiller: bassin *m.* —, coal basin
houillère *f.* coal mine
huile *f.* oil
huître *f.* oyster
humain human

I

ici here; **d'—**, in, within
idée *f.* idea
île *f.* island
illustré *m.* illustrated magazine
îlot *m.* small island
imagerie *f.* picture-sheet printing plant
immeuble *m.* building; apartment house
immodérément excessively
implanter to install, set up
impliquer to imply, implicate, involve
importe: n'— quel any
impôt *m.* tax
s'imprégner to become impregnated, be imbued
impressionnant impressive
imprévisible unforeseeable, unpredictable
imprimerie *f.* printing press; **caractère** *m.* **d'—**, type
impulsion *f.* impulse
inavoué unavowed
incendie *m.* fire
inclure to include
inconnu unknown
incontestable undeniable; beyond all question
inconvénient *m.* drawback; inconvenience
incroyant *m.* nonbeliever
indicateur *m.*: **— lumineux** illuminated board
indiquer to indicate, point out, show
individu *m.* individual
inégal unequal
inexistant nonexistent
in-extenso in full
infailliblement certainly
infime tiny
infini countless, infinite
s'ingénier (à) to cleverly manage
ingénieur *m.* engineer

ingérence *f.* meddling, unwarranted intervention
innombrable countless, innumerable
inquiet worried; disturbed
insalubre unsanitary; unhealthy
s'inscrire to register
insouciant unconcerned; carefree
insoupçonné unsuspected
installer to settle, set, place; **s'—**, to stay, live permanently
instance: tribunal *m.* **d'—, de grande —**, civil court
instaurer to set up
institut *m.* institute; graduate-level school
instituteur, trice *m./f.* teacher (*in* **école primaire**)
instruit educated; learned
insuffisance *f.* inadequacy
insuffisant insufficient
intelligemment intelligently; cleverly
intempérie *f.* bad weather
intention *f.*: **à l'— de** intended for
interdire to forbid
interdit stunned
intérieur *m.* home; **à l'—**, inside
intermédiaire: par l'— de by way of, through
s'interrompre to stop
intervenir to intervene
intime intimate
intraduisible untranslatable
inutile useless
inutilisable unusable, worthless
inventaire *m.* inventory
investir to invest
investissement *m.* investment
investiture *f.* induction
invité, e guest
invraisemblable fantastic, hard to believe
isoler to isolate
issu coming (from); born

J

jadis formerly
jalousie *f.* Venetian blind
jamais never

jardin *m.* garden
jardinage *m.* gardening
jaune yellow

jet *m.*: — **d'eau** fountain
jeter to throw; discard; **se** —, to flow into, lead into
jeu *m.* game; play
jeune young
jeunesse *f.* youth
joie *f.* joy
joindre to link; **se** — (**à**) to join
joli pretty
jouer to play; gamble; act; — (**une selection**) **d'après** to pick (one's choice) according to
jouet *m.* toy
joueur *m.* player; gambler
jouir to enjoy
jour *m.* day, daytime; **au grand** —, openly

journal *m.* newspaper; diary; — **parlé** *radio summary of news and political opinion from main newspapers*
journaliste newspaper man *or* woman
journée *f.* day
joyeux joyful, happy, merry
juge *m.* judge, magistrate
jugement *m.* judgment, reason; **porter** —, to pass judgment
juger to judge; deem; consider
juif Jewish; —, *m.* Jew
juré *m.* juror
jus *m.* juice
jusque as far as; until, till; even to; — **-là** so far, until then

K

kilo: **un kilogramme** (*or 1,000* **grammes**) *is worth 2 French pounds, or 2,2 lbs*
kilométrage *m. measuring or mark-*

ing of roads with milestones
kilomètre *m.* (*or 1,000* **mètres**) *equals ⅝ of a mile (0.624 mile)*
kirsch *m.* cherry alcoholic drink

L

là there
labourer to plough
lac *m.* lake
lacet *m.* winding (of a mountain road)
lâcher to let free, release
lagune *f.* lagoon
laïc, laïque secular, undenominated; *m./f.* layman, laywoman
laïcité *f.* secularity, undenominationalism
laid ugly
laine *f.* wool
lainier: industrie *f.* —**ère** wool manufacturing
laisser to leave, let
lait *m.* milk
laitier: produit —, dairy product; **vache** *f.* —**ère** milch cow
laiton *m.* brass
laitue *f.* lettuce
lancer to launch; —, *m.* **du poids** shot-put; — **du javelot, du disque** javelin *or* discus throwing
landais *from or of the* **Landes**

lande *f.* moor
langage *m.* language; speech
langue *f.* language; tongue; — **vivante** modern language; **mauvaise** —, sarcastic person; slanderer
lapin *m.* rabbit
large wide; big; vast
largeur *f.* width
latent hidden, concealed
laurier-rose *m.* rose laurel, oleander
lavage *m.* washing
lave *f.* lava (volcanic)
laver to wash
leçon *f.* lesson; — **de choses** practical science
lecture *f.* reading
léger light
légume *m.* vegetable
lendemain *m.* following day
lent slow
lettre *f.* letter
se lever to get up
libérer to free, liberate
libraire *m.* bookdealer, bookseller

librairie *f.* bookstore
libre free; **enseignement** —, *private educational system*
libre penseur *m.* freethinker, non-believer
lien *m.* link, bond
lier to link, bind
lieu *m.* place; **avoir** —, to take place, happen; **en premier** —, in the first place; **en tenir** —, to take one's (its) place
lièvre *m.* hare
ligne *f.* line, row, range; path, way
limitation *f.*: — **de vitesse** speed limit
limoneux rich in alluvia (*geol.*)
limpide clear, transparent
lin *m.* linen; flax
linge *m.* linen
liqueur *f.* sweet dessert alcoholic drink
lire to read
lit *m.* bed
litige *m.* litigation
litre *m. about 1¾ pints*
littéraire literary
littéralement literally; word for word
littoral *m.* seaboard, coastal area
livre *m.* book
livre *f. pound, worth 500* **grammes** *or half a* **kilogramme** *or 1,1 lb*

livrer to deliver; **se** — (**à**) to be engaged (in)
livresque bookish
localiser to spot, place, situate
location *f.* rent
logement *m.* apartment; housing; lodging; home
loger to lodge; accommodate; house
logiquement logically
logis *m.* home, lodging, house
loi *f.* law; **projet** *m.* **de** —, bill (*law before it is voted on*)
loin far; **au** —, in the distance
lointain distant; —, *m.*: **dans le** —, in the distance
loisir *m.* leisure, spare time
long: le — **de** along; **à la longue** in the long run
longer to run, extend along
longtemps long, a long time
longueur *f.* length
lopin *m.* plot, patch
lors: dès —, consequently, hence
se louer to be rented *or* hired
lourd heavy
loyer *m.* rent
lucarne *f.* gable *or* attic window
lumière *f.* light
lumineux illuminated
lunetterie *f.* manufacturing of eyeglasses and optical instruments
luxe *m.* luxury

M

maçon *m.* mason, bricklayer
magasin *m.* store, shop; **grand** —, department store
magnifique splendid
maillot *m.* jersey
main *f.* hand; **petite** —, young seamstress
main-d'œuvre *f.* manpower, labor
maintenir to maintain, keep up
maire *m.* mayor
mairie *f.* town hall
maïs *m.* corn
maison *f.* house
maître *m.* master, teacher; **maîtresse** *f.* school teacher
majestueux majestic
majeur major, large

majoritaire: scrutin *m.* —, election by majority (absolute majority or plurality)
majorité *f.*: — **absolue** half the votes plus one; — **relative** plurality
malade sick; —, *m./f.* patient
malaisé difficult
malentendu *m.* misunderstanding
malgré in spite of
malheureusement unfortunately
malsain unhealthy
manade *f. herd of bulls or horses* (*in* **Provence**)
mandat *m.* term of office
manège *m.* merry-go-round
manger to eat

manière *f.* manner, way
manifeste clear
manœuvre *m.* unskilled laborer
manquer to miss, lack
manuel: travailleur *m.* —, laborer; —, *m.* textbook, manual
maquis *m.* brushwood covered heath
maraîcher: culture *f.* —ère truck gardening
marais *m.* swamp; — salant salt marsh
marbre *m.* marble
marchand *m.* merchant
marchandise *f.* goods, merchandise
marche *f.* walk
marché *m.* market, market place; bargain; contract; bon —, inexpensive, cheap; meilleur —, cheaper; faire le —, to go shopping
marcher to walk, take a walk
Mardi-Gras *m.* Shrove Tuesday
marécageux swampy
maréchal *m.* marshall
marée *f.* tide; fresh fish; train *m.* de —, fish train
marémotrice: usine *f.* —, *power plant making use of the tides of the sea*
marge *f.* margin; en —, on the fringe (of society)
se marier to get married
marin *m.* sailor
marine *f.* navy; fleet; seascape
marionnette *f.* puppet
maroquinerie *f.* leather goods; leather shop
marque *f.* make (of a car)
marquer to mark, indicate
marronnier *m.* chestnut tree
marseillais *from or of* Marseille
mas *m.* farm (in Provence)
massé crowded, massed
massif *m.*: — de fleurs flower bed; — montagneux group of mountains
match *m.* game
matériel *m.* equipment
matière *f.* material; subject matter; — première raw material; en — de concerning

matin *m.* morning
mauvais bad
méandre *m.* winding, meander
mécanicien *m.* mechanic
mécanique machine-made
médecine *f.* medicine (medical profession)
médicament *m.* drug, medicine
se méfier to distrust
meilleur better; — marché cheaper
mélange *m.* mixture
mêler to mix
membre *m.* member; — de phrase clause
même even; de —, likewise, in the same way; tout de —, yet, however; same
menacer to threaten
ménage *m.* household; home; couple; man and wife
ménager: enseignement —, home economics
ménagère *f.* housewife
mendiant *m.* beggar; ordre *m.* —, mendicant order
mener to lead
mensuel monthly
mer *f.* sea
merci thank you; à la —, at the mercy
mère *f.* mother
méridional southern
mériter to deserve
méritoire deserving, praiseworthy
messe *f.* mass
mesure *f.* measure; step; en — de in a position to
mesurer to measure
métier *m.* trade; — à tisser loom
mètre *m.* meter (*3.281 ft.*)
métro *m.* Paris subway
métropolitain metropolitan
mets *m.* dish
metteur *m.*: — en scène stage director
mettre to put, place; — aux prises to oppose
meuble *m.* piece of furniture
mi-: emploi *m.* à —-temps half-time job
midi *m.* noon

Midi *m.* Southern France

mieux better; **d'autant —**, all the more

milieu *m.* middle, midst; environment; area; atmosphere

mille *m.* thousand

milliard *m.* billion

millier *m.* thousand

mince thin

minerai *m.* ore

mineur lesser

mineur *m.* miner

minier mining-

ministère *m.* ministry, Department (of the Government)

minoritaire *m./f.* member of a minority

minoterie *f.* flour mill

minuit *m.* midnight

minuscule tiny, small

mise *f.*: **— en page** setting, set up (of page, book, newspaper page); **— à mort** kill

misère *f.* extreme poverty

mixte mixed; coeducational

mobilier *m.* furniture

mode *m.* way, kind, sort

mode *f.* fashion, style; **à la —**, fashionable

modèle *m.* pattern, model

modéré moderate; small

modestement moderately; humbly, modestly

mœurs *f.pl.* manners, customs, habits

moine *m.* monk

moins less; **au —**, **du —**, at least; **le —**, the least

moisson *f.* harvest, crop

moissonneuse-lieuse *f.* combine, reaper and binder

moitié *f.* half

monastère *m.* monastery

mondain wordly, mundane; society (*adj.*)

monde *m.* world; **moins de —**, fewer people; **rempli de —**, full of people, crowded; **tout le —**, everybody

mondial world-wide

mondialement the whole world over

moniteur, trice *m./f.* camp counselor

monoculture *f.*: **zone** *f.* **de —**, single-crop region

mont *m.* mount; hill; summit

montagne *f.* mountain

montagneux mountainous, hilly

montée *f.* coming up, rising

monte-pente *m.* ski tow

monter to go up; reach; mount; **se —**, to amount; set up

montre *f.* watch; **contre la —**, against the clock

montrer to show, demonstrate

se moquer to make fun

morceau *m.* piece

morcelé parceled out, divided, cut

morcellement *m.* excessive division (of land)

mort dead; **—**, *f.* death; **mise** *f.* **à —**, kill

morue *f.* codfish

mot *m.* word

moteur driving, moving; **—**, *m.* engine, motor

motif *m.* motive, intention

mou soft, tender

mouchoir *m.* handkerchief

moule *f.* mussel

moulin *m.* mill; **— à vent** windmill

mourir to die

mousseux *m.* sparkling wine

mouton *m.* sheep

moyen *m.* means; way; **—s de transport** transportation system; **au — de** by means of

moyen average; **l'homme** *m.* **—**, the man in the street

Moyen Age *m.* Middle Ages

moyenne *f.* average

moyennement moderately, fairly

muguet *m.* lily of the valley

munir to provide, supply, furnish

mur *m.* wall

mûr ripe; mature

muraille *f.* high wall; barrier

mûrier *m.* mulberry tree

muscadet *m.* white dry wine (*of the* **Nantes** *region*)

musulman Moslem

mutuellement mutually

N

naguère recently
naissance *f.* birth
naître to be born
natal native
natalité *f.* birth rate
natation *f.* swimming
nationalisé administered by the Government
né born
néerlandais Dutch
négligeable negligible, unimportant
négliger to neglect
ne . . . guère hardly
neigeux snowy
nettement clearly
nettoyer to clean
neuf new
neutre neutral
ni . . . ni neither . . . nor
niveau *m.* level; standard
noblesse *f.* nobility
nocturne: vie *f.* **—,** night life
Noël *m.* Christmas; **Père** *m.* **—,** Santa Claus
noir black; **roman** *m.* **de la série —e** crime story
nom *m.* name; noun; **— -clé** key word

nombre *m.* number; amount; **— de** many
nombreux numerous; **famille** *f.* **—se** *family with more than two children*
nomination *f.* appointment
nommer to name; appoint
normalien *m. student or graduate of the* **Ecole Normale Supérieure,** *an institute of higher learning*
normand Norman
notable *m. person of standing and influence in the community*
note *f.* mark; grade; bill
noter to remark; note
nouilles *f.pl.* noodles
nourrir to feed
nourrissant feeding; filling
nourriture *f.* food
nouveau new, different
nouvelles *f.pl.* news
nu nude, bare
nuancé containing delicate shades of meaning; subtle
nuit *f.* night; **boîte** *f.* **de —,** night club
numéro *m.* number
numéroter to number

O

obéissance *f.* obedience
objectif *m.* objective, aim, goal
obligatoire compulsory
obscur dark
observer to notice, observe; pay attention to
obstiné obstinate
obtenir to obtain, get, procure; **s'—,** to be obtained
occasion *f.* opportunity; occasion; bargain; **à l'—,** occasionally
occidental western
occupant *m.:* **les —s** the occupying military forces
odorant fragrant
œil *m.* eye; **coup** *m.* **d'—,** glance
œuf *m.* egg
œuvre *f.* work; **chef** *m.* **d'—,**

masterpiece; **hors d'—,** *m.* appetizer
office *m.* (religious) service
officiellement officially, formally
officier *m.* (military) officer
officieux unofficial
offrir to offer, present
ogival pointed, ogival, Gothic (art)
oignon *m.* onion
oiseau *m.* bird
oliveraie *f.* olive grove *or* plantation
olivier *m.* olive tree
ombrage *m.* shade
ombragé shaded
omettre to omit, leave out
opprimer to oppress
or *m.* gold

oranger *m.* orange tree
ordonnance *f.* ordnance; prescription (*med.*)
ordre *m.* order; command; neatness
organisme *m.* agency
orge *f.* barley
Orient *m.*: **Proche —**, Near East; **Moyen —**, Middle East
orienter to guide, orient; **s'—**, to find one's way, orient oneself
orme *m.* elm tree
orner to decorate
orthographe *f.* spelling
os *m.* bone

osciller to fluctuate, oscillate
ou or; **— bien** or else
où where; **par —**, through which
oublier to forget
outil *m.* tool
outillage *m.* equipment; tools
outre in addition to
outre-mer overseas
ouverture *f.* opening
ouvrage *m.* work; book
ouvreuse *f.* usher (theater)
ouvrier *m.* worker; **— agricole** agricultural laborer
ouvrière *f.* worker, working woman
ouvrir to open

P

païen pagan
pain *m.* bread
pair *m.* peer, equal
paisible peaceful, quiet
paix *f.* peace
palais *m.* palace
palmarès *m.* honor roll
panier *m.* basket
panneau *m.* disk; **— -réclame** billboard
papauté *f.* papacy
pape *m.* pope
papeterie *f.* paper mill *or* factory; stationery store
papier *m.* paper; **— journal** paper to make a newspaper
Pâques *f.pl.* Easter
par by; out of; **— où** through which; **une fois — jour** once a day
paraître to appear, seem
parc *m.*: **— à huîtres** bed of cultivated oysters
parcelle *f.* patch, plot
parcourir to go through *or* across; **— une distance** to cover a distance
parcours *m.* route, distance covered; itinerary
par-dessus over, above
pardon *m.* pilgrimage (in Brittany)
pare-brise *m.* windshield
parent *m.* parent; relative
paresse *f.* laziness
paresseux lazy

parfait perfect
parfois sometimes, at times
parfum *m.* perfume
parfumé flavored
pari *m.* bet
parier to bet
parlementaire parliamentary; **—**, *m.* member of Parliament
parler to speak, talk, discuss; **—**, *m.* speech, language
parleur *m.*: **haut- —**, loud-speaker
parmi among
paroisse *f.* parish
paroissial belonging to a parish
parsemer to strew, stud, scatter
part *f.* part, share, portion; **à —**, in addition to; aside, special; **d'autre —**, on the other hand
partage *m.* division
partager to share; divide; split; **se —**, to split, be divided
parterre *m.* flower bed
parti *m.* political party
particulier special, particular; **maison** *f.* **—ère** private house
partie *f.* part; party; side; **faire — de** to be a member of, belong to
partir to leave; **à — de** from
partisan *m.* follower; **être — de** to approve of
partout everywhere
parvenir to reach, arrive; succeed
parvis *m.* court, square (in front of church)

pas *m.* step; **le détroit du Pas-de-Calais** Straights of Dover
passable passing, acceptable
passé *m.* past
passer to pass; spend (time); show (films); — **pour** to be believed (to be)
passionnant fascinating
se passionner to become passionately fond *or* impassioned
pâte *f.* dough; paste; —s **alimentaires** macaroni, spaghetti
pâté *m.*: — **de maisons** block of houses
patiemment patiently
patiné: pierre —e stone mellowed by time
pâtisserie *f.* pastry shop; pastry
patois *m.* dialect
patrie *f.* fatherland, country
patrimoine *m.* patrimony, inheritance
patron *m.* boss; patron saint
patronat *m.* management
pâturage *m.* pasture
pauvre poor
pauvreté *f.* poverty, misery
pavé *m.* cobblestone, pavement
pavillon *m.* pavilion, detached building; — **de chasse** hunting lodge
payer to pay (for)
pays *m.* country; (section of) land; nation
paysage *m.* landscape; scenery; surroundings
paysagiste *m./f.* landscapist
paysan *m.* peasant; farmer
pêche *f.* fishing
pêcheur *m.* fisherman
pécuniaire financial, pecuniary
pédagogique pedagogical, educational; **stage** *m.* —, student teaching
peine: à —, hardly; —, *f.* trouble; pain
peintre *m.* painter
peinture *f.* painting
péjoratif derogatory
pèlerinage *m.* pilgrimage
pelote *f.*: — **basque** jai alai
pelouse *f.* lawn

pendant during; — **que** while
pénétrer to enter
péniche *f.* barge, canal-boat
pensée *f.* thought, idea
penser to think
penseur *m.* thinker
pension *f.* boardinghouse; pension
pensionnaire *m./f.* boarder
pente *f.* slope; inclination
percepteur *m.*: — **d'impôts** tax collector
percer to pierce; dig; open; penetrate; pass through
perdre to lose; **se** —, to disappear, vanish; be lost
père *m.* father; **beau-** —, father-in-law
périlleux dangerous
périmé outmoded, outdated
permettre to permit, allow, authorize, make possible
persienne *f.* shutter, slatted shutter
personnage *m.* figure, character
personne nobody; —, *f.* person; **grande** —, adult, grown-up; —s people
personnel personal
perspective *f.* vista
perte *f.* loss
pesanteur *f.* weight; gravity
peser to weigh
petit small; **un tout** —, a very young one
pétrole *m.* oil; kerosine
pétrolier: port —, *port equipped for the traffic of petroleum and petroleum products;* —, *m.* oil tanker
peu little; few
peuplade *f.* small tribe
peuple *m.* population; people
peupler to people
peuplier *m.* poplar tree
peur *f.* fear
peut-être perhaps
phare *m.* lighthouse
pharmacien *m.* pharmacist, druggist
phénomène *m.* phenomenon
phocéen Phocæan
phrase *f.* sentence; **membre** *m.* **de** —, clause

physionomie *f.* countenance, face, aspect

physique physical; —, *f.* physics

pic *m.* summit, peak

pièce *f.* play, drama; room; — de monnaie coin; — détachée part (*mech.*)

pied *m.* foot; à —, on foot

pierre *f.* stone; — à chaux limestone; — de taille cut stone

piéton *m.* pedestrian

pile *f.* heap, pile, stack

piller to plunder, rob

pilotis *m.* piling, pile, foundation

pin *m.* pine tree

pionnier *m.* pioneer

piquer to stick; se —, to boast

pire worse

piscine *f.* swimming pool

place *f.* public square; seat; place; sur —, on the spot; — fortifiée fortified town, fortress

placer to place, put; se —, to put *or* place oneself, be

plage *f.* beach

plaine *f.* plain

plaire to please; se — à to enjoy

plaisanter to jest, joke

plaisanterie *f.* joke

plaisir *m.* pleasure

plan *m.* plan; map; outline; realm, field, domain

planeur *m.* glider

plant *m.* seedling; set

plante *f.* plant, vegetation

plat flat; —, *m.* dish

platane *m.* plane tree

plein full; le — air the open air; la —e campagne real country; de — droit by right; en —, right in the midst of

pleuvoir to rain

plissement *m.* fold, folding (*geol.*)

plonger to plunge, dive

pluie *f.* rain

plupart *f.* most, the greater part

plus more; — ... —, the more ... the more; de —, moreover; de — en —, more and more

plusieurs several

plutôt rather

pneu (*short for* pneumatique) *m.* tire

poche *f.* pocket; livre *m.* de —, pocket-book (edition); argent *m.* de —, pocket money

poêle *m.* stove

poids *m.* weight; lancer *m.* du —, shot-put

poignet *m.* wrist

point *m.*: mettre au —, to perfect (invention); explain; regulate, set; — de vue viewpoint; belvedere

poitevin *from or of* Poitou

poli: âge *m.* de la pierre —e neolithic age

politesse *f.* politeness, courtesy

pomme *f.* apple; — de terre potato

pommier *m.* apple tree

pompier *m.* fireman

pont *m.* bridge; — suspendu suspension bridge

populaire: public *m.* —, general public, crowd

populeux populated

porc *m.* pig; pork

port *m.* harbor, port; — d'attache home port; — pétrolier *port equipped for the traffic of petroleum and petroleum products;* — charbonnier *port equipped for the traffic of coal*

portail *m.* portal, gate

porte *f.* door, gate

portefeuille *m.* pocket book; portfolio

porter to bear (upon), carry; se —, to be worn; be, feel; lean (towards)

poser to set, put

posséder to possess, own

poste *m.* position, situation

poste *f.* Post-Office

potager *m.* vegetable garden

potasse *f.* potash

potin *m.* gossip

poulet *m.* chicken

pourboire *m.* tip, gratuity

pourcentage *m.* percentage

pourquoi why

poursuite *f.* pursuit, continuation

poursuivre to pursue, continue; **se —,** to go on

pourvu provided; **— que** provided that

poussé deep, searching; urged; developed

pousser to push, prod, urge; **faire —,** to grow

poutre *f.* beam

pouvoir can, to be able; **—,** *m.* power

prairie *f.* grassland

pratiquant practicing

pratique practical; **travaux** *m.pl.* **—s** workshop; **—,** *f.* custom, practice

pratiquer to practice

pré *m.* meadow

précéder to precede

prêcher to preach

préciser to specify, state precisely

préconiser to advocate

préfecture *f. office and house of the* **préfet**

préfet *m. appointed head of a* **département**

préjugé *m.* prejudice

premier first; **— ministre** prime minister

prendre to take, get, grasp, assume

prénom *m.* first name

préparatifs *m.pl.* preparation

près near; **de —,** closely

pré-salé *m.* salt-meadow sheep *or* mutton

prescrire to prescribe, ordain, require

présentement presently, now

presque almost

presse *f.* press, newspapers

pressé compressed; in a hurry; urgent

se presser to hurry

pression *f.* pressure; **groupe** *m.* **de —,** lobby

prestation *f.* allowance, benefit

prêt *m.* loan

prétendre to claim; affirm

prétention *f.*: **sans —,** modest, unpretentious

prêter to lend; **— appui** to give support; **— attention** to pay attention

prêtre *m.* priest

preuve *f.* proof; **faire — de** to show

prévaloir to prevail

prévoir to foresee; provide

prier to pray

prieuré *m.* priory

primaire: époque *f.* **—,** Paleozoic era; **enseignement** *m.* **—,** *French system of education, ages 6-16*

prime *f.* premium

primeur *f.* fruit or vegetable (grown before normal time)

princier princely

principalement chiefly, mainly

printemps *m.* spring

prise *f.* taking, taking up; catch; **— de position** attitude

prisonnier *m.* prisoner

privation *f.* hardship

privé private; deprived

prix *m.* price, cost; prize, reward

procès *m.* lawsuit

proche near, close, immediate

Proche Orient *m.* Near East

se procurer to get, procure, obtain

producteur *m.* producer

produire to produce; make; manufacture

produit *m.* product; produce

profane secular

professeur *m.* teacher, professor (*secondary and university levels*)

professionnel *of a profession or trade*

profond deep; profound

profondément deeply; profoundly

profondeur *f.* depth

progrès *m.* progress, improvement, advancement

progressivement gradually

projet *m.* plan; **en —,** being planned; **— de loi** bill (*law before it is voted on*)

projeter to plan

prolongement *m.* extension

prolonger to prolong, extend

promenade *f.* walk; ride

promeneur *m.* walker, hiker; pedestrian; rider

promotion *f.* advancement; — ouvrière, — du travail *technical and social improvement of the working class*

propos *m.* purpose; subject; à — de concerning

propre clean; own

proprement: — dit properly so called; à — parler properly speaking

propriétaire *m./f.* owner; landowner; landlord, landlady

propriété *f.* estate; property

prospère prosperous

protéger to protect

prouver to prove, demonstrate, show

provenance *f.*: en — de coming from

provenir (de) to come (from), derive (from)

proviseur *m.* head, principal (*of a* lycée)

provisoire temporary, provisional

provoquer to cause, bring about

prud'homme *m.*: conseil *m.* des —s conciliation board

prussien Prussian

psychologue *m./f.* psychologist

publicitaire *pertaining to publicity*

puis then, next

puiser to draw

puisque since

puissance *f.* power

puissant powerful

punition *f.* punishment

pylone *m.* steel tower

Q

quai *m.* embankment; dock, pier, wharf

qualifié: ouvrier *m.* —, skilled worker

qualifier to call, term

quant: — à as for, as to

quart *m.* fourth; quarter

quartier *m.* section; area; neighborhood; — général headquarters

quasi almost

quaternaire: époque *f.* —, quaternary era (*geol.*)

que: — ce soit . . . ou whether . . . or

quelconque any, whatever

quelque some; —s a few

quelques-uns a few; some

queue *f.*: faire la —, to stand in line

quincaillerie *f.* hardware store

quintal *m.* one hundred kilos

quinzaine *f.* fortnight

quitter to leave

quoi what; en — ? in what way?

quoique although, even though

R

se rabattre to fall back (upon)

rabbin *m.* rabbi

raconter to tell

raffinage *m.* refining

raffiner to refine

raffinerie *f.* refinery

raide stiff, steep

raison *f.* reason; avoir —, to be right; avec —, rightly so

rallumer to turn on the light again

ramassage *m.*: — scolaire *picking up of pupils with school bus*

ramasser to pick up; collect

rame *f.* subway train

ramener to bring back; se — à to amount to, be explained by

rang *m.* rank; row; place

rapide *m.* through train

rapidement quickly

rappeler to recall, remind, bring to mind

rapport *m.* relationship; report; immeuble de —, apartment house; par — à compared with *or* to

rapporter to earn; se — à to concern

rapprochement *m.* comparison; reconciliation

rarement seldom
raser to raze
rassembler to gather
ratisser to rake
se rattacher to be attached or linked
rattraper to catch up
rayon m. radius; ray
rayonnement m. influence
rayonner to radiate
réagir to react
rebâtir to rebuild
reblochon m. a cheese
reboisement m. reforestation
récemment recently
récepteur m.: — de télévision T.V. set
recette f. receipt; recipe
recevoir to receive
recherche f. research; pursuit; refined elegance
récif m. reef
récipient m. container
récit m. narration; recital; story
se réclamer (de) to appeal (to); claim relationship (with)
réclusion f. solitary confinement
récolter to gather, harvest
recommander to recommend
récompenser to reward
reconnaître to recognize, admit
reconstruire to rebuild
recouvrir to cover; include; take in
récréation f. school break, rest, playtime; recreation
recrutement m. recruiting
recruter to recruit
recteur m. president or chancellor (of a university)
rectiligne straight
recueillir to gather, collect; se —, to meditate
rédaction f. drafting, editing; composition
redevenir to become again
rédiger to draft, write
réduire to limit, reduce
réel actual, real
réentraînement m. retraining
refléter to reflect
réformer to classify "4F" (military draft-board)

refusé turned down, unsuccessful
regagner to recover, regain
régie f. administration
régime m. regime, government; category; diet
règle f. rule, regulation; en —, in order
réglementation f. regulation
réglementer to regulate
régler to settle; regulate; set
régner to reign; prevail
régulier regular; normal
reine f. queen
rejoindre to join, link
relancer to throw back
relatif: majorité f. —ve plurality
relativement relatively; relatively speaking
relèvement m. recovery, revival
relever to raise, lift, elevate; — de to belong to, be part of
relier to link, connect; bind (a book)
reliure f. bookbinding
remarquablement remarkably, noticeably
rembourser to reimburse
remédier to remedy
remontée f. rise
remonte-pente f. ski tow
remonter to go back to; go upstream; go up, increase
remplacer to substitute, replace
remplir to fill, refill
remporter to carry off or back; win
rémunérer to pay, reward
rencontre f. meeting
rencontrer to meet
rendement m. output, yield
rendez-vous m. appointment
rendre to make; return, hand back; — un jugement to judge; se —, to go; surrender; se — compte (de or que) to realize
renfermer to enclose, surround
renommé famous
renoncer to give up
renouveau m. renewal
renouvelable renewable
renouveler to renew
renouvellement m. renewal

rentable income-producing
rentrer to re-enter; reintegrate; go home
renverser to upset
renvoyer to send back
répandre to spread
répandu popular
réparation *f.* repair
répartir to distribute
répartition *f.* distribution
repas *m.* meal
repassage *m.* ironing
repérer to spot
répondre to answer; respond
repos *m.* rest
reposer to rest; depend; **se** —, to relax, rest
reposoir *m.* temporary altar (*on which monstrance carrying the host is rested in a procession*)
repousser to push back
reprendre to resume; take up again; take over
représentant *m.* salesman
réprimer to check, repress, quell
reproduire to reproduce, repeat, copy, imitate
réputé famous
requérir to demand, require
requis required, demanded
réseau *m.* network; — **routier** highway system
réservoir *m.* tank
résider to reside
résoudre to solve
ressentir to feel
ressortir to stand out
rester to remain, stay
restreint limited; small
résumé *m.* summary
retable *m.* altar
retard *m.* delay
retarder to delay
retenir to retain; hold back; — **une place** to make a reservation
retirer to withdraw, get, obtain
retour *m.* return; **aller et** —, both ways
retraite *f.* pension; retirement
retraité *m.* retired person, pensioner
se retrancher to confine oneself

se retrouver to meet
réunion *f.* meeting
réunir to unite
réussir to succeed
réussite *f.* success; achievement
réveil *m.* awakening
réveiller to awaken
réveillon *m.* supper on Christmas night
révéler to reveal, develop
revendication *f.* claim, demand
revenir to come back; — **à dire** to amount to say
revenu *m.* income
revêtir to assume
révision *f.*: **conseil** *m.* **de** —, military draft-board
revue *f.* review, magazine; **passer en** —, to review
richesse *f.* wealth
rideau *m.* curtain
rien nothing
rigueur *f.* severity
rivaliser to vie, rival
rivalité *f.* rivalry
rive *f.* bank; side
riz *m.* rice
rocher *m.* rock; **faire du** —, to do rock climbing
roi *m.* king
rôle *m.* part, role, work
romain Roman
roman romanesque; **langue** *f.* **—e** Romance language; —, *m.* novel; — **-feuilleton** serial
romanche *m.* Romansch (*language spoken in parts of Switzerland*)
romancier *m.* novelist
romantique *m.* romanticist
rond round
rosace *f.* rose window
rose pink
rosé *m.* light-bodied pink wine
rotatif rotating; **four** —, rotary kiln
rôti *m.* roast
rouge red
rouget *m.* red mullet (fish)
rougi: eau *f.* **—e** wine and water
rouler to ride
roumain Rumanian

route *f.* road; route; — **nationale** main highway

routier: signalisation *f.* —**ère** system of road signals; **tunnel** *m.* —, highway tunnel

royaume *m.* kingdom

S

sable *m.* sand

sabot *m.* wooden shoe

sacerdotal priestlike

sacrer to anoint, crown (a king)

sagesse *f.* wisdom

sain healthy

saisie *f.* seizure

saison *f.* season; **morte** —, winter months

saisonnier seasonal

salaire *m.* wages; salary (of a worker)

salarié wage earner

sale dirty

salle *f.* room; — **de cinéma** movie house; — **d'études** study hall; —**-à-manger** dining room; — **de théâtre** theater

salon *m.* drawing room; society circle

sanitaire: installation *f.* —, plumbing; **contrôle** *m.* —, health supervision

sans without

santé *f.* health

sapin *m.* fir tree

sapinière *f.* fir-tree forest

sarcler to hoe, weed out

sarrasin *m.* buckwheat

satisfaire to satisfy

saucisson *m.* sausage; *small loaf of bread*

sauf except for; **sain et** —, safe and sound

saumon *m.* salmon; — **braisé** braised salmon

saut *m.* jump; — **en hauteur** high jump; — **en longueur** broad jump; — **à la perche** pole vaulting

sauvage wild

savant learned; —, *m.* scientist

saveur *f.* flavor

savoir to know

savon *m.* soap

savoureux tasty

scander to scan; mark; punctuate

scène *f.* scene; scenery; stage; **metteur** *m.* **en** —, stage director

scolaire *pertaining to school*

scolarité *f.*: — **obligatoire** compulsory schooling; **frais** *m.pl.* **de** —, tuition fees

scorie *f.* cinders; dross (iron)

scoutisme *m.* scouting

scrutin *m.* vote, poll, ballot

séance *f.* meeting

sec dry

sécheresse *f.* drought

secondaire: enseignement *m.* —, *French system of education which prepares for the* **baccalauréat**

secours *m.* help; first aid

secrétaire *m./f.* secretary; — **de direction** executive secretary

séculaire time-honored

seigle *m.* rye

séjour *m.* stay, sojourn, visit

séjourner to stay

sel *m.* salt; — **gemme** rock salt

sélectionner to select, choose

selon according to

semaine *f.* week; **fin** *f.* **de** —, week-end; **faire la** — **anglaise** not to work on Saturday

semblable similar

sembler to seem, appear

semi- half-

sens *m.* sense, meaning; direction; — **unique** one-way; **bon** —, common sense

sensible appreciable; sensitive

sensiblement to some extent

sentier *m.* path

sentiment *m.* feeling

sentir, se sentir to feel

septentrional northern

série f. series; **production** f. **en —,** mass production
sérieux serious
serre f. greenhouse, hothouse
serré tight; dense
serrer to squeeze
service m.: **— de table** table set
servir to serve; **se — de** to use
seul alone
seulement only
sévir to rage
sidérurgie f. steel industry
siècle m. century
siège m. seat
siéger to sit; seat
signification f. meaning
sillonner to pass through, cut through
sinueux winding
sinuosité f. winding
sirop m. syrup
situer to place, locate; **se —,** to be located
ski m.: **faire du —,** to ski
sobre simple, sober, plain
sobrement simply, quietly
sobriété f. simplicity, sobriety
social: siège m. **—,** head office
sœur f. sister
soie f. silk
soigné neat; carefully done
soigneusement carefully
soin m. care, attention
soir m. evening
soirée f. evening; party
soit . . . soit either . . . or; whether . . . or
sol m. ground; earth
solaire solar
soldat m. soldier
soleil m. sun
solennel solemn
solidaire closely knit
solide strong; solid
solidement strongly, well
solliciter to request, ask for
sombrer to sink, founder
somme f. sum, total; amount; **en —,** in short, finally
sommet m. summit, peak, top
somnolent tedious, drowsy, sleepy

son m. sound
songer to think; dream
sort m. fate, destiny
sorte f. kind, sort, type
sortie f. outing; "date"; **à la — de la ville** just outside the town
sortir to leave; go out; display, bring out
sot silly, stupid
souci m. care; worry
souffler to blow
souffrir to suffer; bear, tolerate
soufre m. sulfur
souhaitable desirable
souhaiter to wish
soulager to relieve
soulever to raise
soulier m. shoe
souligner to stress
soumettre to submit
souple flexible
source f. spring
sourire to smile
sous under
sous-marin underwater, submarine; **pêche, chasse —e** skin diving
sous-sol m. basement; subsoil, underground
soutenir to support, maintain
souterrain subterranean, underground
soutien m. support
se souvenir de to remember
souvent often
spectacle m. show
spéléologie f. cave exploring
spéléologue m./f. cave explorer
spontané spontaneous
sportif *one who likes or practices sports;* **—,** m. sportsman
stade m. stadium; stage
stage m. period of probation; **— pédagogique** student-teaching; **— d'entraînement** training period
station f.: **— thermale** spa; **— de ski** ski resort
stationnement m. parking
stationner to park
statuer to rule, pronounce
statut m. status; statute

subir to undergo; be under; — **un examen** to take an examination
subtil subtle
subvention *f.* subsidy
subventionner to subsidize
succéder to follow, come after
succès *m.* success
successif successive
successivement in succession
sucre *m.* sugar
sucrerie *f.* sugar factory
suffire to suffice, be sufficient
suffisant sufficient
suite *f.* following; **à la** — **de** following; **par** —, as a consequence; **tout de** —, right-away
suivant following
suivre to follow; take, attend (a course)
superficie *f.* area, surface
supérieur superior, higher
suppléer to substitute

supplémentaire: **faire des heures** —**s** to work overtime
supporter to carry; tolerate, stand
supprimer to suppress
surchargé overloaded
surchauffer to overheat
surnommé nicknamed
surpeuplé overpopulated
surplomber to overhang, hang over, look over
surprendre to surprise
sursis *m.* military deferment
surtout especially, above all
surveiller to watch over
survivre to survive
susciter to create, give rise to
suspendu: **pont** *m.* —, suspension bridge
syndicaliste *m./f.* member of a union
syndicat *m.* union
syndiqué *m.* member of a union

T

tabac *m.* tobacco; **bureau** *m.* **de** —, tobacco store
tableau *m.* picture, painting; board
tache *f.* stain
taille *f.* size; height; waistline; cut; **pierre** *f.* **de** —, cut stone
se tailler to cut
tandis que while
tannerie *f.* leather factory
tant: **en** — **que** as; — **de** so much, so many
tapageur noisy; flashy, showy
tapisserie *f.* tapestry
tard late
tarder to be late *or* slow
tarif *m.* rate, scale of prices; tariff
tartine *f.* slice (of bread)
tas *m.* pile
tasse *f.* cup
taureau *m.* bull; **course** *f.* **de** —**x** bullfight
taux *m.* rate
technique technical
teint *m.* complexion
tel such
télébenne *f.* ski chair
téléphérique *f.* cable car
télé-ski *m.* ski lift

témoignage *m.* testimony
témoigner to give evidence
temple *m.* temple, protestant church
temps *m.* time; weather; **emploi** *m.* **à mi-**—, half-time job
tendre to aim, tend
tendresse *f.* kindness, affection
tenir to hold, keep; — **à** to be caused by; be anxious to; **se** —, to be held, take place; **se** — **au courant** to keep informed; **s'en** —, to limit oneself
tente *f.* tent; **monter la** —, to pitch a tent
tenter to try, attempt; tempt
térébenthine *f.* turpentine
terme *m.*: **en d'autres** —**s** in other words
terminer to end, finish; **se** —, to come to an end, terminate
terrain *m.* ground, grounds
terre *f.* earth; land
terrestre: **frontière** *f.* —, land border
tertre *m.* hillock, mound
tête *f.* head; **en** —, as its leader
thé *m.* tea

thermes *m.pl.* Roman public baths
thèse *f.* thesis
thon *m.* tuna fish
tiède lukewarm
tiers third
tirage *m.* edition; circulation (of newspapers)
tirer to get out of, extract; print (books, newspapers); — **parti** *m.* to take advantage
tissage *m.* weaving
tisser to weave
tissu *m.* material, fabric, cloth
titre *m.* title; à — **de** as
titulariser to give tenure
toile *f.* linen
toit *m.* roof
tôlier *m.* sheet-iron worker
tombe *f.* tomb, grave
tombeau *m.* tomb, monument
tomber to fall; — **juste** to get the right person; not to make a mistake
ton *m.* tone; taste
tondre to mow (grass)
tonne *f.* ton (*2,200 pounds*)
tortue *f.* turtle
tôt soon; early
total: au —, all in all
toucher to touch; concern; cash, receive
toujours always; still
tour *m.* circuit, trip; trick; **faire un —,** to take a walk *or* ride; stroll; **jouer un —,** to play a trick; **scrutin** *m.* **à deux —s** two successive ballotings
tour *f.* tower
tourangeau *of or from* **Touraine**
tourisme *m.* tourism; **voiture** *f.* **de —,** passenger car
tournée *f.* round
tout (*adj.*) all, any; **du —,** at all; **de — temps** always; **—,** (*adv.*) quite, completely; **— en** while; **— de même** just the same; **— près** quite close, very near; **—,** *m.* whole

tout: — -à-l'égout *m.* sewer system
toutefois yet, however
traduire to translate
trafic *m.* trade, trading; traffic
trahison *f.* treason, betrayal
train: en — de in the process of
traîner to drag along
traité *m.* treaty, pact
traitement *m.* salary; treatment, medical care
traiter to treat, deal; negotiate
trajet *m.* journey, trip
transformateur *m.* transformer
transport *m.* transportation
travail *m.* work; labor; studies, research
travailler to work; study
travailleur studious; hard-working; **—,** *m.* laborer, workman; **— de force** worker doing hard manual labor
travers: à —, throughout
traversée *f.* crossing
traverser to cross, go through
trentaine *f.* about thirty
trépidant hectic
très very; most; very much
trésor *m.* treasure; precious article
trimestriel quarterly, once every three months
triste sad; unhappy
se tromper to make a mistake, be mistaken
tronc *m.* trunk (of a tree)
trop too; too much, too many
trottoir *m.* sidewalk
troubadour *m.* minstrel
troupe *f.* troop; group; band
trouver to find, discover, meet with; **se —,** to be
truite *f.* trout
tuer to kill
tuilerie *f.* tile factory
tutelle *f.* supervision; guardianship
tutoiement *m.* *use of the familiar* **tu** *instead of* **vous**
tutoyer *to use the familiar* **tu**

U

ultérieur subsequent, later
ultérieurement later on

unification *f.:* — **industrielle** amalgamation of industries

uninominal: scrutin majoritaire — à deux tours *voting for one member only; the absolute majority is required on the first day of balloting; on the following Sunday, in a second balloting, plurality is enough*
unique only one; single
unir to unite

unité *f.* unity; unit
universitaire *pertaining to the university*
urbanisme *m.* city-planning
usage *m.*: d'—, customary
user to wear out; — de to use, employ
usine *f.* factory; mill; plant
utilisable usable

V

vacances *f.pl.* vacation; holiday; grandes — summer vacation
vacancier *m.* vacationist
vache *f.*: — laitière milch cow
vague *f.* wave
vainqueur *m.* conqueror; winner; victor
val *m.* valley, vale
valeur *f.* value
vallée *f.* valley
valoir to be worth; — mieux to be better
se vanter to boast
variante *f.* variation
varié diversified
varier to vary, change, diversify
veau *m.* calf; veal
veille *f.* eve *or* day before
veiller to watch
vélo *m.* bike, bicycle; —moteur motorbike
velours *m.* velvet
vendange *f.* grape gathering
vendéen *of or from* Vendée
vendeur *m.* salesman
vendre to sell
venir to come, arrive, reach, occur
vent *m.* wind; moulin *m.* à —, windmill
vente *f.* sale; — aux enchères auction sale
verdure *f.* green foliage
verger *m.* orchard
vérifiable easy to check.
vérifier to check
véritable real; true
vérité *f.* truth; la — en marche truth on the march
verre *m.* glass
verrerie *f.* glass (trade *or* factory); set of table glasses

vers toward
verser to pay
vert green
vêtement *m.* clothing, clothes
vétuste decrepit
viande *f.* meat
vice *m.*: — de forme faulty procedure
victoire *f.* victory
vide empty
se vider to empty oneself
vie *f.* life; — courante daily *or* ordinary life
vieillard *m.* old man; old person
vieillesse *f.* old age
Vierge *f.* Virgin Mary
vieux old
vif bright, vivid; alive, live
vigne *f.* vine; vineyard
vigneron *m.* wine grower
vignoble *m.* vineyard
ville *f.* city, town; — d'eau spa
villégiature *f.* country *or* seashore *or* mountain vacation; vacation place
vin *m.* wine
vinaigre *m.* vinegar
vingtaine *f.* about twenty
visage *m.* face
viser to aim, tend
visiteur *m.* guest
vite quickly
vitesse *f.* speed
viticole *pertaining to wine growing*
vitrail *m.* stained-glass window
vitre *f.* windowpane
vivace alive; deeply rooted
vivant alive; langue —e modern language
vivement ardently
vivre to live

vœu *m.* wish

voie *f.* way; road; direction; — **ferrée** railroad; **par — de** through, by means of

voile *f.* sail; **bateau** *m.* **à —,** sailboat; **vol** *m.* **à —,** gliding

voir to see

voisin *m.* neighbor

voisiner to adjoin, be side by side

voiture *f.* car; carriage; — **de tourisme** passenger car

voix *f.* voice; vote

vol *m.* flight; — **à voile** gliding

volaille *f.* fowl, poultry

volet *m.* shutter

volonté *f.* will power; **bonne —,** good will, kindness

vouloir to wish, desire, want; — **dire** to mean

voyage *m.* trip

voyageur *m.* traveler

vrai true

vraiment really, truly, actually

vue *f.* sight; vision; view; **point** *m.* **de —,** viewpoint; **échange** *m.* **de —s** exchange of viewpoints

W

wagon *m.* railroad car

watt-heure *m.* watt-hour